OS CORAÇÕES PERDIDOS

Celeste Ng
OS CORAÇÕES PERDIDOS

TRADUÇÃO DE
FERNANDA ABREU

Copyright © 2022 by Celeste Ng

TÍTULO ORIGINAL
Our Missing Hearts

COPIDESQUE
Iuri Pavan

REVISÃO
Midori Hatai
Carolina Vaz

DIAGRAMAÇÃO
Juliana Brandt

IMAGEM DE CAPA
Nick Orr Art

DESIGN DE CAPA
Hannah Wood — LBBG

CIP-BRASIL. CATALOGAÇÃO NA PUBLICAÇÃO
SINDICATO NACIONAL DOS EDITORES DE LIVROS, RJ

N479c
   Ng, Celeste
      Os corações perdidos / Celeste Ng ; tradução Fernanda Abreu. -
Rio de Janeiro : Intrínseca, 2023.

      Tradução de: Our missing hearts
      ISBN 978-65-5560-836-6

      1. Ficção americana. I. Abreu, Fernanda. II. Título.

22-81397

CDD: 813
CDU: 82-3(73)

Meri Gleice Rodrigues de Souza - Bibliotecária - CRB-7/6439

[2023]
Todos os direitos desta edição reservados à
EDITORA INTRÍNSECA LTDA.
Rua Marquês de São Vicente, 99, 6º andar
22451-041 – Gávea
Rio de Janeiro – RJ
Tel./Fax: (21) 3206-7400
www.intrinseca.com.br

Para minha família

"Durante os anos terríveis do Grande Terror, passei dezessete meses esperando na fila em frente à prisão em Leningrado...

Atrás de mim estava uma mulher de lábios azuis por causa do frio... Ela um dia saiu do torpor comum a todas nós e me perguntou num sussurro (todo mundo lá sussurrava):

— Você consegue descrever isso aqui?

— Consigo — respondi.

Então algo parecido com um sorriso atravessou fugazmente o que um dia tinha sido o seu rosto."

Anna Akhmatova, *Réquiem, 1935-1940*

Mas a PACT é mais do que uma lei. É uma *promessa* que fazemos uns aos outros: uma promessa de proteger nossos ideais e valores norte-americanos; uma promessa de que haverá consequências para aqueles que enfraquecerem nosso país com ideias antiamericanas.

Vamos aprender sobre a PACT: um guia para jovens patriotas

A carta chegou numa sexta-feira. Aberta e relacrada com um adesivo, lógico, como todas as suas cartas: *Inspecionado para sua segurança — PACT*. Ela causara uma pequena confusão na agência de correio: um funcionário havia aberto a carta que estava dentro do envelope, examinado e passado para o supervisor e depois para o chefe. Mas a carta acabou sendo considerada inofensiva e encaminhada. Sem endereço do remetente, apenas um carimbo postal de Nova York, NY, de seis dias antes. Na parte externa, o seu nome, Bird; por causa disso, ele soube que era uma carta da mãe.

Faz muito tempo que ele não é Bird.

A gente batizou você de *Noah* em homenagem ao seu avô, sua mãe lhe contara uma vez. *Bird* foi você mesmo quem inventou.

A palavra que, quando ele dizia, sentia que era parte de seu ser. Algo que não pertencia ao planeta Terra, uma coisa pequena e breve. Um pio curioso, um eu que se fechava nas bordas.

A escola não tinha gostado. Bird não é nome, eles disseram, o nome dele é Noah. Sua professora do jardim de infância reclamou, bufando: Ele não responde quando eu chamo. Só responde se eu o chamar de Bird.

É porque o nome dele é Bird, respondeu a mãe. Ele atende por Bird, então sugiro que a senhora o chame assim, a certidão de nascimento que se dane. Ela rasurava com canetinha toda advertência que vinha para casa, riscando *Noah* da linha pontilhada e escrevendo *Bird* no lugar.

Sua mãe era assim: uma fera indomável quando o filho precisava dela.

No fim, a escola acabou aceitando, embora, depois disso, a professora tenha passado a escrever Bird entre aspas, como o apelido de um mafioso. *Querido "Bird", lembre-se, por favor, de pedir que sua mãe assine sua autorização de saída. Caros sr. e sra. Gardner, "Bird" é educado e estudioso, mas precisa participar mais em sala de aula.* Foi só aos nove anos, depois que sua mãe foi embora, que ele virou Noah.

Seu pai diz que é melhor assim e não deixa mais ninguém chamá-lo de Bird.

Se alguém te chamar assim, você corrige, diz ele. Peça desculpas e diga que seu nome não é esse.

Foi uma das muitas mudanças que aconteceram depois que a sua mãe foi embora. Um apartamento novo, uma escola nova, um emprego novo para o pai. Uma vida inteiramente nova. Era como se o seu pai quisesse transformar a vida deles por completo, e se um dia sua mãe decidisse voltar, não saberia onde encontrá-los.

No ano anterior, ele havia cruzado com sua antiga professora do jardim de infância na volta para casa. Ah, oi, Noah, tudo bem com você?, e ele não soube dizer se ela falara com arrogância ou pena.

Ele está com doze anos agora; já tem três que é Noah, mas *Noah* continua parecendo uma daquelas máscaras de Halloween, um troço borrachudo e esquisito que ele não sabe direito como usar.

Agora, de repente: uma carta da mãe. A letra parece a dela... e mais ninguém o chamaria assim. *Bird*. Depois de todos aqueles anos, ele às vezes esquecia a voz dela; quando tentava relembrá-la, ela fugia como uma sombra se dissolvendo na escuridão.

Bird abre o envelope com as mãos trêmulas. Três anos sem nenhuma mensagem sequer, mas ele enfim vai entender por que ela foi embora e onde esteve.

Porém, dentro do envelope não há nada a não ser um desenho. Uma folha de papel coberta de cima a baixo com desenhos do tamanho de uma moeda: gatos. Gatos grandes, gatos pequenos, gatos listrados, tricolores e frajolas, sentados retinhos, lambendo as patas, relaxando no sol. Rabiscos, na verdade, como os que sua mãe fazia na sua lancheira anos antes, como os que ele às vezes faz em seus cadernos escolares hoje. Pouco mais do que algumas linhas curvas, mas reconhecíveis. Ela está viva. Só isso. Nenhum recado, nem mesmo palavras, só gatos e mais gatos rabiscados com caneta. Algo naquilo mexe com a sua memória, mas ele não consegue identificar exatamente o quê.

Ele vira o papel à procura de pistas, mas o verso está em branco.

Você tem alguma lembrança da sua mãe?, Sadie lhe perguntara um dia. Eles estavam no parquinho, no alto do trepa-trepa, com o escorrega se estendendo diante deles. Era o quinto ano, a última vez em que teriam recreio. Tudo àquela altura já se tornara pequeno demais para eles, já não eram mais criancinhas. Eles observavam os colegas correrem uns atrás dos outros pelo pátio gritando "um, dois, três, lá vou eu".

A verdade era que ele lembrava, sim, mas não sentia vontade de compartilhar, nem mesmo com Sadie. A ausência de mãe os havia unido, mas era diferente o que tinha acontecido com cada um deles. Com suas mães.

Não muito, respondera ele, e você, se lembra da sua?

Sadie segurou a barra acima do escorrega e se suspendeu como quem faz um exercício de barra.

Só lembro que ela era uma heroína, disse ela.

Bird ficou quieto. Todo mundo sabia que os pais de Sadie tinham sido considerados inaptos para criá-la e que fora assim que ela acabara sendo levada à sua família de acolhimento e para a escola onde os dois estudavam. Contavam todo tipo de história sobre os pais dela: que embora a mãe de Sadie fosse preta e o pai fosse branco, eles eram simpatizantes dos chineses que queriam vender o país. E havia muitas histórias sobre Sadie também: que, quando os assistentes sociais foram buscá-la, ela havia mordido um e voltado aos gritos para os pais e que os assistentes precisaram arrastá-la algemada. Que aquela não era sua primeira família de acolhimento, que ela fora devolvida mais de uma vez por causar muitos problemas. Que, mesmo depois de perderem a filha, eles continuaram tentando derrubar a PACT, como se não se importassem em conseguir Sadie de volta; que eles tinham sido presos e estavam na cadeia em algum lugar. Ele desconfiava que houvesse histórias a seu respeito também, mas não queria saber.

De qualquer forma, continuou Sadie, assim que eu tiver idade para isso, vou voltar para minha cidade, Baltimore, e encontrar os dois.

Apesar de eles estarem na mesma turma, ela era um ano mais velha do que Bird e nunca o deixava se esquecer disso. Ela teve que repetir de ano, cochichavam os pais na hora da saída com a voz cheia de pena. Por causa da *criação* dela. Mas nem mesmo um recomeço conseguia fazê-la andar na linha.

Como?, tinha perguntado Bird.

Sadie não respondeu e, depois de um minuto, soltou a barra do escorrega e aterrissou ao seu lado, com um ar desafiador. No ano seguinte, bem quando as aulas estavam terminando, Sadie sumiu, e agora, no sétimo ano, Bird está sozinho outra vez.

São cinco horas, seu pai logo chegará em casa e, se vir a carta, vai obrigar Bird a queimá-la. Eles não têm nenhum pertence de sua mãe, nem mesmo roupas. Depois que ela foi embora, seu pai jogou os livros dela na lareira, destruiu o celular que ela havia deixado e amontoou todas as outras coisas dela na calçada junto ao meio-fio. Esqueça que ela existe, ele tinha dito. De manhã, as pessoas em situação de rua já tinham feito uma limpa na pilha. Seu pai se livrou até da cama na qual dormia junto com a mãe, e umas semanas depois, eles se mudaram para o apartamento no *campus*. Seu pai agora dorme numa beliche, debaixo de Bird.

Ele mesmo deveria queimar a carta. Não é seguro deixar nada dela por aí. Mais do que isso: quando ele vê seu nome, seu antigo nome, escrito no envelope, uma porta dentro dele abre uma fresta e uma corrente de ar começa a entrar. Às vezes, quando ele vê silhuetas encolhidas na calçada, as examina em busca de algo familiar. Às vezes encontra alguma coisa — um lenço de bolinhas, uma saia vermelha florida, um chapéu de feltro enfiado até os olhos — e, por um segundo, acha que é ela. Seria mais fácil se ela tivesse partido para sempre, se nunca mais voltasse.

A chave do seu pai arranha a fechadura, forçando o mecanismo emperrado.

Bird corre para o quarto, levanta as cobertas da cama e esconde a carta dentro da fronha do travesseiro.

Ele não se lembra muito da mãe, mas de uma coisa ele tem certeza: ela sempre tinha um plano. Não teria encontrado seu endereço novo e corrido o risco de lhe escrever sem um motivo. Aquela carta devia significar alguma coisa. Ele não para de repetir isso para si mesmo.

Ela os havia deixado, era só o que o seu pai dizia.

E então, ajoelhando-se para olhar Bird nos olhos, ele disse: É melhor assim. Esqueça que ela existe. Eu não vou embora, é só isso que você precisa saber.

Na época, Bird não soubera o que ela havia feito. Tudo o que sabia era que tinha passado semanas escutando a voz abafada dos pais na cozinha bem depois da sua hora de dormir. Normalmente, o murmúrio o relaxava e o fazia adormecer em minutos, um sinal de que estava tudo bem. Mas, nos últimos tempos, tinha virado um cabo de guerra: primeiro a voz do pai, depois a da mãe, preparando-se para o embate, cerrando os dentes.

Já então ele tinha entendido que era melhor não fazer perguntas. Simplesmente assentia e deixava o pai puxá-lo para um abraço quente e aconchegante.

Só depois ficou sabendo a verdade, jogada na sua cara no parquinho como uma pedra: Sua mãe é uma traidora, disse D. J. Pierce, cuspindo no chão perto dos pés de Bird.

Todo mundo sabia que sua mãe era de origem asiática. Japa, como algumas crianças chamavam. Isso não era novidade. Dava para ver no rosto de Bird, se você prestasse atenção nas partes que ele não puxara do pai, como as maçãs do rosto e o formato dos olhos. Ter origem asiática em si não era crime, lembravam as autoridades. A PACT não tem a ver com raça, vivia dizendo o presidente, tem a ver com patriotismo e mentalidade.

Mas a sua mãe começou a protestar, dissera D. J. Meus pais que me contaram. Ela era um perigo para a sociedade, e eles estavam indo atrás dela, foi por isso que ela fugiu.

Seu pai o havia alertado sobre isso. As pessoas vão falar várias coisas, ele dissera a Bird. Concentre-se na escola. Diga que não temos nada a ver com ela. Diga que ela não faz mais parte da sua vida.

Ele tinha obedecido.

Meu pai e eu não temos nada a ver com ela. Ela não faz mais parte da minha vida.

O coração ficou pequenininho e rangeu no peito. No chão do pátio, o cuspe de D. J. reluziu e espumou.

***

Quando seu pai entra no apartamento, Bird está sentado à mesa com os livros da escola. Num dia normal, ele se levantaria num pulo e iria lhe dar um abraço carinhoso. Neste dia, ainda pensando na carta, ele se curva sobre o dever de casa e evita o olhar do pai.

O elevador quebrou de novo, conta seu pai.

Eles moram no décimo andar, o último, de um dos alojamentos. Um prédio mais novo, mas a universidade é tão velha que até os prédios novos são antiquados.

Nós estamos aqui desde antes de os Estados Unidos serem um país, seu pai gosta de dizer. Ele fala *nós* como se ainda fizesse parte do corpo docente, mas já faz muitos anos que não é. Ele agora trabalha na biblioteca da universidade, atualizando registros e guardando livros nas estantes, e ganhou o apartamento junto com o emprego. Bird entende que isso é uma vantagem, que a remuneração por hora do pai é baixa e o dinheiro é pouco, mas, para ele, o benefício não parece grande coisa. Eles antes tinham uma casa inteira, com quintal e jardim. Agora têm um alojamento estudantil com dois cômodos minúsculos: um só quarto, que ele e o pai compartilham, e uma sala com uma minicozinha num canto. Um fogão de duas bocas e um frigobar pequeno demais, onde não cabe nem uma embalagem de leite em pé. No apartamento de baixo, a rotatividade é alta: todo ano eles têm vizinhos novos; quando começam a reconhecer as pessoas, elas vão embora. No verão, não tem ar-condicionado; no inverno, os aquecedores estalam quando ligados no máximo. E, quando o elevador temperamental se recusa a funcionar, o único jeito de subir ou descer é de escada.

Bom, diz seu pai, levando uma das mãos até o nó da gravata para soltá-lo. Vou avisar ao zelador.

Bird se concentra no dever de casa, mas consegue sentir os olhos do pai fixos nele, esperando que ele levante a cabeça. Ele não se atreve.

O dever de inglês de hoje: *Em um parágrafo, explique o que significa PACT e por que ela é crucial para a segurança nacional. Dê três exemplos específicos.* Ele sabe exatamente o que deve responder; eles estudam isso na escola todo ano. A Lei de Preservação da Cultura e das Tradições Norte-Americanas — na sigla em inglês, PACT. No jardim de infância, eles chamavam a lei de promessa: *Prometemos proteger os valores norte-americanos. Prometemos tomar conta uns dos outros.* Todo ano eles aprendem a mesma coisa, só que com palavras mais compridas. Durante aquelas aulas, os professores costumavam olhar para Bird descaradamente, e o resto da turma fazia o mesmo.

Ele empurra a redação para o lado e passa a se concentrar na matemática. *Suponha que o PIB dos Estados Unidos seja de quinze trilhões de dólares e cresça 6% ao ano. Se o PIB dos Estados Unidos for de vinte e quatro trilhões de dólares, mas crescer apenas 2% ao ano, quantos anos vai demorar para o PIB da China ultrapassar o dos Estados Unidos?* É mais fácil quando há números. Quando ele pode ter certeza do certo e do errado.

Está tudo bem, Noah?, pergunta seu pai, e Bird assente e faz um gesto vago na direção do caderno.

Só muito dever, diz ele, e seu pai, aparentemente satisfeito com a resposta, entra no quarto para trocar de roupa.

Bird desenha um quadrado bem-feito ao redor do resultado. De nada adianta contar ao pai sobre o seu dia: todos os dias são iguais. O trajeto a pé até a escola pelo mesmo caminho. O juramento, o hino, andar até a sala arrastando os pés e mantendo a cabeça baixa, tentar não chamar atenção no corredor, nunca levantar a mão. Nos melhores dias, ele é ignorado por todos; na maioria dos dias, ele é alvo de provocações ou de pena. Ele não sabe qual dos dois é pior, mas culpa a mãe por ambos.

Tampouco adianta perguntar ao pai como foi o dia dele. Até onde ele sabe, os dias do pai também são sempre iguais: empurrar o carrinho por entre as estantes, guardar um livro no lugar, fazer tudo de novo. Na sala das devoluções, outro carrinho estará à espera. Como Sísifo, disse seu pai assim que começou. Ele lecionava linguística; adora livros e palavras; é fluente em seis idiomas e consegue ler em mais oito. Foi ele quem contou a Bird a história de Sísifo, que passou a eternidade rolando encosta acima a mesma pedra. Seu pai adora mitos, raízes latinas obscuras e palavras tão compridas que é preciso treinar para poder desfiá-las como um terço. Ele costumava interromper as próprias frases para explicar um termo complicado, para divagar sobre o próprio raciocínio e contar a Bird sua etimologia, de onde ela tinha vindo, como fora sua vida inteira e quem eram seus irmãos e irmãs, primos e primas. Descascando as camadas da semântica. No passado, Bird adorava isso, quando era mais novo, quando o pai ainda era professor universitário e a mãe ainda estava em casa e tudo era diferente. Quando ele ainda achava que as histórias explicavam alguma coisa.

Ultimamente, seu pai não fala muito sobre palavras. Volta cansado dos longos dias na biblioteca, que forçam seus olhos até que fiquem ardidos; chega envolto em silêncio, como se o tivesse pegado das prateleiras, do ar frio parado e com cheiro adocicado, da obscuridade no cangote da pessoa que a única luminária em cada corredor mal-iluminado conseguia dissipar. Bird não pergunta nada ao pai pelo mesmo motivo que o pai não gosta de falar sobre a mãe: ambos preferem não sentir falta das coisas que não podem ter de volta.

Mesmo assim, ela volta em flashes repentinos. Como pedacinhos de sonhos lembrados pela metade.

Sua risada, súbita como o grunhido de uma foca, uma irrupção ruidosa que lançava sua cabeça inteira para trás. Deselegante, dizia ela com orgulho. O modo como ela tamborilava os dedos quando estava pensando, os pensamentos tão irrequietos que ela não conseguia ficar parada. E então, esta lembrança. Tarde da noite, Bird sofrendo com um forte resfriado. Acordando suado, em pânico, tossindo e chorando, com o peito cheio de catarro. Certo de que iria morrer. A mãe cobrindo o abajur da mesa de cabeceira com uma toalha, aninhando-se ao seu lado, encostando a bochecha fria na sua testa. Abraçando-o até ele pegar no sono, abraçando-o a noite inteira. Toda vez que ele despertava de leve, os braços dela ainda estavam à sua volta, e o medo que crescia dentro de si se tornava suportável.

Eles se sentam à mesa juntos, Bird tamborilando um lápis na folha do dever de casa, o pai passando os olhos atentamente pelo jornal. Todo o resto do mundo vê as notícias na internet, deslizando a tela para ler as principais manchetes, tirando celulares do bolso ao ouvir uma notificação de notícia urgente. Antes, seu pai também fazia isso, mas, depois que eles se mudaram, ele se livrou do celular e do notebook. É que eu sou das antigas, só isso, respondeu ele quando Bird perguntou. Ultimamente, ele lê o jornal do início ao fim. Cada palavra, diz ele, todo santo dia. É o mais perto que ele chega de se gabar. Entre um problema e outro, Bird tenta não olhar para o quarto, onde a carta está escondida. Em vez disso, fica estudando as manchetes da primeira página que o separa do pai: "Vigilância de bairro frustra potencial manifestação em Washington."

Bird calcula. *Se um carro coreano custa quinze mil dólares, mas dura apenas três anos, ao passo que um carro norte-americano custa vinte mil dólares, mas dura dez anos, quanto seria poupado ao longo de cinquenta anos comprando somente carros norte-americanos? Se um vírus se propagar exponencialmente por uma população de dez milhões de pessoas e dobrar sua taxa de crescimento a cada dia...*

Do outro lado da mesa, seu pai inverte o jornal.

Falta só a redação. Aos trancos, Bird vai cumprindo as instruções do enunciado e constrói um parágrafo tosco sem estilo algum.

A PACT é uma lei muito importante, que pôs fim à Crise e que mantém nosso país seguro, porque...

Ele fica aliviado quando o pai dobra o jornal e olha para o relógio, momento em que pode abandonar a redação e pousar o lápis.

Quase seis e meia, diz seu pai. Venha, vamos sair para comer alguma coisa.

Eles atravessam a rua em direção ao refeitório. Mais uma suposta vantagem do emprego: ninguém precisa cozinhar, o que é prático para um pai solteiro. Se algum atraso imprevisto acontecer e eles perderem o horário do jantar, seu pai improvisa: pega uma caixa azul de macarrão no armário e prepara uma refeição que provavelmente não vai deixar nenhum dos dois satisfeitos. Antes de sua mãe ir embora, eles faziam as refeições juntos, os três ao redor da mesa da cozinha, seus pais conversando e rindo enquanto comiam, depois sua mãe cantava baixinho enquanto lavava a louça e o pai secava.

Eles encontram um canto no fundo do refeitório onde podem comer sozinhos. Os alunos ao redor estão em grupos de dois ou três, e o burburinho de suas conversas sussurradas parece uma corrente de ar no recinto. Bird não reconhece ninguém pelo nome e só uns poucos de vista; não tem o costume de encarar os outros. Continue andando, é o que o pai sempre lhe diz quando alguém os observa, seus olhares parecendo centopeias no rosto de Bird. Ele se sente grato por ninguém esperar que ele cumprimente os alunos ou que jogue conversa fora. Eles tampouco sabem o seu nome, e, de qualquer forma, quando o ano terminar, todos terão ido embora.

Os dois estão quase terminando de comer quando uma confusão irrompe do lado de fora. Algo se arrastando e batendo, um barulho de pneus derrapando. Sirenes.

Fique aqui, pede o pai de Bird. Ele corre até a janela e se junta aos alunos que já estão reunidos ali para observar a rua. Por todo o refeitório, os pratos abandonados esfriam. Luzes azuis e brancas piscam no teto e nas paredes. Bird não se levanta. Seja o que for, vai passar. Não se meta em encrenca, o pai sempre lhe diz, o que significa não fazer nada que possa atrair atenção. Se vir alguma encrenca, dê meia-volta, aconselhou certa vez. Esse é o seu pai, andando pela vida a passos arrastados, com a cabeça baixa.

Mas os murmúrios no refeitório vão ficando mais altos. Mais sirenes, mais luzes lançando sombras que crescem e se destacam monstruosas no teto. Lá fora, uma confusão de vozes zangadas e o barulho de corpos se movimentando, de botas na calçada. Ele nunca escutou nada como aquilo, e parte dele quer correr até a janela para ver o que está acontecendo. A outra parte quer se encolher debaixo da mesa e se esconder, como a criaturinha amedrontada que ele de repente tem consciência de que é. Da rua vem o som arranhado de um megafone: *Aqui é a Polícia de Cambridge. Por favor, fiquem onde estão. Afastem-se das janelas até segunda ordem.*

Por todos os lados, alunos correm de volta para suas mesas, e Peggy, gerente do refeitório, circula pelo recinto, fechando as cortinas. O ar é tomado por cochichos. Bird imagina uma multidão irada do lado de fora, barricadas feitas com lixo e móveis, coquetéis molotov e labaredas. Todas as fotos da Crise que eles estudaram na escola ganham vida. Ele fica batendo o joelho contra o pé da mesa até o pai voltar, e o movimento então se transfere para dentro dele, para a parte oca de seu peito.

O que está acontecendo?, pergunta Bird.

Seu pai balança a cabeça.

Algum tumulto, responde ele. Eu acho. Então repara nos olhos arregalados de Bird: Está tudo bem, Noah. As autoridades já chegaram. Está tudo sob controle.

* * *

Durante a Crise, aconteciam tumultos o tempo inteiro; eles aprendem isso na escola todo ano, desde que tem memória. Todos desempregados, fábricas paradas, escassez de todo tipo; multidões haviam saqueado lojas e tomado as ruas com protestos, incendiando bairros inteiros. A nação paralisada pelo caos.

Impossível ter uma vida produtiva, comentara seu professor de estudos sociais.

Ele tinha avançado para outro slide, projetado no quadro. Destroços pelas ruas, vitrines estilhaçadas. Um tanque em plena Wall Street. Fumaça subindo numa névoa alaranjada sob o Arco de Saint Louis.

É por isso, jovens damas e cavalheiros, que vocês têm sorte de viver numa época em que a PACT tornou os protestos violentos uma coisa do passado.

E é verdade: durante a maior parte da vida de Bird, os tumultos foram raros, quase inexistentes. A PACT está em vigor há mais de uma década, aprovada com maioria esmagadora tanto na Câmara quanto no Senado, sancionada pelo presidente em tempo recorde. As pesquisas continuam mostrando um imenso apoio da população.

Porém, ao longo daqueles últimos meses, coisas estranhas têm acontecido por toda parte; não greves, passeatas e protestos sobre os quais aprendemos na escola, mas algo inédito. Eventos incomuns e aparentemente sem propósito, bizarros demais para não serem relatados, todos anônimos, todos direcionados à PACT em si. Em Memphis, pessoas de balaclava derrubaram um caminhão-caçamba carregado de bolinhas de pingue-pongue no rio e fugiram, deixando em seu rastro um lençol de esferas brancas. Cada qual com um coração vermelho em miniatura desenhado acima das palavras "Fora PACT". Na semana anterior, dois drones estenderam uma faixa na ponte do Brooklyn, de um arco a outro. "PACT é o caralho", dizia. Em meia hora, a polícia havia fechado a ponte, estacionado um elevador de lança até os pilares e removido a faixa, mas Bird tinha visto as fotos que vazaram na internet. Todos os blogs e sites de notícias as publicaram, e até alguns jornais. A grande faixa de letras pretas graúdas e, abaixo delas, um coração vermelho borrado parecendo uma mancha de sangue.

Em Nova York, o engarrafamento durara horas por causa do fechamento da ponte. Pessoas tinham postado vídeos de filas imensas de carros, uma corrente de luzes vermelhas que se estendia noite adentro. Só chegamos em casa à meia-noite, disse um motorista aos repórteres. Olheiras acentuadas marcavam seu rosto. Ficamos praticamente reféns, disse ele, e ninguém sabia o que estava acontecendo... enfim, parecia terrorismo. Os noticiários calcularam a gasolina desperdiçada, o monóxido de carbono liberado, o custo econômico daquelas horas perdidas. Dizem que as pessoas encontram bolinhas de pingue-pongue boiando no rio Mississippi até hoje; a polícia de Memphis divulgou a foto de um pato que, segundo ela, havia morrido engasgado, a goela estufada com massas parecendo tumores.

Um comportamento absolutamente inaceitável, dissera fungando seu professor de estudos sociais. Se algum de vocês um dia souber de alguém que está planejando um tumulto assim, seu dever cívico pela PACT é denunciar às autoridades.

Eles ouviram um sermão improvisado e receberam um dever a mais para fazer: *Redija um texto de cinco parágrafos explicando como as perturbações recentes da paz puseram em risco a segurança pública de todos.* A mão de Bird tinha se fechado numa cãibra.

E eis ali um tumulto bem do lado de fora do refeitório. Bird sente pavor e fascínio ao mesmo tempo. O que será aquilo? Um ataque? Um protesto? Uma bomba?

Do outro lado da mesa, seu pai segura sua mão. Algo que ele fazia com frequência quando Bird era mais novo e que quase não faz mais, agora que o filho cresceu. Um gesto que Bird secretamente sente falta. A mão do pai é macia e sem calos, a mão de um homem que trabalha com a mente. Seus dedos, cálidos e fortes, se fecham em volta dos de Bird para imobilizá-los suavemente.

Sabe de onde vem essa palavra, *disruption*, perturbação?, pergunta o pai. O *dis* significa *separado*. Como em *dis*tender, *des*membrar.

O hábito mais antigo do pai: desmontar palavras como relógios antigos para exibir as engrenagens ainda girando lá dentro. Ele está tentando acalmar Bird, como se estivesse contando uma história para dormir. Para distraí-lo, talvez até para distrair a si mesmo.

E *rupt*: romper. Como em e*rup*ção, uma explosão; ininter*rupt*o, algo que não se interrompe; ab*rupt*o, algo repentino.

A animação faz a voz do pai subir meia oitava, como uma corda de violão sendo afinada. Então, na verdade, *disruption* significa *despedaçar*, completa ele. Espatifar.

Bird pensa em trilhos de trem arrancados do chão, autoestradas fechadas por barricadas, edifícios vindo abaixo. Pensa nas fotos que lhe mostraram na escola, de manifestantes atirando pedras e tropas de choque agachadas atrás de uma parede de escudos. Do lado de fora, eles ouvem os guinchos inconfundíveis dos rádios da polícia, vozes entrando e saindo do raio de alcance da sua audição. À sua volta, os alunos estão curvados sobre o celular, em busca de explicações e postando atualizações.

Está tudo bem, Noah, diz seu pai. Vai acabar já, já. Não tem por que ter medo.

Eu não estou com medo, diz Bird. E não está mesmo, não exatamente. Não é o medo que se espalha por sua pele feito uma teia de aranha. É como a eletricidade no ar antes de uma tempestade, uma espécie de potência colossal e impressionante.

Uns vinte minutos mais tarde, outro anúncio pelo megafone crepita através das cortinas fechadas e das janelas antirruído. *É seguro retomar as atividades normais. Por favor, notifiquem as autoridades sobre qualquer outra atividade suspeita.*

Os alunos começam a ir embora do refeitório aos poucos, depositando as bandejas na estação de higienização e partindo apressados para seus quartos no alojamento, reclamando do atraso. Já passa das oito e meia, e todo mundo de repente tem algum outro lugar para ir. Enquanto Bird e seu pai recolhem suas coisas, Peggy começa a reabrir as cortinas para revelar a rua escurecida. Atrás dela, outros funcionários do refeitório correm de mesa em mesa com panos de prato e sprays de desinfetante; outro varre depressa o chão de ladrilhos para recolher os cereais e as migalhas de pão.

Eu abro para você, Peggy, diz o pai de Bird, e Peggy meneia a cabeça para ele, agradecida.

Cuide-se, sr. Gardner, diz Peggy, enquanto volta apressada para a cozinha. Bird se remexe, à espera, até o pai reabrir todos os pares de cortinas e eles poderem voltar para casa.

Lá fora o ar está frio e inerte. Todas as viaturas foram embora e todas as pessoas também: o quarteirão está deserto. Ele procura sinais da perturbação: crateras, prédios chamuscados, cacos de vidro. Nada. Então, quando estão atravessando a rua para voltar ao alojamento, Bird olha para o chão: pichado, vermelho-sangue em contraste com o asfalto, bem no meio do cruzamento. Do tamanho de um carro, impossível de não ver. Um coração, percebe ele, igualzinho ao da faixa no Brooklyn. E daquela vez, ao redor dele, um círculo de palavras: "Devolvam os nossos corações perdidos."

Um formigamento percorre sua pele.

Quando eles estão atravessando, ele diminui o passo e relê as palavras. "Nossos corações perdidos". A tinta ainda um pouco úmida gruda na sola dos seus tênis; a respiração quente gruda na sua garganta. Ele olha de relance para o pai em busca de um vislumbre de reconhecimento. Mas seu pai o puxa pelo braço. Puxa-o para longe, nem sequer olha para baixo. Evita o olhar de Bird.

Está ficando tarde, diz seu pai. Melhor a gente ir para casa.

Ela era poeta, a sua mãe.

Uma poeta famosa, acrescentara Sadie, e ele dera de ombros. Isso lá existia?

Está de brincadeira?, retrucara Sadie. Todo mundo já ouviu falar em Margaret Miu.

Ela pensou um pouco.

Bom, continuara ela, todo mundo pelo menos já conhece o poema dela.

No início fora só uma expressão, igual a qualquer outra.

Pouco depois de a sua mãe ir embora, Bird havia encontrado um pedacinho de papel no ônibus, fino feito a asa de uma borboleta morta, enfiado no vão entre o assento e a lataria. Um de dezenas. Seu pai o arrancou de sua mão, amassou e jogou no chão.

Pare de catar lixo, Noah, ordenou ele.

Mas Bird já tinha lido as palavras escritas no topo: *os corações perdidos*.

Expressão que ele nunca havia escutado, mas que começou a surgir em outros lugares nos meses, depois anos, que sucederam a partida de sua mãe. Pichada no túnel para ciclistas, na parede da quadra de basquete, no tapume em volta de um canteiro de obras desativado havia tempos: "Não esqueçam os nossos corações perdidos." Rabiscada nos cartazes da ronda do bairro: "Onde estão os nossos corações perdidos?" E nos panfletos que apareceram da noite para o dia numa manhã memorável presos no limpador de para-brisa dos carros estacionados, espalhados pela calçada, caídos junto à base de concreto dos postes. Filipetas xerocadas do tamanho da palma da mão com apenas esta frase: "Os corações perdidos."

No dia seguinte, já tinham pintado por cima da pichação, os cartazes tinham sido trocados, os panfletos foram varridos como folhas mortas. Tudo tão limpo que ele poderia ter imaginado a coisa toda.

Na época, aquilo não tinha nenhum significado para ele.

É um slogan anti-PACT, explicou seu pai, sucinto, quando Bird perguntou. De pessoas que querem derrubar a PACT. Pessoas malucas, acrescentara ele. Loucas de verdade.

É preciso ser louco para derrubar a PACT, concordara Bird. A PACT havia ajudado a acabar com a Crise; era ela que garantia a paz e a segurança. Até as crianças do jardim de infância sabiam disso. A PACT, na verdade, era um senso comum: se você agia contra a pátria, haveria consequências; se não agia, estava preocupado com o quê? E, se você visse ou ouvisse algo antipatriótico, seu dever era avisar às autoridades. Ele nunca conhecera um mundo sem a PACT; ela era tão inquestionável quanto a lei da gravidade, tanto quanto *Não matarás*. Não entendia como alguém podia ser contra essa lei, o que aquilo tudo tinha a ver com corações, como era possível um coração estar perdido. Como alguém poderia sobreviver sem o coração batendo dentro do peito?

Nada disso fazia sentido até ele conhecer Sadie. Que fora tirada de casa e realocada porque seus pais haviam protestado contra a PACT.

Você não sabia?, perguntou ela. Quais eram as *consequências*? Ah, Bird. Fala *sério*.

Ela cutucou com o dedo a folha que eles tinham recebido como dever de casa: Os Três Pilares da PACT. *Proíbe a promoção de valores e comportamentos antiamericanos. Exige que todos os cidadãos denunciem potenciais ameaças à nossa sociedade.* E ali, debaixo do dedo de Sadie: *Protege as crianças de ambientes que promovam visões nocivas.*

Mesmo então, ele não quisera acreditar. Talvez houvesse algumas realocações amparadas pela PACT, mas elas não deviam acontecer com muita frequência... caso contrário, por que ninguém tocava no assunto? Lógico, de vez em quando se ouvia falar num caso como o de Sadie, mas com certeza eram exceções. Se isso acontecesse, você devia ter feito algo realmente perigoso e seu filho *precisava* ser protegido, de você e do que quer que você estivesse fazendo ou dizendo. E depois, diziam alguns, vocês acham também que os pedófilos e os agressores de crianças têm direito de ficar com os filhos?

Ele tinha dito isso a Sadie sem pensar, e ela havia se calado. Então ela pegara o sanduíche dela, feito com ele uma bola de atum e maionese e jogado na cara de Bird. Quando ele conseguiu limpar os olhos, ela já não estava por perto, e o fedor de peixe ficou entranhado nos seus cabelos e na sua roupa a tarde inteira.

Alguns dias depois, Sadie havia tirado uma coisa da mochila.

Olha só, dissera ela. As primeiras palavras que lhe dirigia desde aquele dia. Olha só o que eu achei, Bird.

Um jornal, com os cantos em frangalhos e a tinta borrada e cinza. Tinha quase dois anos. E ali, logo abaixo da dobra, uma manchete: POETA LOCAL LIGADA A MANIFESTAÇÕES. A foto da sua mãe, com uma covinha no canto do sorriso. O mundo em volta dele ficou enevoado.

Onde você arrumou isso?, perguntara ele, e Sadie dera de ombros. Na biblioteca.

Seu poema se tornou o lema dos protestos anti-PACT por todo o país, mas suas raízes estão aqui, assustadoramente perto de nós. A expressão cada vez mais utilizada para atacar a amplamente apoiada lei

*de segurança nacional é uma criação da moradora Margaret Miu,
tirada do seu livro de poemas* Os corações perdidos. *Filha de imigrantes chineses e mãe de um menino pequeno, Miu...*

Depois disso, as palavras saíram de foco.

Você sabe o que isso significa, Bird, dissera Sadie. Ela se espichou na
ponta dos pés, como sempre fazia quando ficava animada. A sua mãe...

Então ele entendeu. Por que ela os havia deixado. Por que eles
nunca falavam dela.

Ela está com eles, dissera Sadie. Está por aí em algum lugar. Orga-
nizando protestos. Combatendo a PACT. Trabalhando para derrubá-la
e trazer as crianças de volta para casa. Igualzinho aos meus pais.

Os olhos dela escureceram e adquiriram um brilho distante.
Como se ela estivesse olhando através de Bird para algo revelador
logo atrás dele.

Vai ver eles estão juntos por aí, refletira ela.

Bird tinha pensado que aquilo era só uma das fantasias esperan-
çosas de Sadie. Sua mãe, líder de tudo aquilo? Improvável, para não
dizer impossível. No entanto, lá estavam as suas palavras, gravadas
em todos aqueles cartazes e faixas pedindo a derrubada da PACT
pelo país inteiro.

Como o noticiário chamava os que protestavam contra a PACT:
*subversivos insurgentes. Traidores simpatizantes de chineses. Cânceres da so-
ciedade norte-americana.* Palavras que ele tivera de consultar no dicionário do pai na época, junto com *excisão* e *erradicar*.

Toda vez que eles viam as palavras da mãe — em matérias na
imprensa, no celular de alguém —, Sadie cutucava Bird com o cotovelo como se eles tivessem visto um famoso. Indícios da mãe lá fora,
em outro lugar, muito preocupada com os filhos de outras pessoas
apesar de ter abandonado o próprio filho. A ironia daquilo começou
a se espalhar por suas veias.

Agora não acontece mais em outro lugar. Ali estão as palavras da sua mãe, escritas na rua em vermelho-sangue. A carta dela dentro da sua fronha, lá em cima. O mesmo coração vermelho borrado da ponte do Brooklyn ali na calçada em que ele está pisando. Ele olha por cima do ombro e observa os cantos escuros do pátio, sem saber direito se o gelado na garganta é esperança ou medo, se quer correr para o abraço dela ou arrancá-la de seu esconderijo. Mas não tem ninguém ali, e seu pai o puxa pelo braço, e Bird o segue para dentro do prédio e escada acima.

De volta ao alojamento, suado e cansado por causa da subida, seu pai tira o casaco e o pendura no gancho. Bird se acomoda para terminar o dever, mas sua mente indisciplinada não para de zumbir. Ele olha para a janela em direção ao pátio lá fora, mas tudo o que consegue ver é o apartamento sem graça deles refletido na vidraça. Diante dele, sua redação inacabada se perde no espaço vazio.

Pai, chama ele.

Do outro lado da sala, seu pai ergue os olhos do livro. Está lendo um dicionário, folheando distraído as páginas, um velho hábito que Bird acha ao mesmo tempo esquisito e fofo. Muito tempo atrás, seus pais passavam aquele horário da noite no sofá com livros, e às vezes Bird se debruçava no ombro do pai, depois no da mãe, para recitar as palavras mais compridas que conseguia encontrar. Agora os dicionários eram os únicos livros no apartamento, os únicos que eles levaram quando se mudaram. Pelos olhos do pai, Bird nota que ele estava a séculos de distância, perambulando pelo passado sinuoso de alguma palavra arcaica. Ele se arrepende de tirá-lo desse lugar sereno e dourado. Mas precisa saber.

Você não, ele pigarreia, você não teve notícias dela, teve?

Por alguns instantes, o rosto do pai congela por completo. Bird não menciona o nome dela, mas não é necessário: ambos sabem de quem ele está falando. Para os dois, só existe uma *ela*. Então seu pai fecha o dicionário com uma pancada.

É claro que não, responde ele, parando junto ao cotovelo de Bird. Debruçando-se por cima dele. Pousa uma das mãos no ombro do filho.

Ela não faz mais parte da sua vida. Para nós, ela não existe. Entendeu, Noah? Me fala que você entendeu.

Bird sabe exatamente o que deve dizer — *sim, entendi* —, mas as palavras entalam na garganta. Sua vontade é dizer: Ela faz parte, sim. Ela existe, eu não entendo, não; ela tem algo a dizer, algo a dizer *para mim*, essa é uma ponta solta que precisa ser amarrada... ou desamarrada. Nesse instante de hesitação, seu pai olha por cima do ombro de Bird para a redação inacabada sobre a mesa.

Deixa eu ver, pede ele.

Apesar de não ser mais professor universitário há anos, seu pai não consegue segurar o ímpeto de ensinar. Seu cérebro parece um cachorro grande preso numa jaula, inquieto, andando de um lado para outro, morrendo de vontade de correr. Ele já está se debruçando no dever de casa de Bird, puxando o papel por baixo do braço do filho.

Ainda não acabei, protesta Bird, e morde a borracha na ponta do lápis. Grafite e borracha se esfarelam na sua língua. Seu pai balança a cabeça.

Você precisa ser mais categórico, diz ele. Olha aqui... aqui, onde você diz que *a PACT é muito importante para a segurança nacional*. Você precisa ser bem mais específico, bem mais enfático: *a PACT é uma medida crucial para manter os Estados Unidos seguros e não deixá-los à mercê de influências estrangeiras*.

Com um dedo, ele traça uma linha, borrando a letra cursiva de Bird.

Ou aqui. Você tem que mostrar ao professor que está entendendo de verdade; não deve restar absolutamente nenhuma dúvida de que você entendeu. *A PACT protege crianças inocentes de serem doutri-nadas com ideias falsas, subversivas e antiamericanas por pais incapazes e antipatrióticos.*

Ele cutuca o papel.

Vamos, diz o pai, espetando a folha solta com o dedo. Escreve isso.

Bird encara o pai de volta com o maxilar contraído e os olhos raivosos e dilatados. Ele nunca teve aquela reação: duas pedras maciças produzindo faíscas.

Escreve, repete o pai, e Bird obedece. O pai solta uma expiração profunda e vai para o quarto com o dicionário na mão.

Depois de acabar o dever e escovar os dentes, Bird apaga as luzes do apartamento e se esgueira atrás das cortinas. Dali consegue ver o refeitório do outro lado da rua, fechado agora, iluminado apenas pelo fraco brilho vermelho das sinalizações de saída lá dentro. Enquanto ele observa, um caminhão encosta no meio-fio e apaga os faróis. A silhueta escura de um homem salta, leva alguma coisa até o meio da rua e começa a trabalhar. Bird demora um minuto para entender o que está acontecendo. A coisa é um balde de tinta e um rolo grande. Ele está pintando por cima do coração, e de manhã o desenho terá sumido.

Noah, chama seu pai da porta do quarto. Hora de dormir.

Nessa noite, enquanto seu pai ronca baixinho ali embaixo, Bird escorrega a mão para dentro da fronha e tateia os cantos indistintos do envelope. Com cuidado, retira a carta e abre. Ele tem uma lanterninha no beliche de cima para poder ler enquanto o pai está dormindo, e então a acende.

À meia-luz, os gatos são um emaranhado de ângulos e curvas. Uma mensagem secreta? Um código? Letras nas listras talvez, na ponta das orelhas ou na curvatura dos rabos? Ele vira e desvira o papel, acompanha com o facho as linhas traçadas em canetinha. Num gato tigrado, pensa que enxergou um M; a pata arqueada de um gato preto parece um S ou quem sabe um N. Mas ele não consegue ter certeza.

Ele está a ponto de guardar a carta quando vê algo, destacado intensamente pelo pequeno círculo de luz, como se fosse uma lupa. No canto inferior, onde ficaria o número da página, ele vê um retângulo do tamanho da unha do seu mindinho. Dentro dele há outro retângulo, um pouco menor. Os gatos ignoram aquilo, é claro. Nem dá para ver a figura no meio deles, a menos que se olhe de perto. Mas aquilo chama a atenção de Bird. O que será? Uma moldura sem nada dentro, talvez. Uma TV antiquada com a tela vazia. Uma janela com uma vidraça plana.

Ele estuda o desenho. Um ponto num dos lados, duas minúsculas dobradiças do outro. Uma porta. Uma porta numa caixa, um armário bem fechado. Uma leve brisa faz esvoaçar uma página no fundo do seu cérebro, que logo em seguida torna a se aquietar. Uma história que a mãe lhe contou muito tempo atrás. Ela vivia contando histórias: contos de fadas, fábulas, lendas, mitos, um arco-íris de lindas e variadas mentiras. Mas, agora que está vendo aquele desenho, ele parece familiar. Gatos, um armário e um menino. Ele não lembra exatamente, mas sabe que a memória está lá. Como era mesmo?

Era uma vez. Era uma vez... um menino que adorava gatos.

Ele aguarda, torcendo para a voz da mãe voltar e completar a história. Uma bola é empurrada ladeira abaixo. Mas tudo o que ouve é a respiração do pai. Não consegue lembrar como era a voz da mãe. A voz que escuta na cabeça é a dele mesmo.

Depois da aula de ciências, seus colegas seguem animados para almoçar no refeitório, ansiosos para comprar enroladinhos de salsicha e achocolatados e competir pelos melhores lugares às mesas. Bird nunca gostou de comer ali, com todo aquele falatório. Passou anos escolhendo a mesa do canto, parcialmente escondida atrás da máquina de venda automática. Então, quase no fim no quinto ano, Sadie chegou, destemida e incorrigível, e cavou um espaço para os dois. Por um glorioso ano, ele não ficara sozinho. No primeiro dia, quando os dois se conheceram, ela o puxou pela mão e o levou para o gramado. Lá o ar era fresco e calmo, e o silêncio se derramava em seus ouvidos, amplificando sua audição. Ele acomodava-se ao lado de Sadie na grama e conseguia ouvir tudo, o farfalhar das embalagens dos sanduíches, o tênis da amiga arranhando o concreto quando ela encolhia a perna debaixo do corpo, o murmúrio das folhas lá em cima conforme a brisa sacudia os galhos.

Os cochichos mudaram e as provocações começaram: Tá namorando, tá namorando.

As crianças ainda fazem isso?, perguntou seu pai quando Bird lhe contou. Essa provocação idiota vai sobreviver ao apocalipse. Depois de queimarem todos os livros, vai ser só o que nos resta.

Ele se interrompeu.

É só ignorar. Eles vão parar.

Ele então fez uma pausa. Mas não fique andando muito com essa tal de Sadie, aconselhou ele. Você não quer que as pessoas pensem que você é igual a ela.

Bird assentiu, mas, depois disso, ele e Sadie passaram a almoçar juntos diariamente, fosse na chuva ou no sol, encolhidos juntos sob a marquise quando caía um temporal, tremendo lado a lado na neve enlameada do inverno. Depois de Sadie sumir, ele não voltou ao refeitório, mas foi todos os dias ao lugar onde costumavam se encontrar. Àquela altura, já tinha aprendido que às vezes ficar sozinho era a melhor opção.

Agora, em vez de sair, ele permanece na sala de ciências, fingindo mexer na mochila até todos os outros irem embora. À sua mesa, a professora Pollard arruma seus papéis numa pilha certinha e o encara com um olhar crítico.

Está precisando de alguma coisa, Noah?, pergunta ela, enquanto tira da gaveta um saco de papel pardo meticulosamente fechado — seu próprio almoço. Na parede atrás dela, reluz uma fileira de cartazes coloridos. TODOS JUNTOS NESSA, diz um deles, uma corrente de bonequinhos de papel vermelhos, brancos e azuis esticados por cima de um mapa dos Estados Unidos. TODO BOM CIDADÃO É UMA BOA INFLUÊNCIA, diz outro. TODO MAU CIDADÃO É UMA MÁ INFLUÊNCIA. E, claro, a bandeira que fica pendurada em todas as salas, balançando-se logo acima do ombro esquerdo dela como um machado erguido.

Posso usar um computador?, pergunta Bird. Quero pesquisar uma coisa.

Ele aponta para a mesa junto à parede dos fundos, onde há meia dúzia de notebooks à disposição dos alunos. A maioria dos colegas de turma prefere pesquisar no próprio celular, mas o pai de Bird não permite que ele tenha um. Nem pensar, dizia ele, e consequentemente Bird é um dos poucos jovens que usa os computadores da escola. Atrás deles, estantes vazias. Bird nunca viu livros naquelas estantes, mas elas continuam ali, fósseis de uma era há muito extinta.

Vocês sabiam, explicou a professora no ano anterior, que livros em papel ficam ultrapassados assim que são impressos?

O discurso de boas-vindas no início do ano. Todos eles sentados de pernas cruzadas no tapete aos pés da professora.

É essa a rapidez com que o mundo muda. E a nossa compreensão dele também.

Ela estalou os dedos.

Queremos nos certificar de que vocês tenham as informações mais atualizadas. Assim, podemos ter certeza de que nada do que vocês estudarem está ultrapassado ou impreciso. Vocês vão encontrar tudo de que necessitam aqui mesmo na internet.

Mas onde todos eles foram parar?, insistiu Sadie. Ela era nova na escola, ainda era destemida. Os livros, disse ela. Devia haver alguns antes, senão não haveria estantes. Para onde vocês os levaram?

O sorriso da professora se alargou, depois ficou tenso.

Os espaços de armazenamento são limitados, explicou ela. Então eliminamos os livros que achamos desnecessários, inadequados ou ultrapassados. Mas...

Quer dizer que vocês baniram todos esses livros, retrucou Sadie, e a professora piscou para ela duas vezes por cima dos óculos.

Ah, não, querida, respondeu ela. As pessoas às vezes acham isso, mas não. Ninguém pode banir nada. Você nunca ouviu falar na Constituição?

A turma riu, e Sadie ficou vermelha.

Toda escola faz seus próprios julgamentos, disse a professora. Sobre quais livros são úteis para os alunos e quais poderiam expô-los a ideias perigosas. Me digam uma coisa: que pais querem que os filhos convivam com pessoas ruins?

Ela correu os olhos pelo círculo. Ninguém levantou a mão.

É claro que não. Seus pais querem que vocês fiquem em segurança. Faz parte de ser uma boa mãe e um bom pai. Vocês sabem que eu também sou mãe, não é?

Deu-se um murmúrio generalizado em concordância.

Imaginem um livro que contasse mentiras, continuou a professora. Ou que dissesse para vocês fazerem coisas ruins, como maltratar pessoas ou a si mesmos. Seus pais nunca deixariam um livro desses na estante de casa, certo?

Crianças de olhos arregalados assentiram por toda a rodinha. Somente a cabeça de Sadie ficou parada, os braços cruzados, a boca fechada numa linha fina e reta.

Bom, é assim, concluiu a professora. Todos nós queremos proteger nossos filhos. Não queremos que eles sejam expostos a ideias prejudiciais, ideias que poderiam machucá-los ou incentivá-los a fazer coisas ruins. Consigo mesmos, com a família ou com o país. Então nós retiramos esses livros e bloqueamos os sites que possam ser nocivos.

Ela olhou em volta, sorrindo para todos.

Esse é o trabalho do professor, falou, com uma voz suave, porém firme. Cuidar de vocês do mesmo jeito que cuidaríamos dos nossos próprios filhos. Decidir o que vale a pena guardar ou não. Simplesmente precisamos decidir essas coisas.

Seu olhar se deteve, por fim, em Sadie.

Nós sempre decidimos, disse ela. Nada mudou.

Agora Bird prende a respiração enquanto a professora Pollard hesita. Faz só um mês que ele começou o sétimo ano, mas já gosta dela. Jenna, sua filha, está um ano atrás de Bird, e Josh, seu filho, está no primeiro ano. A professora tem cabelo louro-acinzentado, usa suéteres com bolsos e grandes brincos redondos que parecem balas.

Ao contrário do professor de estudos sociais, ela nunca o encara quando a PACT é mencionada e, quando ouve um dos outros alunos provocá-lo, diz: Sétimo ano, vamos nos concentrar na tarefa, por favor, batendo com o nó dos dedos no tampo da mesa.

É para a aula?, pergunta ela.

Algo na voz da professora Pollard deixa Bird em alerta, ou talvez seja o jeito como ela o encara, com os olhos semicerrados, como se soubesse o que ele está fazendo. Ele queria ter essa autoconfiança. Queria acreditar que aquilo que está procurando é uma busca inútil. Na lapela da professora, um minúsculo bóton com a bandeira dos Estados Unidos cintila à luz fluorescente.

Não exatamente, responde ele. É só um interesse meu. É sobre gatos, improvisa ele. Meu pai e eu... a gente está pensando em adotar um gato. Eu queria pesquisar as raças.

Uma das sobrancelhas da professora Pollard se ergue muito de leve.

Bom, diz ela, animada. Um novo bichinho de estimação. Que bacana. Me avise se precisar de ajuda.

Ela indica com a cabeça a fileira de computadores reluzentes e prateados e começa a desembalar seu almoço.

Bird se senta diante da máquina mais afastada da mesa dela. Em cada um dos notebooks, uma plaquinha de latão informa: DOAÇÃO DA FAMÍLIA LIEU. Dois anos atrás, a família de Ronny Lieu comprou computadores para todas as salas e instalou internet banda larga em toda a escola. Assim devolvemos à sociedade uma parte do que ganhamos, dissera o sr. Lieu na cerimônia de inauguração. Ele era empresário em algum ramo imobiliário, e o diretor lhe agradeceu pelo presente generoso e disse o quanto eles eram gratos aos membros da comunidade por contribuírem quando o orçamento municipal se tornava insuficiente. Elogiara os Lieu por serem integrantes tão leais. Isso acontecera no mesmo ano em que os pais de

Arthur Tran fizeram uma doação para reformar o refeitório e o pai de Janey Youn doara um mastro e uma bandeira à escola.

Ele agita o mouse, e a tela ganha vida, uma imagem do monte Rushmore sob um céu azul sem nuvens. Um clique no navegador, e uma janela se abre, com o cursor piscando lenta e preguiçosamente no alto.

O que digitar? *Onde está minha mãe?* Será demais esperar que a internet consiga lhe responder isso?

Ele aguarda alguns segundos. À sua mesa, a professora Pollard percorre a tela do celular com o dedo enquanto mordisca seu sanduíche. Manteiga de amendoim, pelo cheiro. Do lado de fora, uma folha marrom flutua da copa da árvore até a calçada.

História do menino com muitos gatos, digita ele, e palavras inundam a tela.

O gato preto (conto). Lista de gatos fictícios da literatura. Ele vai clicando sucessivamente nos links à espera de algo familiar, de um choque de reconhecimento. *O gato no chapéu. A história de Tom Kitten. Os gatos,* de T. S. Eliot. *O Velho Gambá.* Nada que ele reconheça. Ele avança aos poucos. *Histórias de gatos inacreditáveis e verdadeiras. Cinco gatos heroicos da história. Cuidados e alimentação do seu novo gato.* Todas aquelas histórias sobre gatos, e nenhuma era a que sua mãe lhe contava. Ele devia ter imaginado. Mesmo assim, continua pesquisando.

Por fim, quando está cansado demais para resistir, ele faz mais uma pesquisa, uma que nunca se atreveu a fazer.

Margaret Miu.

Há uma pausa, então uma mensagem de erro salta na tela. *Nenhum resultado.* Por algum motivo, ele sente mais ainda a ausência dela, como se a tivesse chamado e ela não tivesse atendido. Espia por cima do ombro. A professora Pollard termina de almoçar e começa a corrigir exercícios e a fazer marcações nas margens. Bird clica no botão de voltar.

Os corações perdidos, digita ele, e a página congela por um instante. *Nenhum resultado.* Dessa vez, por mais que ele clique, não consegue recarregá-la.

Professora Pollard, chama ele, aproximando-se da mesa dela. Eu acho que o meu computador travou.

Não se preocupe, querido, a gente arruma, responde ela. Ela se levanta e vai até a mesa dele, mas, ao ver a pesquisa no alto da tela, algo na sua expressão muda. Bird consegue sentir a tensão na professora.

Noah, fala ela após alguns instantes. Você está com doze anos agora? Bird assente.

A professora se agacha ao lado da cadeira dele para que os dois fiquem da mesma altura.

Noah, começa ela, este país se baseia na crença de que toda pessoa tem o direito de viver a própria vida como bem quiser. Você sabe disso, não sabe?

Para Bird, isso parece uma das coisas que os adultos dizem, mas que não esperam por uma resposta, então ele não diz nada.

Noah, repete a professora Pollard, e o modo como ela segue pronunciando seu nome, que não é seu nome, claro, o faz trincar os dentes com tanta força que eles rangem. Noah, querido, me ouça, por favor. Neste país, acreditamos que cada geração pode fazer escolhas melhores do que a geração anterior. Certo? Todo mundo tem a mesma chance de provar seu valor, de nos mostrar quem é. Não cobramos dos filhos os erros dos pais.

Ela o encara com olhos brilhantes, aflitos.

Todo mundo pode decidir, Noah, se vai cometer os mesmos erros dos seus antepassados ou se vai escolher outro caminho. Um caminho melhor. Entende o que estou dizendo?

Bird assente, embora tenha quase certeza de que não entendeu.

Estou falando isso para o seu próprio bem, Noah, estou mesmo, afirma a professora Pollard. Sua voz se abranda. Você é um bom menino, e eu não quero que nada aconteça com você. E eu diria a mesma coisa para a Jenna e o Josh, sério. Não crie problemas. Só... só faça o seu melhor e respeite as regras. Não comece a remexer as coisas. Se não for pelo seu próprio bem, que seja pelo do seu pai.

Ela se levanta, e Bird entende que a conversa acabou.

Obrigado, ele consegue responder.

A professora Pollard assente, satisfeita.

Se vocês decidirem adotar um gato, não deixem de procurar um bom gatil, aconselha ela, enquanto ele sai para o corredor. Se adotarem um de rua... nunca se sabe o que podem arrumar.

Uma perda de tempo, pensa ele. Passa a tarde toda se recriminando, a aula inteira de inglês e a de matemática. Ainda por cima, seu almoço continua na lancheira, intacto, e sua barriga ronca. Na aula de estudos sociais, sua mente divaga, e o professor o chama à atenção com rispidez.

Sr. Gardner, diz ele, acho que você, mais do que qualquer um, deveria prestar atenção nisso.

Com um toco de giz rombudo, o professor bate no quadro e vai deixando pontinhos brancos abaixo das letras: O QUE É SUBVERSÃO?

Do outro lado da sala, Carolyn Moss e Kat Angelini olham para ele de esguelha, e, quando o professor se vira outra vez para o quadro, Andy Moore atira uma bola de papel na cabeça de Bird. Que importância tem isso?, pensa Bird. Seja o que for essa história de gato, não tem nada a ver com ele, nada útil ou objetivo. É só uma história, como tudo o mais que sua mãe lhe contou. Um conto de fadas inútil. Isso se sua lembrança estiver mesmo correta, se algum dia houve uma história assim.

Está a caminho de casa quando se depara com a cena. Primeiro a multidão, depois um amontoado de uniformes azul-marinho no centro da área verde do *campus*... então, no instante seguinte, tudo o que consegue ver são as árvores. Vermelhas, vermelhas, vermelhas, da raiz até os galhos, como se tivessem sido mergulhadas em tinta. Da cor da cabeça de um galo-de-campina, dos sinais de trânsito, de pirulitos de cereja. Três bordos lado a lado. E presa entre seus galhos esticados, entrelaçada nas folhas moribundas: uma imensa teia vermelha pendurada no ar como uma névoa de sangue.

Ele deveria ir direto para casa, ater-se ao caminho que seu pai lhe mostrou: cruzar o pátio largo entre os prédios de laboratório da universidade, depois passar pelo pátio do ciclo básico, com seus alojamentos de tijolo vermelho. Manter-se longe das ruas o máximo possível, ficar no *campus* o tempo todo. É mais seguro, insiste o pai. Quando Bird era mais novo, ele o levava e buscava na escola diariamente. Não tente cortar caminho, Noah, seu pai sempre avisa, escute o que eu estou lhe dizendo. Prometa para mim, pedia ele quando Bird começou a ir sozinho para a escola, e Bird prometeu.

Mas Bird quebra sua promessa. Atravessa a rua correndo até a área verde, onde há um pequeno grupo de observadores.

Dali consegue ver melhor. O que pensara ser tinta vermelha é, na verdade, fio de lã, um gigantesco babador vermelho em volta de cada árvore, até os galhos mais altos envoltos numa luva vermelha e justa. A teia também é de lã, correntes vermelhas estendidas de graveto em graveto, entrecruzando-se, engrossando em alguns pontos até se transformarem em coágulos, esgarçando-se em outros até um único fio. Bonecas de crochê do tamanho do dedo de Bird estão amarradas nos fios como insetos capturados, marrons, amarelas e beges, com franjas de lã preta emoldurando seus rostos. Ao redor dele, transeuntes sussurram e apontam, e Bird chega mais perto e entra no meio da multidão.

Aquilo o assusta, aquela coisa. Um crochê monstruoso. Um emaranhado rubro. Faz com que se sinta pequeno, vulnerável e exposto.

Mas também o fascina, atraindo-o para mais perto. Do mesmo jeito que uma cobra hipnotiza a pessoa com os olhos no exato momento em que recua para dar o bote.

Alguns policiais estão reunidos em volta das árvores, entretidos numa conversa acalorada enquanto cutucam a lã com os dedos. Discutindo a melhor maneira de remover aquilo. Mas já é tarde, muitas pessoas já sacaram o celular e tiraram fotos discretas sem diminuir o passo. As fotos logo estarão rodando a internet. Debaixo das ramagens, os policiais, de pistola na cintura, cercam os troncos. Um deles empurra o visor acima da cabeça; outro pousa no chão o escudo de acrílico. Estão equipados para a violência, mas não para aquilo.

Circulando, pessoal, brada um dos agentes, interpondo-se entre os passantes e as árvores como se pudesse ocultar com o próprio corpo aquele estranho espetáculo. Ele saca o cassetete e o estala na palma de uma das mãos. Isso aqui é uma cena de crime. Vão andando, todos vocês. Essa aglomeração é ilegal.

Lá em cima, a brisa sopra, e as bonecas oscilam e saltitam. Bird ergue os olhos para elas, para as formas escuras que elas desenham no céu azul inocente. À sua volta, as pessoas obedecem e se afastam, a multidão se dispersa, e é então que ele vê, escrito em branco na calçada com estêncil: "Mais quantos corações vamos perder?" Ao lado, um borrão vermelho... ou melhor, um coração.

Ele sabe que é improvável — impossível —, mas, mesmo assim, olha. Por cima do ombro e ao redor, como se ela pudesse estar à espreita atrás de uma árvore ou um arbusto. Torcendo para ver seu rosto nas sombras. Mas é claro que não há ninguém ali.

Vamos andando, garoto, diz o policial, e Bird se dá conta de que a multidão se dispersou e ele foi o único a permanecer ali. Bird baixa a cabeça, *desculpa*, recua, e o policial se vira para os outros agentes.

Viaturas com luzes piscando bloqueiam a rua em cada uma das extremidades e redirecionam o tráfego, isolando o parque.

Bird atravessa a rua, mas continua ali por perto, observando de trás de um carro estacionado. Sua mãe fazia crochê? Ele acha que não. De qualquer forma, uma pessoa não conseguiria fazer aquilo sozinha: a lã, a teia, as bonecas penduradas como frutas maduras demais, tudo crochetado no lugar como se tivesse brotado feito um fungo da árvore em si. Como eles conseguiram instalar aquilo ali?, ele se pergunta, mesmo sem ter certeza de quem *eles* podem ser. Pelas janelas do carro, ele vê os policiais debatendo sobre como lidar com aquela situação incomum. Um deles insere um dedo na teia e puxa, e um galho fino se parte com um estalo que parece um tiro. Um único e comprido fio de lã cai flutuando, soltando-se um centímetro de cada vez. Algo dentro de Bird também estala e se desfaz ao ver algo tão delicado e intrincado ser destruído. As bonecas aprisionadas na teia rubra tremem. Ele se sente pequeno demais para conter os próprios pensamentos.

Um dos policiais, então, saca um estilete e começa a cortar o crochê de alto a baixo, e a lã vai caindo numa cascata de pedaços. Outro chega com uma escada, sobe até o meio dos galhos, arranca a primeira boneca e a joga no chão. Não são bonecas, pensa Bird de repente, são crianças. Cabeças grandes, membros arredondados, cabelos escuros. Tinham olhos, mas não bocas, apenas dois botões num rosto inexpressivo, e, quando o pequeno corpo despenca na lama do chão, Bird dá as costas, com o estômago revirado. Não aguenta ficar para assistir.

Ele achava que Sadie fosse uma exceção. *Realocações relacionadas à PACT são extremamente raras.*

Bom, não são, disse Sadie.

Mas quantas?, perguntou ele uma vez. Dez? Vinte? Centenas?

Sadie o encarou com as mãos na cintura. Bird, disse ela com uma pena que chegou a dar raiva, você não sabe de nada, né?

As pessoas não gostavam de falar a respeito, muito menos de ouvir. O patriotismo da PACT vinha acompanhado de uma ameaça. Mas algumas pessoas tentaram contar o que estava acontecendo, explicar para os outros e para si mesmos. A mãe de Sadie fora uma delas. Existe um vídeo no qual ela aparece, numa rua limpa e arborizada em Baltimore. Poderia ser qualquer rua dos Estados Unidos, mas está deserta. Nenhum carro passando, nenhuma pessoa passeando com o cachorro ou dando uma volta, apenas a mãe de Sadie de blazer amarelo e com o microfone do Channel 5 perto da boca.

Ontem de manhã, diz ela, *nesta rua tranquila, agentes dos Serviços de Família chegaram à casa de Sonia Lee Chun e levaram seu filho de quatro anos, David. O motivo? Uma postagem recente de Sonia numa rede social argumentando que a PACT estava sendo usada para atacar membros da comunidade asiático-americana.*

Atrás dela, duas viaturas sinistramente silenciosas estacionam com os faróis apagados, interrompendo o tráfego da rua. É possível vê-los ao longe, os quatro agentes que emergem da barricada de carros e se aproximam devagar, como uma vassoura que vai limpando incansavelmente a calçada. A câmera se mantém firme, e a voz dela também. *Pelo visto, atraímos a atenção da polícia. Agente, estamos transmitindo para o Channel 5, aqui está meu crachá de imprensa, nós...* Diálogos abafados ecoam, e então ela diz para a câmera com uma calma imperturbável: *Eles vão me prender.* Como se estivesse reportando algo que acontecia a outra pessoa.

A polícia tira o microfone das mãos dela. Seus lábios continuam se mexendo, mas agora não há som. Enquanto um dos agentes puxa os braços dela para trás para algemá-la, outro se aproxima da câmera com a mão no coldre, proferindo comandos silenciosos. O cinegrafista invisível põe a câmera no chão, e o horizonte se inclina de lado, uma linha de chumbo do céu até a terra. Quando eles são levados embora, a câmera ainda ligada filma apenas seus pés se afastando para cima e para fora do enquadramento antes de sumirem.

Bird assistiu a esse vídeo porque Sadie tinha uma cópia no celular. Tecnicamente, é uma prova incriminadora, pois mostra sua mãe *promovendo, defendendo ou apoiando atividades antipatrióticas privada ou publicamente*, mas Sadie dera um jeito de conseguir uma cópia, que transferia obstinadamente de um celular para outro ao longo dos anos. Agora, ela esconde o vídeo num celular ultrapassado que seus pais de acolhimento lhe deram — minha coleira, como ela se referia com sarcasmo, para conseguirem sempre entrar em contato com ela e rastreá-la por GPS em caso de necessidade —, dentro de uma pasta chamada *Jogos*. Às vezes, Bird a encontrava agachada no canto do parquinho ou então debaixo da estrutura no pequeno espaço onde as crianças mais novas brincavam de casinha. Em muitas ocasiões, a mãe dela estava na tela, tranquila em meio ao caos à sua volta. Lentamente sumindo céu adentro.

Foi a primeira vez que a levaram presa, contou Sadie, mas isso só a deixou mais corajosa. Depois, ela saíra em busca de outras famílias cujos filhos tinham sido recolhidos pela PACT, para tentar convencê-las a falar com ela e gravar a conversa. Para tentar rastrear para onde as crianças tinham sido levadas. Para tentar filmar uma realocação da PACT em tempo real, recorrendo a seus contatos nos Serviços de Família, no gabinete do prefeito, a qualquer um que pudesse ter uma pista de quem poderia ser o próximo.

Pouco depois, a mãe de Sadie recebeu um e-mail de sua chefe, Michelle, a chamando para um café naquele fim de semana. Apenas uma conversa entre amigas. Nada oficial. Em off. Michelle apareceu na casa dela com dois cafés para viagem, e as duas beberam sentadas à mesa da cozinha. No corredor, Sadie espreitava sem que ninguém visse. Tinha onze anos.

Erika, eu estou preocupada com as *repercussões*, comentou Michelle enquanto tomava um expresso com leite vaporizado.

Um repórter do WMAR foi multado recentemente por dizer que a PACT incentivava a discriminação contra pessoas de origem asiática; segundo o governo, sua declaração incitava pessoas que poderiam representar perigo para a estabilidade pública. O canal pagou a multa, quase um quarto do orçamento anual. Em Annapolis, outro canal teve sua autorização de transmissão revogada. Por coincidência, esse canal também transmitiu vários segmentos com críticas à PACT.

Eu sou jornalista, disse a mãe de Sadie. Noticiar essas coisas é o meu trabalho.

Nós somos uma emissora pequena, argumentou Michelle. A verdade é que, com os cortes no orçamento, praticamente só conseguimos cobrir a operação básica. E se os nossos patrocinadores nos largarem...

Ela se calou, e a mãe de Sadie ficou girando o protetor do seu copo de papel, voltas e mais voltas.

Eles estão ameaçando sair?, perguntou ela, e Michelle respondeu: Dois já saíram. Mas não é só isso. São as repercussões para você, Erika. Para a sua família.

Elas se conheciam havia anos, aquelas duas mulheres: uma preta, outra branca. Churrascos e piqueniques juntas, encontros nas férias. Michelle não tinha filhos, nunca se casara. Esse canal é o meu bebê, ela sempre dizia. Quando Sadie nascera, Michelle tricotou um suéter amarelo e um par de sapatinhos para combinar; ao longo dos anos, levara Sadie para passear no zoológico, no aquário e no Forte Henry. Tia Shellie, era como Sadie a chamava.

Eu ando ouvindo coisas, afirmou Michelle. Coisas realmente assustadoras. Não são só as pessoas de origem asiática e os manifestantes que precisam se preocupar com a PACT, Erika. Talvez fosse melhor a gente colocar você em outra área por um tempo. Alguma coisa menos política.

Que área seria menos política?, perguntou a mãe de Sadie.

Só não quero que nada aconteça com você se continuar insistindo nisso, defendeu Michelle. Nem com o Lev. E muito menos com a Sadie.

A mãe de Sadie deu um gole longo e vagaroso. O café já estava frio.

O que faz você pensar, disse ela, por fim, que qualquer um de nós vai estar seguro se eu aceitar?

Poucas semanas depois disso, eles levaram Sadie embora.

Eles apareceram à noite, foi o que Sadie falou. Depois da hora do jantar. Ela havia acabado de tomar banho e estava enrolada numa toalha quando a campainha tocou. A mãe estava penteando os cabelos da filha, que eram grossos e cacheados e costumavam embaraçar. Então, elas ouviram, no andar de baixo, o pai gritando. Vozes desconhecidas, um homem, dois. A mãe levantou um chumaço de cabelo numa das mãos e passou o pente pelos fios com toda a delicadeza, e era isso que Sadie recordava com mais nitidez: uma gota de água desgarrada escorrendo pela parte de trás do seu pescoço, a mão da mãe firme enquanto desfazia os nós.

Ela nem tremeu, contou Sadie com uma voz cheia de orgulho. Nem um pouquinho.

Vai ver ela não sabia o que estava acontecendo, cogitou Bird.

Sadie balançou a cabeça.

Sabia, sim, confirmou ela.

Sua mãe a envolveu com os braços e encostou os lábios na testa da filha. Sadie não entendia o que estava acontecendo, não ainda, mas o medo se entranhou como um calafrio na sua pele úmida. Ela se agarrou à mãe, enterrou com tanta força o rosto na curva macia do pescoço dela que não conseguiu respirar.

Não esquece a gente, tá?, pediu sua mãe, e Sadie ainda estava confusa quando a porta do banheiro se abriu. Um homem de farda. O pai de Sadie continuava gritando lá embaixo.

No fim, foram quatro agentes. Dois ficaram com o pai no andar de baixo, um com a mãe no andar de cima, e outro de guarda na porta do quarto de Sadie enquanto ela se vestia. Sem saber ao certo o que fazer, ela colocou seu pijama listrado de arco-íris, como se só estivesse indo dormir igual a qualquer outro dia. Deixem ela voltar e trocar de roupa, gritou a mãe quando Sadie saíra para o corredor, pelo menos me deixem trançar o cabelo dela. Mas o homem no corredor negou com a cabeça.

De agora em diante, ela não é mais responsabilidade sua, disse ele.

Pousando a mão no ombro de Sadie, ele a conduziu escada abaixo, e ela então entendeu que algo terrível estava acontecendo, mas, ao mesmo tempo, teve certeza de que não podia ser real. Tinha tentado olhar para trás, na direção da mãe, em busca de alguma pista — se deveria gritar, lutar, fugir ou obedecer —, mas tudo o que conseguiu ver foi o peito largo e azul do agente atrás dela, tapando toda a imagem da mãe exceto uma parte do braço. Foi aí que ela se lembrou do que sua mãe sempre lhe ensinara: tome cuidado redobrado com a polícia, diga sempre por favor, obrigada, senhor e senhora. Faça o que fizer, não os deixe com raiva. Eles a enfiaram dentro de um grande carro preto, e um dos policiais afivelara seu cinto de segurança no banco de trás, ao que Sadie respondeu: *Obrigada*. Depois que a levaram para a delegacia, para o aeroporto e, em seguida, para um lar de acolhimento, ela acabou entendendo que não voltaria mais para casa e se arrependeu de ter agradecido e de não ter feito alarde.

* * *

Seus primeiros pais de acolhimento queriam rebatizá-la. Um novo nome para um novo começo, eles sugeriram, mas ela não aceitou de jeito nenhum.

Meu nome é Sadie, insistiu.

Eles tinham passado duas semanas tentando convencê-la, mas acabaram se conformando.

Foram muitas novidades para ela assimilar no início. Algumas ela era obrigada a aceitar: família nova, casa nova, cidade nova, vida nova. Ela resistia nos poucos momentos em que podia. Um dia, a caminho da escola, ela parou no degrau em frente à casa, tirou o vestido florido de babados que eles lhe deram, o largou na grama, e fez o resto do trajeto só de calcinha e sutiã. Um telefonema da diretora da escola; um sermão severo dos pais de acolhimento. Na manhã seguinte, ela fez a mesma coisa. Estão vendo?, todos disseram. Que tipo de pais...? Ela é praticamente uma selvagem.

Sua segunda mãe de acolhimento tentou desembaraçar a densa nuvem que eram seus cabelos. Vamos ter que fazer um relaxamento, disse ela, desistindo, e naquela noite, depois de todo mundo ir dormir, Sadie desceu de mansinho até o térreo para pegar a tesoura de cozinha. Dali em diante, passou a usar os cabelos bem curtos, como uma cuia encaracolada ao redor da cabeça. Não sei o que fazer com ela, desabafou a mãe de acolhimento a uma amiga certa vez, quando achou que Sadie não estava escutando. Parece que ela não tem apreço *nenhum* pela própria aparência.

Eles eram pessoas boas que pensavam estar fazendo a coisa certa. Tinham sido selecionados pelo governo como pais aptos, certificados como pessoas de *boa índole moral*, capazes de ensinar bons valores patrióticos.

Tem alguma coisa errada com ela, Sadie ouviu sua última mãe de acolhimento dizer ao telefone enquanto conversava com a assistente social. Ela sempre ligava para fazer o acompanhamento semanal e para investigar se Sadie precisava ficar com a família de acolhimento por mais tempo. Ela não chorou nenhuma vez desde que chegou aqui. Passei até uma noite inteira sentada em frente ao quarto dela tentando escutar. Ela não chora nunca. Agora me diga, que tipo de criança passa por tudo isso e nem chora? Sim. É nisso que eu penso também. Os pais que ela tinha para ter se tornado tão fria e insensível.

Ela suspirou. Estamos fazendo o nosso melhor, disse. Vamos tentar consertar o estrago.

Poucas semanas depois, uma carta, que Sadie havia encontrado na escrivaninha da mãe de acolhimento: *Diante das severas sequelas emocionais causadas pela situação doméstica anterior, recomendamos a realocação definitiva da criança. Guarda definitiva concedida aos pais de acolhimento.*

E era verdade, Sadie nunca chorava. Algumas vezes, ela mostrou a Bird cartas com seu antigo endereço, rabiscadas em papel de caderno, mas a última voltara com o carimbo DESTINATÁRIO DESCONHECIDO. Mesmo assim, Bird não a viu chorar.

Mas às vezes, quando a via agachada no canto do parquinho, com a cabeça apoiada na cerca de arame, ele olhava para o outro lado para ela não precisar fingir ser corajosa. Para deixá-la sozinha com sua dor ou com qualquer que fosse o peso que ela carregava nas costas.

No último mês de maio, ela havia sugerido que os dois fugissem.

A gente vai encontrá-los, disse ela.

Ele sabia que Sadie já fugira antes, embora a tivessem pegado todas as vezes. Dessa vez eu vou conseguir, garantiu ela. Acabei de completar treze anos, sou basicamente uma adulta, insistiu.

Vem comigo, Bird, chamara ela. Tenho certeza de que a gente vai conseguir encontrá-los.

Ela se referia aos pais dela e à mãe de Bird. Era inabalável sua certeza de que eles ainda estavam por aí, que poderiam ser encontrados e que talvez até estivessem juntos. Um lindo e confortável conto de fadas.

Vão pegar você, avisou ele.

Vão nada, disparou Sadie. Eu vou...

Mas ele a havia interrompido. Não me conta. Eu não quero saber. Caso me perguntem para onde você foi.

Ele a observara no balanço ao lado do seu, dando um impulso depois do outro com as pernas, cada vez mais forte, até os pés ultrapassarem a barra superior e a corrente ficar frouxa e ceder com seu peso. Sadie então soltou um grito e se catapultou no ar, no vazio. Quando ele era pequeno, adorava pular do balanço desse jeito para aterrissar nos braços da mãe, que o aguardavam. Sadie não tinha culpa, pensou Bird, ela não merecia nada daquilo, e ele odiou os pais da amiga por terem feito aquilo com ela. Por que eles não pararam daquela primeira vez? Como podiam ter sido tão irresponsáveis? Toda encolhida na grama, Sadie se sentou e, de onde tinha aterrissado, olhou para trás na direção de Bird. Não havia se machucado. Estava rindo.

Pula, Bird, gritou ela, mas ele não pulou, apenas esperou o balanço diminuir a velocidade até a ponta dos tênis arrastar no cascalho, deixando na lona arranhões cinza encardidos.

Ele costuma pensar nela. Sadie catapultada nos ares, com os braços bem abertos, atravessando o céu. Depois que ela sumiu, ninguém parecia saber para onde tinha ido; seus colegas e até seus professores seguiram a vida como se Sadie nunca tivesse existido. Enquanto fica ali parado, Bird sabe que fotos das árvores da universidade, sustentando as pequenas bonecas com seus dedos e as erguendo para perto da luz, já estão começando a aparecer na internet. O contorno de mil pequenas Sadies se destacando contra o azul.

Na manhã seguinte, enquanto anda para a escola, ele vê as árvores de verdade, novamente despidas até a casca rugosa. Como se nada tivesse sido instalado ali. No entanto, um talho vivo e brilhante desce por cada tronco feito uma cicatriz; os pontos partidos que a teia deixou ao ser puxada com violência. Na lama, um único fio de lã vermelha esquecido. Algo aconteceu ali; Bird está decidido a descobrir o quê. E, ao pensar em Sadie, de repente tem uma ideia de por onde começar.

Depois da escola, ele deve ir direto para casa. Fique no apartamento, manda seu pai. E faça o seu dever. Só que, nesse dia, Bird não vai para casa. Vira na Broadway, vai seguindo por ela na direção da escola de ensino médio, para onde terá que ir dali a alguns anos, na direção da grande biblioteca pública logo ao lado, onde jamais pisou.

Library, biblioteca, vem de *liber*, explicou o pai. Livros. Que vem da palavra que designa *a casca interior das árvores*, que vem da palavra que significa *despir*, *descascar*. Os povos primitivos retiravam faixas finas dos troncos para usar como papel, claro.

Uma caminhada de outono certa vez. As mãos do pai tinham roçado a casca esfarelada de uma bétula, que brotava do tronco esguio em lascas brancas feito papel.

Mas eu gosto de pensar que é como descascar camadas. Revelar camadas de significado.

No museu de ciência, tempos atrás. A gigantesca fatia de um tronco de árvore, mais alta do que o pai. Anéis cor de caramelo contra o fundo de madeira clara. Eles tinham contado os anéis, da casca até o centro e depois na outra direção. O dedo do pai acompanhando seu desenho. Foi aqui que a árvore foi plantada, quando George Washington era menino. Isso aqui é a Guerra de Secessão, a

Primeira Guerra Mundial, a Segunda Guerra Mundial. Aqui é quando o pai de Bird nasceu. Aqui é quando tudo veio abaixo.

Está vendo?, perguntou o pai. Elas carregam suas histórias dentro de si. Se você descascar camadas o bastante, elas explicam tudo.

É igual a um castelo, tinha lhe dito Sadie. Ela ia até a biblioteca diariamente, desviando por cinco minutos do caminho da escola para casa. Quase trotando para chegar lá o mais depressa possível e correndo na velocidade máxima para chegar em casa a tempo, depois de demorar o máximo a que se atrevia. Sadie, acho que você precisa tomar banho mais vezes, dizia sua mãe de acolhimento quando ela chegava em casa toda suada e amarrotada. Você vai ser pega, alertou Bird, mas a menina nem ligou. Seus pais costumavam ler para ela todas as noites, e, enquanto nas lembranças de Bird, as histórias eram como um cascalho, nas de Sadie eram um bálsamo luxuriante. Um castelo, insistia ela para Bird, com a voz tomada de assombro. Ele tinha revirado os olhos, mas agora entende que é mais ou menos verdade, a biblioteca é uma imensa construção de arenito com arcos e uma torreta, embora uma nova ala de vidro tenha sido acrescentada, toda feita de ângulos agudos e painéis reluzentes, e por isso, quando ele sobe a escada, sente de alguma forma estar ao mesmo tempo no passado e no futuro.

Raramente Bird está num espaço com tantos livros e, por alguns instantes, sente uma tontura. Estantes e mais estantes. Tantas que é possível se perder. Na recepção, a bibliotecária olha na sua direção; é uma mulher de cabelos escuros que está usando um suéter rosa. Ela o avalia por cima dos óculos, como se soubesse que Bird não devia estar ali, e ele logo se esquiva para o meio dos corredores, onde não pode ser visto. De perto, percebe que foram retirados alguns livros, deixando buracos nas fileiras que parecem dentes faltando. Mesmo assim, ele sente que há respostas ali, presas e guardadas em algum lugar entre as páginas. Ele só precisa encontrá-las.

Na extremidade de cada prateleira, há plaquinhas, uma lista dos assuntos que moram em cada corredor, numerados e dispostos numa ordem incompreensível. Algumas seções ainda são fartas e relevantes. Transportes. Esportes. Cobras/Lagartos/Peixes. Outras são desertos áridos. Quando ele chega ao século X quase tudo sumiu, e restam apenas fileiras e mais fileiras de estantes esqueléticas enquadrando a luz do sol. Os poucos livros que sobraram são pequenos pontinhos escuros em contraste com todo aquele vazio. *O eixo China-Coreia e a Nova Guerra Fria. A ameaça interna. O fim da América: a ascensão da China.*

Enquanto percorre as estantes, ele repara também em outra coisa: a biblioteca está praticamente deserta. Ele é o único visitante. No segundo andar, há fileiras de mesas de estudo individuais e compridas mesas de trabalho com cadeiras de madeira, todas desocupadas. E assim continua até o subsolo, apenas cadeiras vagas e uma placa desolada que diz: MUDOU DE IDEIA? POR FAVOR, COLOQUE OS LIVROS QUE NÃO QUER MAIS NO CARRINHO ABAIXO. Não há mais carrinho, apenas um trecho nu de piso de linóleo. Aquilo é uma cidade-fantasma, e ele, ainda vivo, está invadindo a terra dos mortos. Corre um dos dedos por uma prateleira vazia e deixa uma nítida linha brilhante na grossa camada de poeira.

Bem lá embaixo, no canto dos fundos, encontra a seção de poesia e corre os olhos pelas estantes até chegar ao M. Christopher Marlowe. Andrew Marvell. Edna St. Vincent Millay. Não se surpreende ao constatar que a prateleira passa direto de Milton para Montagu, mas fica triste por não encontrar o nome dela.

Não devia ter vindo aqui, pensa. O lugar parece proibido; a presença dele, uma insensatez. Ele sente nas narinas o odor penetrante de ferro e calor. Avança devagarinho até a frente, onde, diante de sua mesa, a bibliotecária está revirando um caixote de livros com implacável eficiência. Fica com medo de atrair novamente o olhar da mulher. Quando ela der as costas, vai aproveitar para sair, ele planeja.

Espiando por uma brecha na estante, fica à espera de uma oportunidade. A bibliotecária tira outro exemplar do caixote de plástico azul em cima da mesa, consulta uma lista, faz um tique. Então, Bird fica intrigado. Ela folheia rapidamente o livro, abrindo as páginas como um folioscópio, antes de fechá-lo e colocá-lo na pilha. Faz o mesmo com o livro seguinte. Depois com o seguinte. A mulher está procurando alguma coisa, conclui Bird, e, uns poucos exemplares depois, ela encontra. Agora, ela percorre a lista uma vez, depois outra, então pousa a caneta. Aquele título obviamente não está na lista. Bem devagar, ela vai passando as páginas uma por uma e, por fim, para e extrai um pedacinho de papel branco.

De onde está, Bird só consegue distinguir umas poucas linhas manuscritas traçadas no papel. Estica-se pela quina da estante para tentar ver melhor, e é nessa hora que a bibliotecária ergue os olhos e o pega espiando.

Ela rapidamente dobra o papel ao meio para escondê-lo e marcha na sua direção.

Ei, diz ela. O que você está fazendo aí atrás? É, você. Estou te vendo. Levanta. Levanta.

Ela o puxa por um dos cotovelos.

Há quanto tempo você está aqui?, exige saber. O que estava fazendo ali atrás?

De perto, ela é ao mesmo tempo mais velha e mais nova do que ele esperava. Cabelos castanho-escuros compridos entremeados de fios grisalhos. Mais velha do que a minha mãe seria hoje, pensa ele. Mas há também algo de juvenil: o pequeno brilho prateado de um piercing na narina, uma expressão alerta no rosto que lhe lembra alguém. Depois de um minuto, ele entende quem. Sadie. O mesmo brilho de ousadia no olhar.

Desculpa, diz ele. Eu só estou... procurando uma história. Só isso.

A bibliotecária o espia por cima dos óculos.

Uma história, repete ela. Você vai ter que ser mais específico.

Bird olha para o labirinto de estantes em volta, com a mão da bibliotecária segurando forte o seu braço e o outro punho fechado... em torno de quê? Seu rosto fica vermelho.

Não sei o título, responde ele. É uma história... que uma pessoa me contou muito tempo atrás. Tem um menino e um monte de gatos.

É só isso que você sabe?

Ela agora vai expulsá-lo dali. Ou então chamar a polícia para prendê-lo. Por ser criança, ele compreende instintivamente o quanto a punição pode ser imprevisível. O polegar da bibliotecária se crava mais fundo na dobra do seu cotovelo.

Ela fecha parcialmente os olhos. Para pensar.

Um menino e um monte de gatos, repete ela. A mão no braço dele relaxa, então solta. Hmm. Tem um livro ilustrado chamado *Milhões de gatos*. Um homem e uma mulher querem o gato mais bonito do mundo. Centenas de gatos, milhares de gatos, milhões de gatos. Soa familiar?

Não, e Bird balança a cabeça.

Nessa história tem um menino, ele torna a dizer. Um menino e um armário.

Um armário? A bibliotecária morde o lábio. Em seus olhos, surge uma luz repentina, e ela fica alerta como se fosse uma gata caçando, com as orelhas empinadas e os bigodes agitados. Bom, tem um menino em *Sam, franja e luar*, reflete ela, mas, que eu me lembre, nenhum armário. Vários gatos nos livros de Beatrix Potter, mas nenhum menino. É um livro ilustrado ou um romance?

Eu não sei, admite Bird. Ele nunca ouviu falar em nenhum dos livros que a bibliotecária está descrevendo, e ouvir aquilo o deixa ligeiramente atordoado, todas aquelas histórias que ele nem sequer conhecia. É como ouvir que existem cores novas que ele nunca viu. Eu, na verdade, nunca li, revela ele. Acho que talvez seja um conto de fadas. Essa pessoa só contou para mim uma vez.

Hmm.

A bibliotecária gira sobre os calcanhares e emite um barulho que lhe assusta. Vamos dar uma olhada, sugere ela, e se afasta marchando enquanto discretamente guarda o pedacinho de papel no bolso.

Ela caminha tão rápido que Bird quase a perde de vista. Estante após estante, o mundo vai passando num microcosmo acelerado. Costumes & Etiqueta. Vestuário & Moda. Bird percebe que aquele é um mundo que ela conhece de trás para a frente, um mapa que ela já percorreu tantas vezes que é capaz de desenhá-lo de cabeça.

Aqui estamos, diz ela. Folclore.

Tamborilando os dedos nas lombadas, ela percorre a prateleira enquanto avalia e descarta mentalmente cada um dos livros.

Sei que existe uma história chamada *Pele de gato*, menciona ela, pegando um exemplar e o entregando a Bird. Na capa, letras douradas e um grupo de senhoras e cavaleiros de cabelos dourados.

E também tem um aí chamado *A parceria entre o gato e o rato*. Não dá certo, como esperado. Mas nada sobre um menino. Tem *O Gato de Botas*, claro, mas não sei se eu chamaria o filho do moleiro de menino... e certamente não há nenhum armário. E só tem um gato.

Antes de Bird conseguir responder, ela já avançou.

Vejamos: Hans Christian Andersen? Não, acho que não. Existe uma lenda antiga sobre um gato que acalma o menino Jesus no berço... é mais ou menos como um armário. Ou quem sabe isso é um mito? Tem Freya e os gatos que puxam sua carruagem, e tem Bastet, claro, mas nenhum armário ou menino. E eu não me lembro de os gregos dizerem muita coisa sobre gatos.

Ela esfrega a têmpora com uma articulação ossuda. Parece que se esqueceu dele e está falando consigo mesma, pensa Bird. Ou com os próprios livros, como se eles fossem seres de verdade que pudessem responder. Para seu grande alívio, ela parece ter se esquecido do fato de ele a ter espionado e do misterioso pedacinho de papel.

Você não se lembra de mais nada?, pergunta ela.

Não consigo, responde ele. Quer dizer, não lembro.

Ela baixa os olhos para o livro de contos de fadas que ele está segurando e o vira. No verso, há um dragão morto carregado numa vara, a língua vermelha pendurada feito uma corda solta. Ele sente a garganta quente e pegajosa, fecha os olhos e tenta engolir a saliva para aliviar a sensação.

Foi minha mãe quem me contou, diz ele, muito tempo atrás. Tudo bem. Não faz mal.

Bird se vira para ir embora.

Acho que eu me lembro de um velho livro ilustrado, sabe, comenta a bibliotecária. Ela baixa a voz: Uma história do folclore japonês.

Ela se cala por alguns instantes, olha para a estante, em seguida para o terminal de busca no fim da fileira.

Só que não vai estar aí.

Então, estala os dedos e aponta para Bird. Como se ele próprio tivesse encontrado a resposta.

Vem comigo, ela chama.

Bird a segue por entre as estantes até uma sala com uma placa que diz SOMENTE FUNCIONÁRIOS. A bibliotecária pega uma chave em sua cordinha e destranca a porta. O recinto tem pilhas de livros e uma escrivaninha lotada de papéis. Arquivos. Um ventilador giratório. Poeira. Mas eles passam direto pela mesa e vão até uma porta de metal enferrujada da mesma cor do mofo, entre o verde e o cinza. Ela a abre com o ombro, puxa com o pé um cesto de papel para mais perto de si e o posiciona atrás da porta, para impedir que ela se feche. Pelo modo como o cesto está amassado, fica evidente que ele serve para isso há anos.

Tem mais um lugar onde a gente poderia olhar, diz ela, e faz sinal para ele entrar.

É uma espécie de plataforma de carga, separada do exterior por um portão de enrolar metálico. Antigamente os caminhões deviam deixar carga ali. Livros de outras bibliotecas, imaginou ele. Pelas pilhas de caixotes e caixas nas laterais da plataforma, dá para perceber que não é usada há alguns anos — um caminhão não conseguiria nem sequer chegar perto.

As pessoas hoje pegam menos empréstimos, conta a bibliotecária. Só um caixote por semana ou algo assim. Mais fácil levar pela frente mesmo.

Ela começa a retirá-los, e, quando Bird vai ajudar, vê que os caixotes estão empilhados em cima de um imenso armário de madeira, maior do que o seu guarda-roupa, com dezenas de gavetinhas.

Paramos de usar isso aqui anos atrás, quando digitalizamos o catálogo, relata a bibliotecária ao mesmo tempo que remove as últimas caixas. Pusemos aqui para economizar espaço. Aí veio a Crise. Agora eles ainda não normalizaram nosso orçamento. A Prefeitura não quer levar o armário, e nós não temos verba para contratar alguém para tirá-lo daqui.

Ela corre os dedos pelas etiquetas de latão das gavetas e insere o dedo no puxador.

Aqui, diz ela. Vamos dar uma olhada. O livro em que estou pensando é bem antigo.

Lá dentro, para espanto de Bird, a gaveta está abarrotada de pequenas fichas caprichosamente datilografadas. Com gestos hábeis, a bibliotecária passa por elas, tão depressa que ele mal consegue distinguir as palavras. *Gatos: literatura. Gatos: mitologia.* Cada uma daquelas fichas é um livro, percebe ele. Não fazia ideia de que poderia haver tantos.

Ah!, diz a bibliotecária com um suspiro de satisfação. É o tom de alguém que montou um quebra-cabeça, de alguém que acertou uma adivinhação e encontrou o tesouro debaixo do X. Ela extrai uma única ficha e a estende para ele.

Gatos: folclore: Japão: histórias recontadas. O menino que desenhava gatos.

Uma lembrança apita dentro dele, fazendo-o vibrar como um diapasão. Um ruído sufocado lhe sobe pela garganta.

É isso, diz ele. Eu acho... eu acho que é isso.

A bibliotecária vira a ficha e examina o verso.

Como eu temia, lamenta ela.

Vocês não têm um exemplar?, pergunta Bird, e ela balança a cabeça.

Removido. Três anos atrás, diz aqui. Alguém deve ter reclamado que seria apologia a pessoas de origem asiática ou algo assim. Alguns dos nossos doadores têm... certas opiniões sobre a China ou, nesse caso, qualquer coisa remotamente parecida. E nós precisamos da *generosidade* deles para manter o espaço aberto. Ou então pode ser que alguém tenha ficado tenso e se livrado do exemplar por precaução. As bibliotecas públicas... muitas simplesmente não podem correr o risco. É fácil demais para algum cidadão preocupado nos acusar de promover comportamentos antipatrióticos. De demonstrar empatia demais por potenciais inimigos.

Ela suspira e insere a ficha novamente em seu lugar na gavetinha.

Tem outro livro que eu queria encontrar, diz Bird com cautela.

Os corações perdidos.

Os olhos da bibliotecária se viram para ele de supetão. Ela passa vários instantes o examinando. Avaliando-o.

Sinto muito, diz apenas. Esse livro eu sei que não temos mais. Duvido que você o encontre em algum lugar.

Com uma pancada, ela fecha a gaveta comprida e estreita.

Poxa, responde Bird. Ele sabia que era improvável, mas, lá no fundo, ainda alimentava uma centelha de esperança, que se extinguiu numa pequena lufada de fuligem.

O que fizeram com eles?, pergunta depois de alguns segundos. Com todos esses livros.

Ele recorda uma imagem da sua aula de história: uma pilha de livros sendo queimada na praça de uma cidade. Como se soubesse o que ele está pensando, a bibliotecária lhe lança um olhar de esguelha e dá uma risadinha.

Ah, não, aqui não queimamos livros. Aqui... aqui são os *Estados Unidos*. Certo?

Ela arqueia uma das sobrancelhas para ele. Séria ou irônica? Ele não sabe dizer.

Não queimamos nossos livros, continua ela. Nós transformamos em polpa de celulose. Bem mais civilizado, não é? Prensamos e reciclamos para virar papel higiênico. Já faz tempo que esses livros limparam o traseiro de alguém.

Entendi, diz Bird. Então foi isso que aconteceu com os livros da mãe. Todas aquelas palavras amassadas numa pasta cinza suja, lançadas no esgoto na forma de mingau de cocô e xixi. Sente algo quente e liquefeito atrás dos seus olhos.

Ei, chama a bibliotecária. Tudo bem?

Bird funga e assente. Tudo, responde.

Ela não faz mais nenhuma pergunta, não o pressiona nem questiona por que ele está chorando, apenas tira um lenço do bolso e lhe passa.

PACT de merda, cochicha ela, e Bird fica sem palavras. Não se lembra de algum dia ter ouvido um adulto falar desse jeito.

Sabe de uma coisa, retoma ela dali a um minuto ou dois. Pode ser que alguma biblioteca ainda tenha um exemplar desse livro de gatos. Uma biblioteca grande, como a da universidade. Às vezes, eles podem se dar ao luxo de guardar coisas que nós não podemos. Para fins de *pesquisa*. Mas, mesmo que tivessem um exemplar, você teria que pedir no balcão de empréstimos. Apresentar credenciais e um motivo para solicitar acesso.

Bird assente.

Boa sorte, deseja ela. Espero que você encontre. E Bird? Se eu puder ajudar com mais alguma coisa, é só voltar que eu vou tentar.

Ele fica tão emocionado com isso que só bem mais tarde lhe ocorre: como ela sabia o seu nome?

Bird decide que vai pedir que o pai procure um exemplar do livro no trabalho. Está certo de que, em algum lugar da biblioteca da universidade, existe um livro de histórias do folclore japonês que tem essa história. Sabe que lá eles ainda têm milhares de textos asiáticos, porque, de tempos em tempos, surgem abaixo-assinados para expurgar todos eles, não só os da China, como os do Japão, do Camboja e de outros lugares, mas também os que falam a respeito deles. O noticiário chama a China de *nossa maior ameaça de longo prazo*, e os políticos alegam que os livros escritos em idiomas da Ásia podem conter sentimentos antiamericanos ou mesmo mensagens cifradas; às vezes, pais irados reclamam se os próprios filhos decidem estudar mandarim ou história da China. *Eu te mandei aí para receber uma educação, não uma lavagem cerebral.* Toda vez isso acaba parando no jornal da universidade e logo depois na imprensa; um deputado ou, mais raramente, um senador faz um discurso arrebatado sobre como as universidades são *incubadoras de doutrinação*; o reitor responde com outra nota pública defendendo a coleção da biblioteca. Bird já viu uma dessas notas no jornal quando seu pai estava virando a página. *Se tememos algo, é ainda mais necessário que o estudemos à exaustão.*

Ele vai pedir que o pai apenas dê uma olhada. Só ver se o livro ainda existe e, caso esteja lá, se ele pode trazê-lo para Bird ver. Por um dia apenas. Não precisa contar ao pai sobre a carta ou sobre sua mãe. É só um livro no qual está interessado; apenas uma história, uma história folclórica sobre um menino e alguns gatos, certamente não há mal nenhum nela. Afinal, nem chinesa a história é. Quando o pai chegar em casa, ele vai pedir.

Só que ele não chega, e não chega, e não chega. Eles não têm telefone, ninguém mais tem telefone fixo, e o alojamento removeu essa fiação anos atrás, então tudo o que Bird pode fazer é esperar. Batem as seis horas da tarde, depois sete. Eles perderam o jantar; no refeitório, os funcionários devem estar tirando as panelas do banho--maria, jogando no lixo sobras ressecadas, esfregando o aço inox até ficar limpo. Pela janela, Bird observa as luzes do refeitório se apagarem, uma após a outra, e um fino tentáculo de pânico o atravessa. Onde está seu pai? Será que alguma coisa aconteceu? Quando o relógio vai avançando pelas oito da noite, ele de repente pensa em sua ida à biblioteca naquela tarde, no computador da escola com *Nenhum resultado* piscando. Na professora Pollard fazendo a caneta estalar acima do seu ombro. Na bibliotecária guardando no bolso seu misterioso papel. No policial no parque da universidade batendo com o cassetete na palma da mão. Em Sadie e na mãe dela fazendo perguntas, xeretando onde não deveriam. Ele se dá conta de que há sempre alguém observando; se alguém o tiver visto, será que o seu pai poderia levar a culpa, será que o seu pai...?

São quase nove da noite quando ele ouve a porta da escada do prédio ranger e se fechar com um baque — o elevador continua quebrado depois de três dias — e, logo depois, passos no corredor. Seu pai. Bird tem um impulso repentino de correr até ele como costumava fazer quando era mais novo. Quando seus braços mal conseguiam circundar os joelhos dele, quando ele achava que o pai era o homem mais alto do mundo. Mas seu pai parece tão cansado, suado e derrotado por todos aqueles degraus que Bird hesita. Como se pudesse derrubá-lo.

Que dia, diz seu pai. O FBI apareceu logo depois do almoço.

Bird sente calor, depois frio.

Estão investigando uma professora da faculdade de direito. Queriam uma lista de todos os livros que ela já pegou na biblioteca. Depois que descobriram os títulos, mandaram retirar todos eles. Levei seis horas e meia para pegar todos. Quatrocentos e vinte e dois livros.

O ar entra inundando os pulmões de Bird; ele não sabia que estava prendendo a respiração.

Por que eles queriam os livros?, questiona com cautela.

É uma pergunta que não teria feito uma semana antes; uma semana antes, ele não teria achado aquilo ameaçador, menos ainda incomum. Talvez, pensa de repente... talvez não seja nem um pouco incomum.

Seu pai coloca a pasta no chão e larga as chaves que chacoalham sobre a bancada.

Parece que ela está escrevendo um livro sobre a Primeira Emenda da Constituição e a PACT, conta ele. Eles acham que ela pode estar sendo financiada pelos chineses. Para tentar causar tumulto aqui.

Bem devagar, ele solta o nó da gravata.

E ela está tentando mesmo?, pergunta Bird.

O pai se vira para ele; Bird nunca o viu tão cansado. Pela primeira vez, ele repara nos cabelos grisalhos do pai, nas rugas gravadas no canto de seus olhos como rastros de lágrimas.

Sinceramente?, responde o pai. Duvido. Mas é o que eles acham.

Ele consulta o relógio, então abre o armário vazio exceto por um vidro de manteiga de amendoim pela metade. Nenhum pão.

Vamos sair para jantar, diz ele para Bird.

Eles descem correndo a escada e vão à pizzaria a poucos quarteirões de distância. O pai de Bird não gosta de pizza — aquele queijo todo é gorduroso demais, comenta ele para o filho —, mas está tarde e eles estão com fome, e aquele é o lugar mais próximo, aberto até as nove.

O homem atrás do balcão anota o pedido e põe quatro fatias no forno para esquentar, e pai e filho se apoiam na parede grudenta enquanto esperam. A barriga de Bird ronca. Um ar frio entra pela porta aberta, e o punhado de avisos fixados com durex na vitrine da loja se agita ao vento. Gato encontrado. Aulas de violão. Aluga-se apartamento. No canto inferior, logo acima do adesivo da vigilância sanitária, uma plaquinha com a bandeira estrelada: DEUS ABENÇOE TODOS OS NORTE-AMERICANOS LEAIS. A mesma plaquinha que quase toda loja exibe, vendida em todas as cidades, cuja renda é revertida para os grupos de ronda do bairro. *Você não é um norte-americano leal? Então qual é o problema de pôr uma plaquinha? Não quer apoiar a ronda do bairro?* O imenso forno de aço inox estala e solta vapor. Atrás do balcão, o atendente apoia um dos cotovelos na caixa registradora enquanto desliza o dedo pela tela do celular, e ri de alguma piada.

São 20h52 quando o velho entra. Um rosto asiático, camisa branca de botão e calça preta, cabelos grisalhos curtos. Chinês? Filipino? Bird não sabe dizer. O homem coloca na bancada uma nota de cinco dobrada.

Uma fatia de pizza de pepperoni, pede ele.

O atendente nem ergue os olhos. Já fechamos, responde.

Não parece. O homem olha para Bird e o pai, que se coloca meio na frente do filho, como um biombo. Eles estão aqui.

Já fechamos, repete mais alto o atendente. Seu polegar se move para cima na tela do celular, e um rio infindável de imagens e postagens passa zunindo. O pai de Bird o sacode por um dos ombros. A mesma sacudida de quando eles cruzam com um policial ou um bicho atropelado na rua. Significa: vire para o lado. Não olhe. Mas dessa vez Bird não se vira. Não é curiosidade, é uma necessidade. Uma necessidade mórbida de saber o que está atrás dele, fora de seu campo de visão.

Olha, retruca o velho, eu só quero um pedaço de pizza. Acabei de sair do trabalho, estou com fome.

Ele desliza o dinheiro pelo balcão. Tem as mãos grossas e calejadas, os dedos deformados pela idade. Parece o avô de alguém, pensa Bird, e então ele se dá conta: se tivesse um avô, talvez fosse parecido com aquele homem.

O atendente larga o celular.

Você não entende inglês?, pergunta ele com calma, como se estivesse fazendo um comentário sobre o clima. Tem um restaurante chinês na Avenida Mass. Vai comprar um arroz frito e rolinhos primavera se estiver com fome. Aqui está fechado.

Ele une as mãos como um professor paciente e encara firme o velho. *O que você vai fazer?*

Bird está paralisado. Só consegue ficar olhando para o velho de maxilar contraído, com uma das pernas apoiada atrás do corpo como quem se prepara para levar um empurrão. Para o atendente, os respingos de gordura na sua camiseta, suas mãos grandes e carnudas. Para o pai, as rugas de seu rosto formando finíssimas sombras, os olhos cravados nos avisos da vitrine como se nada estivesse acontecendo, como se aquele fosse um dia normal. Bird quer que o velho dê uma resposta ácida, quer que o velho dê um murro no sorrisinho do atendente, quer que o velho vá embora antes de o funcionário dizer — ou fazer — coisa pior. Antes de ele levantar aquelas mãos que sovam a massa pesada até que ela lhe obedeça. O instante se tensiona e se retesa como a corda de um instrumento esticada além da conta.

Calado, o velho recolhe o dinheiro em cima do balcão e o guarda novamente no bolso. Ele dá as costas para o sorrisinho do atendente e olha para Bird, um olhar demorado e atento. Em seguida, encara o pai de Bird e murmura algo que o garoto não entende.

Ele nunca ouviu aquelas palavras, nunca sequer ouviu aquela língua, mas fica claro, pela expressão do pai, que ele, sim. Ele não só reconhece o idioma, como o compreende, ele sabe o que aquele homem disse. Por algum motivo, tem a sensação de que os dois estão falando sobre ele, pelo jeito como o homem o fita e depois fita seu pai, aquele olhar cheio de significado, que atravessa a pele e a carne de Bird para lhe examinar os ossos. Mas seu pai não responde nem se mexe, apenas olha rapidamente para o outro lado. O velho, então, vai embora da loja com a cabeça erguida.

Um *timer* apita, e o atendente se vira para o forno. O ar quente e enfumaçado resseca a garganta de Bird.

Essa gente, comenta o atendente. Vou te contar.

Ele desliza a espátula de madeira comprida para dentro do forno em brasa e retira as fatias, que põe dentro de uma embalagem para viagem. Por alguns instantes, encara Bird com os olhos semicerrados, depois o pai, como se estivesse tentando situar seus rostos. Então estende as fatias de pizza pelo balcão.

Boa noite, diz o pai, que pega a caixa e guia Bird até a porta.

O que ele falou?, pergunta Bird quando eles estão de novo na calçada. Aquele homem. O que ele falou?

Vamos, diz seu pai. Vem, Noah. Vamos para casa.

Eles avistam uma viatura da polícia se aproximando de faróis apagados, quase em silêncio, e eles esperam o carro passar antes de atravessar. Chegam ao alojamento bem na hora em que a torre da igreja do outro lado da rua começa a soar: nove da noite.

Quando entram no apartamento, seu pai torna a falar. Ele põe a pizza em cima da bancada, tira os sapatos e fica parado, com o olhar perdido ao longe.

Cantonês, diz. Ele falou cantonês.

Mas você entendeu o que ele disse, retruca o filho. Você não fala cantonês. Conforme Bird pronuncia essas palavras, ele percebe que não sabe se isso é verdade.

Não, não falo, responde o pai, ríspido. E você também não. Noah, escute com muito cuidado o que eu vou dizer. Qualquer coisa que tenha a ver com China, Coreia, Japão, qualquer coisa desse tipo, fique longe. Se você ouvir alguém falando esses idiomas ou falando sobre essas coisas, saia de perto. Entendeu?

Ele pega uma fatia na caixa e a entrega ao filho, depois pega outra para si, na mão mesmo, e se acomoda numa cadeira com um ar cansado. Bird percebe que é a segunda vez que seu pai sobe aqueles degraus todos na última hora.

Coma a pizza, diz o pai num tom brando. Antes que esfrie.

Bird então percebe: mesmo que ele peça, seu pai não vai tentar achar o livro. Terá que dar outro jeito.

É difícil entrar na biblioteca da universidade sem ser visto; sempre foi. Lá dentro há livros antigos, livros valiosos. Uma Bíblia de Gutenberg e um exemplar da primeira coletânea de Shakespeare, contou o pai uma vez, embora Bird só tivesse uma vaga ideia do que essas coisas significavam. Uma quantidade incalculável de documentos antigos insubstituíveis, e até mesmo — seu pai agitou o dedo no ar de modo sinistro — um livro de anatomia encapado com pele humana. Naquela época, seu pai havia acabado de perder o cargo de professor de linguística e ser realocado para arrumar livros, e Bird, que tinha nove anos e acabara de descobrir o cinismo, tinha decidido que aquilo era uma tentativa do pai de fazer o trabalho parecer mais impressionante do que realmente era.

O que ele sabe é que precisa de um cartão de acesso para entrar no prédio, um prédio imenso e imponente, um peso de papel todo de mármore fixado em um dos cantos do pátio do ciclo básico; mesmo assim, apenas os funcionários têm autorização para adentrar o aquecido labirinto de estantes onde ficam todos os livros. Mas, quando ele era mais novo, nos dias em que não havia aula, ele acompanhava o pai até a sala de circulação, onde ficavam os carrinhos que levavam os livros para serem devolvidos ao lugar. Você pode ajudar, sugerira seu pai, e uma ou duas vezes Bird tinha mesmo ajudado, empurrando o carrinho pelos corredores estreitos até encontrarem a seção correta, apertando o interruptor antiquíssimo para acender as luzes. Enquanto seu pai corria os olhos pelas estantes e inseria os livros um a um nos espaços de onde eles tinham saído, Bird corria a ponta dos dedos pelas lombadas gravadas onde as letras em douração já tinham se apagado tempos antes, ao passo que aspirava o aroma característico da biblioteca: uma mistura de poeira, couro e sorvete de baunilha derretido. Um cheiro morno, como o da pele de alguém.

Aquilo o tranquilizava e o perturbava ao mesmo tempo, o silêncio opaco como uma manta de lã cobrindo tudo. Por baixo dele, algo grande estava deitado à espreita. Aquilo nunca acabava, as pilhas de livros que precisavam ser recolocados no lugar, a constante e insistente reiteração da ordem, e pensar nisso causava vertigem, pensar que, logo depois daquela prateleira, havia centenas de outras, milhares de livros, milhões de palavras. Às vezes, depois de o pai aninhar um livro em seu respectivo espaço e alinhar as lombadas, Bird tinha o impulso de derrubar a fileira toda, fazendo a estante inteira desabar feito um dominó, uma atrás da outra, para estraçalhar o silêncio sufocante. O silêncio lhe dava medo, e ele inventava desculpas para não entrar no meio das estantes. Estava cansado, preferia ficar sentado na sala dos funcionários e fazer um lanche, preferia ficar em casa brincando.

Faz anos que ele não vai à biblioteca; da última vez, tinha dez anos de idade.

Nessa noite, enquanto o pai está escovando os dentes, Bird vasculha a pasta dele. Seu pai é uma pessoa metódica: assim que chega ao apartamento, ele sempre guarda seu cartão de acesso no bolso externo da pasta, pronto para ser usado no dia seguinte. Bird enfia o cartão no bolso de trás da calça e fecha o zíper da pasta. Seu pai nunca verifica o cartão de manhã: nos últimos três anos, sempre esteve exatamente ali, exatamente onde o havia posto na noite anterior. No dia seguinte, só dessa vez, não vai estar. Mas os seguranças o conhecem, o veem todo dia há anos e o deixarão entrar nesse dia, só nesse. Amanhã à noite, quando o pai de Bird chegar em casa e fizer uma busca minuciosa pelo cartão, vai encontrá-lo bem ali no chão debaixo da mesa, onde sua pasta de trabalho sempre fica. Devo ter enfiado ao lado da pasta em vez de dentro, ele vai pensar, e assunto resolvido.

No início, o plano funciona perfeitamente. Depois da escola, Bird vai até o pátio do ciclo básico, sobe a imensa montanha de degraus até a entrada principal da biblioteca. No lobby, imita o ar impaciente e meio irritado que os alunos sempre exibem e passa o cartão do pai rapidamente pelo leitor. A luz verde se acende na catraca, e ele a roda sem parar e sem olhar para trás. Como se tivesse que estar em algum lugar, como se estivesse no encalço de algum conhecimento importante. O segurança nem sequer ergue os olhos do seu monitor.

Mas havia um problema: como ele entraria na área do acervo? Tempos atrás, contou o pai, o acesso era livre. Era possível entrar e vagar sem rumo, explorando o que aparecesse. Agora eles não deixam mais qualquer um entrar. O usuário deve preencher uma ficha no guichê, explicar por que precisa do livro, mostrar a identidade. E, se o motivo for bom o bastante — um tratado sobre as falhas que levaram à Crise, por exemplo, ou novas estratégias para detectar inimigos internos —, um funcionário como o pai se embrenha no acervo e pega o livro solicitado. Ele não diz o que mudou, mas Bird entende: foi a PACT que mudou tudo, claro. Que passou a considerar alguns livros perigosos e exigiu que fossem mantidos fora de circulação.

Bird entra na sala de empréstimos e observa de esguelha a entrada do acervo do outro lado. Um carrinho rangendo dobra a quina, e ele reconhece a mulher que o está empurrando: é Debbie, uma das outras responsáveis pela reposição dos livros. Tempos antes, ela lhe dera balas de caramelo envoltas em papel dourado nas vezes em que Bird acompanhara o pai ao trabalho. Ela continua exatamente igual: vestido comprido esvoaçante, cabelos grisalhos crespos presos por grampos formando uma nuvem improvável ao redor da cabeça. Embora agora esteja mais velho e mais alto, Bird tem certeza de que ela também vai reconhecê-lo. Esconde-se depressa atrás de um dos terminais de computador, e Debbie e seu carrinho passam rangendo, deixando em seu rastro um cheiro débil de cigarro.

Aquilo o faz pensar numa coisa. Debbie fuma como se não houvesse amanhã; às vezes, quando ela entrava no recinto, os outros bibliotecários erguiam a cabeça e farejavam o ar, como quem se lembra de repente da possibilidade de um incêndio. Oficialmente, os fumantes precisam sair do prédio e se afastar no mínimo quinze metros para acender um cigarro, mas ninguém fazia isso. Debbie e os outros fumantes se esgueiravam pela porta lateral do acervo e depois saíam por uma das portas laterais do prédio, deixando ambas escoradas com um tijolo, então se encolhiam junto à parede externa da imensa biblioteca até os furtivos cigarros acabarem, depois se esgueiravam de novo para dentro. Seu pai reclamava com frequência do cheiro que entrava pelo corredor, e combinava as reclamações com um sermão sobre os males do tabagismo. *Está vendo como esse caminho é perigoso? Quem começa não consegue mais parar.*

Depois de Debbie e o carrinho sumirem, Bird desce ao térreo e vai até onde a porta lateral do acervo alcança. Apesar de não haver placa, tem certeza de que é o lugar certo. Ali, bem na frente da porta, fica uma saída de emergência claramente assinalada com o aviso MANTER FECHADO. Indício mais forte de todos: bem ao lado, há um tijolo velho e gasto. Tudo o que ele precisa fazer é esperar e torcer por um golpe de sorte. Ele se posiciona depois da quina da parede, de modo que, se alguém passar, seria possível acreditar que ele estivesse entrando ou saindo do banheiro masculino ali perto.

Durante vinte minutos, ninguém passa, e ele entende por que os funcionários usam aquele local para fumar: no andar de cima, sempre tem alguém passando, mas ali embaixo é praticamente deserto. Então, quando ele já está cogitando desistir, ouve uma dobradiça ranger, o arrastar de um tijolo no piso de pedra, o baque suave de uma porta pesada se imobilizando. Um segundo mais tarde, outra porta se abre com um clique, e os débeis sons de fora inundam o espaço: uma rajada de vento, passarinhos piando, alguém rindo bem longe, do outro lado do pátio.

Bird espia pela quina. A porta que dá para fora do prédio está escorada — alguém deve estar ali fumando um cigarrinho rápido —, e, como ele esperava, a porta que conduz de volta ao acervo também está escorada. Ele não tem muito tempo. O mais silenciosamente possível, Bird avança de mansinho pelo corredor e abre mais um pouco a porta do acervo. Ela emite um leve rangido, e ele verifica por cima do ombro se o fumante notou. Nenhum movimento. Bird inspira fundo e entra.

Demora um minuto para se situar. Todos os títulos à sua volta estão num idioma que ele não conhece, palavras que ele não faz ideia de como pronunciar: *Zniewolony Umysł. Pytania Zadawane Sobie*. Ele corre para dentro de uma das seções e vai na direção do andar de cima, afastando-se da porta. Quem quer que esteja lá fora fumando vai acabar logo, e ele não pode estar por perto quando a pessoa voltar. O acervo é incrivelmente silencioso, uma quietude absorvente, atenta, quase predatória, esperando para sugar e eliminar qualquer ruído que você ouse produzir. Uma funcionária passa com um papel na mão e um livro debaixo do braço enquanto corre os olhos pelas estantes em busca do próximo título. Bird espera que ela se vire antes de passar. Em algum lugar deve haver um terminal de pesquisa. Ele acaba encontrando um num canto e digita no teclado: *O menino que desenhava gatos*. Ele espera por um bom tempo, então um número surge na tela. Ele o anota num pedaço de papel e consulta o diagrama pregado ao lado do monitor, descendo o dedo pela lista de números de chamada: nível D, o último subsolo. Quatro andares abaixo do chão. Quina sudoeste.

Antes de se afastar, não consegue resistir e digita outra busca.

Os corações perdidos.

Ele espera mais uma vez, e então, em vez do número, um aviso: DESCARTADO. Bird engole em seco e limpa a tela. Então, pega o papelzinho e parte em direção à escada.

A escada desemboca no lado errado da biblioteca, na quina nordeste em vez de na sudoeste. Mas, pelo menos, o nível D está deserto. Somente os corredores principais são iluminados e, mesmo assim, pouco; os perpendiculares estão um breu. Ele nunca tinha se dado conta de quão grande era a biblioteca: um quarteirão inteiro da cidade, centenas de metros quadrados ocupados por quilômetros de estantes. Ele se lembra de repente de algo que seu pai uma vez disse: as estantes ao seu redor não servem apenas para abrigar livros, mas formam o esqueleto do próprio prédio, sustentando a biblioteca. O jeito mais fácil, decide ele, será contornar o perímetro; se ziguezaguear por dentro das estantes, com certeza vai se perder. Com todo o cuidado, começa a margear a parede na direção sul. Não é um caminho tão direto quanto ele esperava. Às vezes, uma pilha de cadeiras ou mesas velhas surge, e ele precisa fazer uma curva, atravessar alguns corredores, depois encontrar o caminho de volta. Em algum ponto, passos ecoam no teto pelo nível C. Uma calefação é acionada, e um sopro de ar quente parecendo um gêiser se projeta pelo piso gradeado.

Bird vai passando por estantes e mais estantes, pondo os dedos nos espaços onde antes ficavam os livros removidos. Ali faltam menos volumes do que na biblioteca pública, onde algumas prateleiras tinham mais buracos do que livros. Mesmo assim, em quase todas falta ao menos um, às vezes mais. Ele se pergunta quem era o responsável por decidir quais livros eram perigosos demais e quem teve que caçar e recolher os condenados, como um carrasco encarregado de levá-los para a execução. Pensa que deve ter sido seu pai.

Na estante certa, ele diminui o passo, para e vai acompanhando o número nas lombadas meticulosamente alinhadas conforme decresce pouco a pouco. Então ali está. Fino e amarelo. Quase não chega a ser um livro, pouco maior do que uma revista. Bird quase deixou passar.

Com um dedo, retira-o da prateleira. *O menino que desenhava gatos: um conto do folclore japonês*. Nunca vira o livro em si, mas, assim que observa a capa, sabe que é a mesma história. Um conto do folclore japonês, mas sua mãe chinesa tinha escutado ou lido em algum lugar, lembrado e lhe contado. A capa é uma aquarela de um menino segurando um pincel, um menino japonês. Ele está pintando um gato imenso numa parede. O menino até se parece um pouco com Bird: cabelos escuros bagunçados na testa, os mesmos olhos escuros e o nariz levemente arredondado. Ele se lembrou do jeito como sua mãe contava a história que havia sido enterrada muito tempo atrás, e que ele agora está desenterrando e trazendo de volta à luz. Um menino vagando sozinho e longe de casa. Um prédio vazio no escuro.

Gatos e mais gatos surgindo das cerdas do seu pincel. Os dedos de Bird tremem quando ele tenta desgrudar a capa do miolo macio como um tecido. Sim, pensa ele. Está quase lá, como algo surgindo das sombras e começando a tomar forma. Assim que ler, ele vai lembrar, vai lembrar o que acontece, lembrar aquela história da sua mãe, e num instante entenderá tudo.

É nessa hora que alguém põe a mão no seu ombro, e ele se vira e dá de cara com o pai.

Eles deixaram eu vir atrás de você em vez da segurança, avisa seu pai.

Ele devia ter pensado nisso: é claro que a biblioteca tem câmeras de segurança, é claro que eles teriam reparado que alguém passou o cartão de acesso do pai poucas horas depois de ele, sempre responsável e respeitador das leis, ter declarado o extravio do documento.

Pai, começa Bird, eu só precisava...

Seu pai se vira sem responder, e Bird segue suas costas retas e zangadas por todo o caminho de volta, pelas estantes e pela escada acima até a sala de funcionários, com suas intermináveis fileiras de carrinhos; lá, dois seguranças estão à espera. Um segundo antes de eles se virarem, Bird enfia o livro no cós traseiro da calça jeans, por baixo da camiseta.

Está tudo bem, diz o pai de Bird antes de os seguranças falarem. É só o meu filho, como pensamos. Deixei meu cartão por engano na mochila dele, e ele veio tentar me encontrar para devolver.

Bird fita o piso de linóleo e prende a respiração. Seu pai não o questionou uma única vez sobre o que ele estava fazendo ali, e, na sua opinião, aquela história parece difícil de acreditar. Por que ele procuraria o pai no meio do acervo? Como poderia imaginar que fosse encontrar um homem sozinho no meio daquele labirinto de estantes? Os seguranças hesitam e se forçam a crer naquela desculpa. Um deles chega mais perto e estreita os olhos para analisar a expressão de Bird. Ele pisca para tentar parecer inocente, e, dentro dos seus punhos cerrados, as unhas se cravam na palma.

Seu pai dá uma risadinha, um relincho alto e falso que sai galopando pelo recinto e então some. Está só tentando ser responsável, não é, Noah?, diz ele. Mas não se preocupem. Ele entendeu.

Ele dá um tapinha no ombro de Bird, e a contragosto o segurança assente.

Da próxima vez, fala um deles a Bird, é só parar no balcão da recepção, tá, filho? Eles chamam seu pai, e ele desce.

As pernas de Bird tremem de alívio. Ele assente, engole a saliva e guincha um *sim, senhor*. Ele sente o aperto forte do pai no ombro e entende que é isso que precisa fazer.

Depois de os seguranças saírem, Bird leva a mão até a base das costas e tira o livro de baixo da camiseta.

Pai, sussurra ele. Sua voz treme. Pai, eu posso...

Seu pai mal relanceia os olhos para o livro. Na verdade, ele nem sequer olha para Bird.

Põe isso no carrinho, diz em voz baixa. Alguém vai guardar no lugar. Vamos.

Bird só se encrencou uma vez na vida. Em grande parte, ele ouve os conselhos do pai: Não chamar atenção. Manter a cabeça baixa. E, se vir alguma confusão, sair de perto.

Isso deixava Sadie maluca. Assim que pressentia um problema, ela seguia seu rastro até a origem como um cão farejador.

Bird, deixa de ser cagão, dizia ela.

Eram os cartazes que tinham chamado sua atenção daquela vez, os que ficavam e ainda ficam pendurados por toda a cidade, na vitrine das mercearias, nos quadros de aviso comunitários e, às vezes, até nas janelas das casas, lembrando a todos para serem patriotas, tomarem conta uns dos outros e denunciarem ao menor indício de problema. Todos desenhados por um artista famoso para serem vistosos e colecionáveis. Uma represa vermelha, branca e azul acima de um imenso rio marrom-amarelado com uma finíssima fratura: *Até as pequenas rachaduras se abrem*. Uma mulher loura espiando por entre as cortinas com um celular junto à orelha: *Melhor prevenir do que remediar*. Duas casas lado a lado e uma torta sendo passada de mão em mão por sobre uma cerca de ripas brancas: *Olhe pelo seu vizinho*. No pé de cada cartaz, quatro maiúsculas graúdas: PACT.

Naquela tarde, Sadie tinha passado por uma fileira de cartazes colados num ponto de ônibus e deslizado os dedos pela cola, que se esfarelou feito giz.

Na mesma noite, dois policiais apareceram no apartamento onde ele e o pai moravam.

Ficamos sabendo, disse um deles, que seu filho faz parte de um grupo que vandalizou cartazes de segurança pública hoje à tarde.

Sadie, sacando uma canetinha do bolso da calça jeans. Sadie, pichando os slogans de vigilância e união.

Um grupo, repetiu seu pai. Que grupo?

Obviamente, estamos muito preocupados, comentou o policial, com o motivo pelo qual ele pode ter sentido a necessidade de fazer isso. Que mensagens ele está recebendo em casa para achar adequado esse tipo de comportamento antipatriótico e, para dizer a verdade, perigoso?

Foi aquela Sadie, não foi?, perguntou seu pai para Bird, que engoliu em seco.

Sr. Gardner, continuou o policial, verificamos seu dossiê e, considerando o histórico da sua esposa...

Essa mulher não faz mais parte da nossa família, interrompeu ele, num tom brusco. Não temos nada a ver com ela. Não falamos com ela desde que foi embora.

Foi como se o pai tivesse batido na mãe, bem ali na frente de Bird.

E não temos nenhuma afinidade pelos posicionamentos radicais que ela apoiava, continuou o pai. Absolutamente nenhuma.

Ele lançou um olhar para Bird, que retesou a coluna até que ela virasse uma barra de ferro e assentiu.

Tanto Noah quanto eu sabemos que a PACT protege o nosso país, prosseguiu. Se estiverem duvidando da minha sinceridade, é só verificar. Nos últimos dois anos e meio, eu venho fazendo doações regulares aos grupos de segurança e união. E Noah é um aluno exemplar. Não existem influências antipatrióticas aqui em casa.

Seja como for, começou o policial, seu filho vandalizou, *sim*, um cartaz que defendia a PACT.

O olhar dele se demorou no pai de Bird, como se estivesse à espera de uma resposta, e foi então que o garoto percebeu: o rápido movimento dos olhos do pai em direção à gaveta da cozinha, onde eles guardavam o talão de cheques. Ele sabia que o salário da biblioteca não era grande coisa: ao final de cada mês, seu pai passava uma boa hora curvado sobre a mesa conferindo os canhotos, calculando meticulosamente o saldo. Quanto bastaria para fazê-los ir embora?, ele viu o pai calculando. Já sabia que era mais do que eles tinham.

É por influência daquela garota, disse seu pai. A que foi realocada. Sadie Greenstein. Pelo que sei, ela é um caso difícil.

Um choque percorreu o corpo de Bird.

Já cruzamos com ela, reconheceu o policial.

Foi dela que veio isso. Os senhores sabem como os meninos são nessa idade. As meninas conseguem obrigá-los a fazer qualquer coisa.

Ele pousou uma das mãos firme e pesada no ombro de Bird.

Vou garantir que isso não se repita. Não tenham qualquer dúvida em relação à nossa lealdade.

O policial hesitou, e o pai de Bird sentiu aquilo.

Somos muito gratos a pessoas como os senhores, continuou, que nos mantêm em segurança. Afinal, se não fosse pelos senhores, sabe--se lá onde estaríamos.

Em nenhum lugar bom, concluiu o policial enquanto meneava a cabeça. Em nenhum lugar bom, com certeza. Bem. Acho que estamos resolvidos, senhor. Foi só um mal-entendido. Mas, filho, veja lá se não se mete em encrenca, tá?

Depois que a polícia foi embora, o pai de Bird levou os dedos às têmporas como se estivesse com enxaqueca.

Noah, disse ele depois de uma pausa muito, muito longa. Nunca mais faça isso.

Ele abriu a boca para dizer mais alguma coisa, mas todo o ar parecia ter se esvaído de dentro dele, como se ele fosse uma barraca e suas estacas tivessem desabado. Bird não teve certeza do que era *isso*: destruir cartazes? Falar com a polícia? Se meter em encrenca? Por fim, seu pai tornou a abrir os olhos.

Fique longe dessa Sadie, pediu ele enquanto se encaminhava para o outro cômodo. Por favor.

Então, Bird não se sentou com Sadie no dia seguinte. No outro dia, não almoçou com ela. Uma semana depois, continuava sem falar com ela. Então ela parou de ir à escola e não voltou mais, e ninguém parecia saber aonde tinha ido.

Agora, seu pai não fala nada enquanto eles descem os degraus da biblioteca, durante todo o trajeto para sair do pátio da universidade até a rua. Bird o segue calado até o alojamento, embora seja o meio da tarde e seu pai, em geral, ainda fosse ficar pelo menos mais duas horas no trabalho. Mesmo por trás, sabe que o pai está furioso pelo rígido retângulo que suas costas se tornaram. Ele só anda assim, rígido, anguloso, como se as juntas estivessem enferrujadas, quando está bravo demais para falar. Bird vai ficando para trás e deixa a distância que os separa aumentar para uns poucos metros, depois para meio quarteirão. E mais. Se diminuir suficientemente o passo, pode ser que eles nunca cheguem em casa, que nunca tenham que falar sobre aquilo, que ele nunca mais precise encarar o pai.

Quando eles chegam à área verde do *campus*, seu pai já está quase um quarteirão inteiro na frente, tão longe que, de onde Bird o enxerga, poderia ser um desconhecido. Apenas um homem de sobretudo marrom carregando uma pasta de trabalho. Ninguém que ele conheça. Havia outra coisa na voz do pai na biblioteca, não apenas raiva, mas também algo azedo que Bird não consegue nomear com precisão. Então, de repente, ele entende: é medo. O mesmo medo ruidoso e gago que ele escutou naquele dia dos cartazes, quando o pai conversou com a polícia. Um ar quente e metálico, o silvo de unhas arranhando uma superfície.

Os olhos de Bird se dirigem novamente para o tronco das três grandes árvores — que, poucos dias antes, estavam vermelhas — e suas cicatrizes serrilhadas. Uma ferida como aquela nunca cicatriza totalmente, explicara seu pai. A casca volta a crescer por cima, mas a ferida continua lá, debaixo da pele, e, quando eles abatem a árvore, dá para vê-la ali, uma marca escura cortando os anéis da madeira.

Bird está tão entretido pensando nisso que tromba em alguém. Alguém grande, com pressa e raiva.

Porra, olha para onde está indo, japa, ouve ele, e a mão grandalhona de alguém o segura pelo ombro e o joga no chão.

Tudo acontece tão depressa que ele só encaixa as peças mais tarde. Tudo só fica claro depois, quando ele está ali caído na grama úmida, sem ar, com manchas de lama fria endurecidas na palma das mãos e nos joelhos. Lá está o homem que o empurrou, correndo para longe enquanto segura o nariz ensanguentado. Na calçada, uma única gota grande parecendo uma mancha de tinta sobre o concreto. E, de pé, seu pai, encarando-o.

Está tudo bem?, pergunta o pai, e Bird assente. Seu pai lhe estende uma das mãos, as articulações vermelhas e esfoladas. Ele percebe que o pai também é um homem grande, embora não passe essa impressão: de voz suave, envergonhado e corcunda, ele parece menor do que é, mas, na faculdade, costumava praticar atletismo, é largo, alto e forte. Rápido o suficiente para socorrer um filho em perigo. Forte o suficiente para dar um soco em alguém que o estivesse ameaçando.

Vamos para casa, chama seu pai, ajudando-o a se levantar.

Nenhum dos dois diz nada até chegarem ao alojamento.

Pai, tenta Bird quando eles entram na portaria.

Agora não, é tudo o que ele fala enquanto se encaminha para a escada. Vamos subir primeiro.

Quando chegam ao seu andar, o pai fecha a porta do apartamento depois de eles entrarem e passa o trinco.

Você precisa tomar cuidado, diz ele segurando Bird pelo ombro, e Bird se melindra.

Eu não fiz nada. Foi *ele* que me empurrou...

Mas seu pai balança a cabeça. Aquele homem não é o único desse tipo por aí, comenta ele. Eles vão ver o seu rosto, e, para eles, isso é provocação o bastante. E essa história da biblioteca...

Seu pai se cala.

Você costuma respeitar as regras, repreende ele.

Era só um livro.

Noah, se você fizer besteira, o responsável sou eu. Sabe o quanto essa história podia ter dado errado?

Desculpa, diz, mas seu pai não parece estar escutando. Bird tinha se preparado para gritos, para um ataque de raiva paterna, mas a voz do pai é um silvo irado e, por algum motivo, ele acha isso mais apavorante.

Eu podia ter sido demitido, continua ele. A biblioteca não está aberta para qualquer um, você sabe disso. Tem que ser pesquisador. Eles precisam vigiar quem deixam entrar. A universidade tem uma folga bem grande pela sua reputação, mas não é imune. Se alguém causar problemas e eles identificarem que é por causa de um livro de lá...

Ele balança a cabeça.

E, se eu perdesse o emprego, a gente perderia o apartamento também. Você sabe disso, não sabe?

Bird não sabia, e um calafrio o percorre.

Pior ainda. Se eles percebessem que o livro estava com *você* e decidissem nos examinar mais de perto... examinar você mais de perto...

Seu pai nunca bateu nele, nem mesmo uma palmada, mas ele encara o garoto com uma intensidade tão violenta que Bird se encolhe, preparando-se para a pancada. Então, com um tranco, o pai o puxa para um abraço tão forte que todo o ar no seu peito se esvazia. Ele o segura com força num abraço trêmulo.

E, de repente, uma porta se abre na mente de Bird. O motivo pelo qual seu pai é sempre tão cauteloso, por que ele vive insistindo para Bird seguir esse ou aquele caminho específico, para não sair sozinho. Como seu pai chegou até ele tão depressa. Não é só perigoso pesquisar sobre a China ou ir atrás de contos folclóricos do Japão. É perigoso ter o rosto que ele tem, sempre foi. Perigoso ser filho da sua mãe, sob vários aspectos. Seu pai sempre soube disso, sempre esteve preparado para algo do tipo, sempre esteve em constante estado de alerta para o que inevitavelmente aconteceria com Bird. Ele teme que algum dia alguém olhe para a cara do filho e enxergue um inimigo. Que alguém o veja como filho da sua mãe, no sangue ou nos atos, e o leve embora.

Ele enlaça o pai, e os braços dele se fecham mais em volta do filho.

Aquele homem da pizzaria, comenta Bird devagar. O que foi que ele disse?

Ele é um de nós. A voz do pai sai parcialmente abafada pelos cabelos de Bird e zumbe dentro do seu crânio. E ele tem razão. O que ele quis dizer foi que aquele tipo de coisa... aquilo também pode acontecer com você.

O abraço do pai relaxa, e ele segura Bird com os braços esticados.

Noah, diz ele. É por isso que eu vivo pedindo que você seja discreto. Para não fazer nada que chame atenção.

Tudo bem, diz Bird.

Seu pai vai até a pia e começa a lavar com água fria os nós dos dedos feridos. E, como eles ainda parecem vulneráveis um com o outro, Bird aproveita a abertura.

Minha mãe gostava de gatos?, pergunta.

Seu pai se fecha. Quê?, retruca ele como se Bird tivesse falado em outro idioma, um dos poucos que ele não conhece.

Gatos, repete Bird. Se ela gostava de gatos.

Seu pai fecha a torneira. Por que essa pergunta?, indaga ele.

Só quero saber, responde o filho. Ela gostava?

Seu pai corre os olhos rapidamente pela sala, um gesto que ele faz toda vez que a mãe de Bird é mencionada. Do lado de fora, tudo é silêncio, tirando a ocasional sirene que passa.

Gatos, diz ele, baixando os olhos para as mãos irritadas e vermelhas. Gostava. Ela adorava gatos.

Ele encara Bird atentamente, um olhar incisivo que o menino não vê há muito tempo. Como se tivesse percebido algo estranho no rosto do filho, como se o seu olhar fosse uma espada desembainhada.

Miu, diz o pai devagar. O sobrenome dela.

Ele escreve o ideograma na poeira que cobre a estante: um quadrado com uma cruz representando um campo, mais três traços menores na parte de cima.

苗

Significa *semente* ou, às vezes, *colheitas*. Algo que está começando a brotar. Mas soa como o miado de um gato, não é? *Miu*.

Tem mais, diz ele, e sua voz se anima do jeito que costuma acontecer quando ele se empolga com alguma coisa, como as palavras. Faz muito tempo que isso não acontece. Se você puser na frente isso aqui, que significa *animal*...

Ele acrescenta mais alguns traços, a sugestão simplificada de um animal sentado em postura de atenção:

貓

Tudo isso junto significa *gato*. O animal que emite o som *miu*. Mas é claro que você poderia pensar nele como o animal que protege as colheitas.

Seu pai está empolgado de um jeito que Bird não vê há anos. Tinha quase esquecido que ele podia ficar daquele jeito, que tinha aquilo dentro de si. Que seus olhos e seu rosto podiam se iluminar assim.

A história é que houve uma época em que não existiam gatos na China, explica o pai. Pelo menos não gatos domésticos. Só gatos selvagens. Tradicionalmente, gato se escrevia assim... Ele desenha outro ideograma:

狸

O que, na verdade, significa *criatura silvestre*, como uma raposa. Aí comerciantes persas ensinaram a domesticar os gatos selvagens, e eles acrescentaram isso aqui...

Ele começa a desenhar um terceiro ideograma feito de duas metades. Primeiro, o caractere que significa *mulher*. Depois, logo ao lado, tão perto que quase se sobrepõem, o símbolo que significa *mão*.

奴

Escravizado, diz seu pai. *Gato selvagem* mais *escravizado* é igual a *gato doméstico*. Entendeu?

Juntos eles ficam olhando os caracteres escritos na poeira. *Miu.* Sua mãe. Animal mais semente significava gato. Que tipo de animal ela teria sido? Com certeza um gato. Mulher mais mão significava escravizado. Teria sua mãe algum dia sido doméstica ou domesticada?

Com uma passada de mão, seu pai limpa o alto da estante.

Enfim, conclui ele. A gente costumava conversar sobre esse tipo de coisa, sua mãe e eu. Muito tempo atrás.

Ele esfrega as mãos nas pernas da calça e deixa uma débil marca cinza.

Ela gostava dessa ideia, diz, após alguns segundos, de que a única coisa que a separava de um animal eram uns poucos tracinhos.

Nunca imaginei que você sabia mandarim, diz Bird.

Eu não sei, corrige seu pai, distraído. Não de verdade. Mas entendo um pouco de cantonês. Cheguei a estudar por um tempinho. Com a sua mãe. Muito tempo atrás.

O pai se prepara para ir embora e, de supetão, como antes, torna a se virar.

Aquele livro. Então, depois de uma pausa demorada: Sua mãe costumava lhe contar essa história, não é?

Bird assente.

Eu lembro, diz seu pai.

E, conforme ele começa a falar, Bird rememora tudo: não as palavras nas páginas do livro, nem as poucas e simples frases que o pai usa para lhe contar a história agora, mas o modo como se lembra de ouvi-la, na voz da mãe. Um retrato feito de palavras começa a ser pintado nas paredes brancas da sua mente. Enterrado havia muito. Estalando ao irromper novamente à superfície.

Era uma vez, muito tempo atrás, um menino que adorava desenhar gatos. Era um menino pobre, que passava a maior parte do dia trabalhando nos campos, plantando arroz com os pais e outras pessoas em sua comunidade na primavera, colhendo os arrozais ao seu lado no outono. Mas, sempre que tinha um tempo livre, ele desenhava. E o que o menino mais gostava de desenhar, o que desenhava com mais frequência, eram gatos. Gatos grandes, gatos pequenos, listrados, tricolores e malhados. Gatos com orelhas pontudas e olhos brilhantes, gatos de patas e focinho pretos, gatos com manchas brancas no peito iguais a águias. Gatos peludos, gatos de pelagem curta, gatos pulando, gatos andando, gatos dormindo ou lambendo o próprio pelo. Nas pedras planas que margeavam o rio, ele os desenhava com um graveto chamuscado. Riscava-os na areia da beira do lago ali perto, de onde os pescadores puxavam suas redes. Nos dias secos, ele os rabiscava na terra batida do caminho até sua casa e, depois das chuvas, os gravava na lama grossa onde antes reluziam poças.

As outras pessoas da comunidade achavam aquilo uma perda de tempo. De que adianta desenhar gatos?, desdenhavam elas. Isso não põe comida na mesa nem colhe a safra de grãos. O homem mais rico da cidade tinha lindos pergaminhos nas paredes de casa: quadros de montanhas encimadas por névoa e jardins elegantes, coisas distantes que ninguém na comunidade vira antes. Mas era só sair de casa para ver um gato: eles estavam por toda a parte. Eles nunca tinham ouvido falar num artista que decidisse desenhar gatos. De que adiantava?

Mas os pais do menino não concordavam. Embora tivessem que trabalhar muitas horas nos campos e o menino muitas vezes precisasse ajudar, eles tinham orgulho do talento dele. Terminado o trabalho do dia, o pai catava pedaços de bambu do tamanho da sua mão e os dava para o filho usar como pincéis. A mãe cortava a ponta dos próprios cabelos e prendia em tufos para formar as cerdas. O menino catava pedras de todas as cores que podia encontrar, do vermelho mais profundo ao preto mais puro, e moía até virarem pó para fabricar suas tintas. E todas as noites pintava gatos, em pedaços planos de casca de árvore, em retalhos de papel e trapos velhos, até chegar a hora de ir para a cama.

Houve um ano em que a comunidade foi assolada por uma doença, e os pais do menino morreram. Ninguém queria ficar com ele: tinha má reputação. Um menino que desperdiçava o tempo, um menino que fazia coisas inúteis. Além disso, os moradores tinham pouca coisa sobrando. Eles também haviam adoecido; a comida era pouca, e não sobrava nada para alguém que não fosse um dos seus. Cada família pegou um punhado de arroz na despensa, pôs dentro de um pano e entregou ao menino. Boa sorte, disseram. Que a sorte esteja a seu favor. Ele agradeceu a todos, pôs a trouxa no ombro, guardou os pincéis no bolso e partiu.

Era inverno, e o frio estava intenso. O menino passou horas vagando pela escuridão até chegar a um pequeno povoado onde todas as portas estavam bem fechadas. Embora pudesse ver a claridade do fogo através das janelas, ninguém atendeu às suas batidas. Um vento forte começou a soprar; a neve se pôs a rodopiar pelo ar em volta dele, como *fantasmas arranhando seu rosto com garras. Na última casa, uma mulher espiou lá fora. Desculpa, disse ela. Se eu deixar você entrar, meu marido me mata. Não nos atrevemos a acolher desconhecidos. A cidade inteira tem medo. Medo, disse o menino, medo de quê? Mas a mulher só fez balançar a cabeça.*

Desesperado, o menino olhou em volta para a rua deserta. No final, logo depois do limite da cidade, viu uma pequena construção que não tinha notado antes. E aquilo, perguntou, aquela casa abandonada? Com certeza eu posso passar a noite lá, não é?

A velha mulher segurou-lhe as mãos. Aquele lugar é perigoso, alertou ela. Amaldiçoado. Dizem que um monstro vive naquela casa. Ninguém que entra lá à noite volta.

Eu não tenho medo, disse o menino, e, de qualquer forma, tanto faz ser comido por um monstro ou morrer congelado aqui na rua.

A velha baixou a cabeça e lhe passou uma tocha, que acendeu no seu fogo de cozinha. Leve isso, falou. E tente passar despercebido. Ela então o abençoou e enxugou uma lágrima do rosto. Que você possa ver o dia de amanhã, desejou. E, se vir, lhe imploro que nos perdoe.

O menino foi andando até a casa abandonada. A neve tinha começado a grudar no chão e nos galhos nus das árvores, e, ao chegar, ele viu que já estava começando a se acumular na entrada. A porta estava destrancada, e ele entrou. Acendeu um fogo na lareira e olhou em volta. Havia apenas um cômodo, com uma única peça de mobília: um pequeno armário, do mesmo tipo no qual sua mãe costumava guardar os cobertores da família. Nenhum tapete no chão, nenhum enfeite na parede: apenas paredes caiadas e um piso simples de terra batida bem varrido.

Bom, pensou ele, o lugar pode ser amaldiçoado, mas pelo menos está seco e aquecido. Estava a ponto de estender sua coberta no chão quando as paredes caiadas atraíram sua atenção. Pareciam muito nuas e vazias. Como um rosto sem traços. Ele enfiou a mão no bolso, pegou os pincéis e, antes que se desse conta, já havia pintado um gato numa das paredes. Um pequeno, uma coisinha listrada de cinza e branco. Um filhote, na verdade. Pronto, pensou, assim está melhor. E, mais uma vez, se preparou para ir para a cama.

Mas o gato lhe pareceu solitário assim, sozinho na parede... e a parede era muito grande. O menino pintou um amigo para ele, um gato maior, tigrado, sentado ao seu lado lambendo a pata. Então perdeu completamente a noção do tempo. Pintou um terceiro gato, um grande macho laranja, dormindo junto à lareira. Um gato preto pronto para dar um salto, um gato branco observando com grandes olhos azuis, uma gata tricolor andando pelo meio das vigas. Foi pintando gatos até todas as paredes ficarem cobertas, toda uma confraria de gatos para lhe fazer companhia, e foi só quando ficou sem espaço e quando a lareira já estava tão reduzida a brasas que começava a engasgar que ele guardou os pincéis.

O menino estava cansado, e quem não estaria depois de criar cem gatos do nada? Ele estendeu o cobertor, mas, apesar de todos os gatos, ainda se sentia só. Estava com saudade dos pais e desejou estar outra vez em sua comunidade, na própria casa, na própria cama, com os pais dormindo ao lado. Pensou nos seus pincéis feitos com o bambu do pai e os cabelos da mãe. Lembrou os pequenos gestos de ambos que mais lhe faziam falta: o modo como a mãe corria a mão pelos cabelos dele para afastá-los do rosto; o modo como o pai cantarolava ao trabalhar nos campos, tão baixinho que era possível confundir o som de sua voz com o zumbido das abelhas. Ele se sentiu pequeno e, de repente, lembrou-se das palavras da velha mulher: tente passar despercebido. Pegou o cobertor, abriu o armário e lá fez sua cama. O tamanho era o mais próximo da sua caminha que ele conseguiu encontrar, e ele engatinhou para dentro com todas as suas coisas e puxou a porta atrás de si para fechá-la.

No meio da noite, acordou com um lamento terrível e ininteligível. Era um uivo infernal, como o gemido de árvores velhas rachando ao desabar, como o uivo de cem ventos de inverno, como o guinchar da terra ao se mover e despedaçar. Até mesmo seus cílios se arrepiaram. Ele encostou o olho numa minúscula rachadura, mas tudo o que conseguiu ver do lado de fora foi uma luz vermelha medonha, como se o cômodo inteiro estivesse cheio de sangue. Fechou os olhos, prendeu a respiração e puxou o cobertor por cima da cabeça. Aconteça o que acontecer, pensou, não faça nenhum barulho.

Depois de muito tempo, ele não soube quanto, o silêncio voltou. Mesmo assim, ele ficou aguardando quieto. Uma hora se passou. Duas. Ele tornou a encostar o olho na rachadura, e dessa vez não havia vermelho, apenas uma fina nesga de luz do sol. Com as mãos tremendo, empurrou a porta do armário e saiu. Seus gatos continuavam ali, nas paredes, como ele os havia pintado. Mas a boca de todos estava vermelha. O chão estava inteiramente coberto pelas pegadas de centenas e centenas de patas de gatos impressas na terra batida, arranhões, manchas e sinais de combate. Respingos de sangue e espuma sujavam as paredes. E, no canto, jazia uma imensa coisa morta e desgrenhada. Agora imóvel, parcialmente estraçalhada por unhadas. Uma ratazana do tamanho de um boi.

O que essa história significa?, pensa Bird nessa noite, deitado em seu beliche de cima. Já passa muito da meia-noite, e, embaixo dele, seu pai ronca uma vez, vira de lado e fica imóvel. Lá fora, a cidade está tranquila, a não ser por uma sirene ocasional atravessando a escuridão. *Prometemos tomar conta uns dos outros.*

Bird vai até a sala na ponta dos pés, afasta a barra da cortina e olha para fora. Tudo o que vê são as silhuetas imensas dos prédios, a faixa plana e preta que é a rua e as luzes distantes dos postes. Recém-coberta de preto, mas, em algum lugar debaixo da tinta, um coração pintado ainda floresce. Tão arriscado, pensa ele, e de que adiantou? Poucas horas depois, todos os indícios tinham sumido.

Mas a verdade é a seguinte: o coração não sumiu. Ele não consegue ver aquele pedaço de asfalto vazio sem pensar nela, a mancha brilhante surgindo em sua mente como um clarão, nítida como o rosnado de um gato selvagem.

Será que eles não sentiram medo?

Ele tenta imaginar como seria estar na pele daquele pintor. Chegar à rua de mansinho. A respiração quente como a de um dragão debaixo de uma máscara, o coração batendo com um rugido ensurdecedor. Posicionando um molde vazado na calçada com as mãos trêmulas, esguichando com um chiado uma nuvem de spray vermelho. Depois saindo em disparada, os pulmões ardendo em chamas por causa do medo e do vapor da tinta, e encontrando um esconderijo onde se abrigar. A tinta vermelha parecendo manchas de sangue em suas mãos.

Então a lembrança o invade. Vem num jorro, como se alguém tivesse tirado a tampa de um ralo.

Uma brincadeira que eles faziam, ele e a mãe, quando Bird era muito pequeno. Antes da escola, antes de ele ter qualquer outro mundo além dela. Seu jogo preferido, aquele que ele sempre implorava para jogar. Seu jogo especial, jogado apenas quando seu pai estava no trabalho, um segredo guardado apenas entre os dois.

Você vai ser o monstro, mamãe. Eu vou me esconder, e você vai ser o monstro.

Ela pregava folhas de papel nas paredes, e Bird desenhava gatos e mais gatos: com giz de cera, canetinhas já meio secas, tocos de lápis grafite. Gatos simples, rabiscos com orelhas, mas mesmo assim. Gatos. Gatos espalhados por seu quarto inteiro. Então, quando ele se cansava de desenhar, vinha a segunda parte do jogo. Seu armário tinha um nicho que seus pais descobriram ao reformar a casa. Pequeno demais para qualquer serventia, situado debaixo dos beirais, mas sua mãe o havia mantido lá. Para Bird. Um cubículo perfeito para o tamanho de um menininho, que ela havia equipado com uma porta de correr, um travesseiro, um cobertor e uma lanterna. Uma caverna de dragão. O antro de um malfeitor. E, às vezes, o armário onde o menino se escondia.

Ele entrava engatinhando, fechava a porta de correr e dava um bocejo bem alto, depois se deixava cair no chão e começava a roncar. Do lado de fora, vinha um rosnado que fazia a pele dos braços se arrepiar de cima a baixo. Uma série de miados rosnados. Lá dentro, Bird puxava o cobertor por cima da cabeça e tremia de um jeito delicioso. Dali a alguns minutos, o silêncio voltava, e ele saía do cubículo quente outra vez para dentro do armário e depois para a luz do quarto, e ali, no tapete, estava sua mãe deitada de costas, com os braços encolhidos junto ao peito. Completamente imóvel. E a boca de todos os gatos que ele tinha desenhado suja de vermelho.

Ele corria até ela, se atirava em seu peito, e ela o abraçava, um abraço quentinho e forte, lhe fazia cócegas e ria. Sempre sentia um instante de terror ao vê-la ali e uma onda quente de alívio quando ela voltava à vida. Eles brincavam assim repetidamente, quantas vezes ele quisesse. Isso foi há tanto tempo que ele tinha esquecido. Então veio o jardim de infância, amigos novos, outras brincadeiras surgiram e levaram aquela embora. Depois que ela partiu, ele empacotou aquela lembrança junto com tudo o mais e a deixou para trás na casa onde os dois um dia moraram juntos. Onde talvez, quem sabe, embora nem se atrevesse a pensar nessa ideia, ele pudesse reencontrá-la.

Uma coisa que ele nunca contou para ninguém, nem mesmo para Sadie: ele já foi até lá muitas vezes ao longo dos anos. Fica a uns poucos quarteirões da sua escola nova, e, embora ele devesse ir direto para o apartamento, às vezes ele muda o caminho, só um pouquinho, para passar em frente à casa antiga. Só para revê-la. É o único momento em que ele sai do trajeto. Uma obra, imagina-se dizendo ao pai, a rua principal estava fechada, tive que dar a volta. Ou então: A polícia estava desviando as pessoas, não sei por quê. Isso seu pai jamais discutiria: ele vive lembrando a Bird para não se meter em encrenca, para evitar a polícia.

Mas seu pai nunca faz perguntas. Tem tanta certeza de que o filho sempre segue as regras, tanta confiança na sua obediência cega que, nesses dias, em pé na calçada olhando para a casa onde eles não moram mais, as janelas tapadas por persianas parecendo olhos fechados,

Bird se irrita com essa pressuposição de que ele não possa querer, sentir falta ou precisar de algo que esteja fora da rota.

Nos últimos três anos, ninguém morou na casa. Seu pai não a vendeu — nem pode vender sem a assinatura da mãe — e ninguém parece querer alugá-la depois de saber quem era a antiga proprietária. Toda vez que Bird vai lá, a casa está exatamente igual, as janelas obscurecidas por persianas, o portão preto alto sempre bem fechado. Nenhuma das casas do bairro têm quintais na frente; elas se estendem até a calçada como vizinhos espaçosos, acotovelando-se para abrir espaço. Uma faixa de grama malcuidada separa a calçada da rua, como uma fita esgarçada, e essa é a única coisa que muda de uma visita para outra: primeiro alta e cheia de tufos; depois na altura dos joelhos e sem flores; depois enterrada sob uma montanha de neve. Certa primavera, ele foi lá, e ela estava repleta de narcisos: esquecera que a mãe os havia plantado ali, e o alegre tom de amarelo, a cor preferida dela, lhe causou tanta dor que ele passou um mês inteiro sem voltar lá, até as flores murcharem e não sobrar nada a não ser caules desabados e folhas sem vida.

Então, ele deduz: a casa continua vazia. O lugar perfeito para se esconder.

No dia seguinte depois da escola, em vez de ir para o alojamento, ele segue a rua que margeia a curva do rio, novamente em direção à antiga casa. Enquanto caminha, uma profusão de lembranças surge a cada passo, pedrinhas brilhantes iluminando uma trilha pela floresta. Lá está o imenso sicômoro meio marrom, meio cinza, parecendo uma enorme pata de elefante; ele era tão grande que Bird e a mãe não conseguiam abraçá-lo completamente. Ali está a casa branca torta, a que tem duzentos anos de idade e é cheia de quinas e anexos. A casa feita de retalhos, ele dizia; sua mãe costumava chamá-la de Casa das 37 Cumeeiras. Ali está o mosteiro atrás do alto muro de arenito, impenetrável e imperturbável como de costume.

Monges vivem ali, ela lhe contara, e, quando Bird perguntara *o que eram monges*, sua resposta fora: uma pessoa que quer fugir do mundo. Todos os marcos da sua infância estavam ali, apontando pacientemente o caminho. Por um instante, ele se detém em frente à imensa cratera de um toco de árvore velho, desorientado, até que percebe: o grande bordo que costumava ficar ali fora derrubado. No outono, costumava cair uma chuva de folhas vermelhas na calçada, a menor do tamanho do seu rosto. Uma vez, sua mãe pegou uma, fez dois buracos para os olhos e o deixou usar como se fosse uma máscara. Fizera uma para si também. Uma dupla de espíritos da mata à solta na cidade. Durante aquele tempo todo, a árvore devia estar apodrecendo por dentro, se decompondo e se esfarelando que nem uma esponja. Perceber essa tragédia quase o esmaga, até ele espiar dentro do toco e ver pequenos brotos verdes surgindo nas profundezas do anel de madeira teimosa.

Na sua antiga rua, cada casa tem um tom diferente: amarelado, creme sujinho, o cinza desbotado de roupas puídas, como se toda cor tivesse sido lavada desde a sua infância. Com os ombros caídos, levemente inclinados para um dos lados, elas parecem velhas senhoras cujas roupas já ficaram esfarrapadas e largas. Há latões de lixo guardados atrás de cercas, aqui e ali, largados na calçada, um jornal empapado ainda dentro do plástico, mas tudo é silencioso. Então ela surge outra vez: sua casa, com a mesma aparência de sempre. Com o mesmo verde opaco do verso de uma folha. Degraus de madeira na entrada, graciosamente afundados, as bordas arredondadas pelo tempo. A porta da frente, antes vermelho-cereja, desbotada até se tornar o mesmo marrom suave de tijolo envelhecido.

Se o seu pai nunca vendeu a casa, raciocina Bird, ela ainda lhes pertence. O que significa que ele não está invadindo a propriedade de ninguém. Tecnicamente, não está violando nenhuma regra.

Mesmo assim, olha por cima do ombro e vasculha a rua enquanto atravessa as ervas daninhas em direção ao portão e ao quintal dos fundos. Com as janelas das outras casas encarando suas costas.

Depois que a sua mãe foi embora, alguns vizinhos começaram a evitá--los. Antes eles acenavam, diziam oi, até comentavam com Bird como ele estava crescendo ou faziam alguma observação sobre o clima. Mas então, surgiram lábios contraídos, meneios de cabeça imperceptíveis. Entravam em casa depressa como quem esqueceu alguma coisa ou deixou o forno aceso. Uma vez, em Harvard Square, Bird e o pai esbarraram com Sarah, que morava duas casas depois da deles e às vezes lhes presenteava com muffins de ruibarbo e pegava emprestado o podão de jardim de Margaret. De maneira casual, mas acelerada, ela atravessara a rua ao vê-los se aproximar, como se precisasse pegar um ônibus. Em outra ocasião, quando a viram na sua própria rua, entrando com os latões depois de o caminhão de lixo passar, ela não os encarou.

Pior do que os vizinhos que os ignoravam, eram os que apareciam na casa deles para ver se precisavam de alguma coisa. Passei só para ver como vocês estão, dizia um deles. Ver como estão aguentando. O que eles deviam estar aguentando?, pensava Bird, até enfim entender que o que os vizinhos queriam saber era como eles estavam sobrevivendo sozinhos. A sensação fora mesmo essa naqueles primeiros dias, nas manhãs em que ele aprendeu a comer cereal a seco, porque o leite na geladeira sempre parecia ter azedado. Era como se eles fossem marionetes e as cordinhas que *aguentavam seu peso* tivessem ficado frouxas. Quem fazia todas aquelas coisas era a mãe, mas ela tinha ido embora, e eles teriam que aprender a sobreviver sozinhos — algo quase impossível naquelas primeiras semanas.

Quando o alarme de incêndio disparou, os bombeiros vieram e seu pai precisou explicar: não, estava tudo bem, foram só as panquecas que queimaram na frigideira. Sim, ele sabia que nunca devia deixar o fogão aceso sozinho; Bird o chamou no outro cômodo; não, Bird estava em total segurança, estava tudo sob controle. Noutra tarde, Bird caiu da bicicleta na esquina e ralou os dois joelhos, e voltou para casa correndo aos gritos com sangue escorrendo pelas duas canelas; estava sentado na tampa da privada, fungando, enquanto o pai o limpava com um papel-toalha umedecido — está tudo bem, viu, Bird? Foi só um arranhão, não é tão ruim assim —, quando a polícia chegou. Um vizinho havia chamado. O menininho chorando sozinho. A bicicleta abandonada com a roda dianteira ainda girando. *Só queríamos ter certeza de que ele não estava sozinho. Agora que a mãe foi embora, o senhor sabe, só queríamos garantir que alguém estava de olho.*

Sempre parecia haver alguém de olho. Quando Bird saía sem gorro e ficava tremendo no ponto de ônibus; quando ele esquecia a lancheira e a professora perguntava se o seu pai o estava alimentando o suficiente. Havia sempre alguém de olho. Sempre alguém querendo verificar.

Não deve ser nada, mas...

Só achei que devesse dizer alguma coisa caso...

É claro que eu sei que está tudo bem, mas...

Naquela época, começavam a aparecer cartazes por toda a cidade, por toda a região metropolitana. Por todo o país. *Bairros unidos são bairros tranquilos. Nós tomamos conta uns dos outros.* Anos mais tarde, Bird veria Sadie sacar uma canetinha bem grossa do bolso da calça jeans, riscar *tomamos conta* e escrever *vigiamos*. Seus vizinhos da frente, que nunca tinham gostado deles, que reclamavam que o quintal vivia abandonado, que a casa precisava de pintura e que o carro estava estacionado perto demais do deles, não esconderam a alegria em denunciar tudo. Quando seu pai queimou a mão na panela de ferro fundido e a deixou cair no chão com um estrondo, gritando um palavrão, um policial apareceu quinze minutos depois.

Denúncia de perturbação doméstica, informara ele. O senhor tem o hábito de dizer obscenidades na frente do seu filho? Diria que tem o pavio curto? Ele puxou Bird para um canto fora do alcance do pai e perguntou se algum dia ele tivera medo do pai, se o pai já tinha batido nele e se ele se sentia seguro em casa.

De tempos em tempos, objetos ameaçadores apareciam na sua caixa de correio ou nos degraus em frente à casa. Cacos de vidro, sacos cheios de lixo, um rato morto certa vez. Bilhetes em letras maiúsculas, que seu pai rasgava antes de Bird conseguir ler. Não fora muito depois disso, ele se dá conta, que o pai foi transferido para o novo emprego, que eles trocaram Bird de escola, que pai e filho se mudaram para o alojamento. Pela primeira vez, ele pensa no que poderia ter aparecido no trabalho do pai, à porta da sua sala na universidade, em cima das carteiras onde ele dava aula. No que seus chefes poderiam ter dito ou deixado de dizer sobre tudo aquilo.

Boa notícia, anunciara seu pai, a universidade nos cedeu um apartamento em um dos alojamentos.

Seu novo emprego pagava por hora e mal dava para comprar comida e roupas, que dirá um aluguel em Cambridge. Mas, por meio de favores e gentilezas, ele conseguira negociar um lugar seguro onde pudessem morar. No alto de uma torre, protegidos por um pátio, um cartão de acesso e um elevador. A salvo de olhares intrometidos.

Quando Bird empurra o portão dos fundos para abri-lo, ouve um súbito ruído de patas se arrastando e vê um borrão marrom e um clarão branco: um coelho que estava fuçando o capim crescido e se assustou. O bicho corre até uma brecha debaixo da cerca e desaparece, enquanto Bird avança pelo meio do mato. Depois de três anos de descaso, as ervas daninhas estão batendo na cintura e quase cobrem o caminho até a casa; aqui e ali, um galho longo e pelado se prende na sua manga como se fosse um mendigo pedindo esmola. Ele se lembra de uma história: um castelo todo rodeado por roseiras. *Tão cerradas que nada se podia ver atrás delas, nem mesmo a bandeira no telhado.* Todos os príncipes lutando para abrir caminho pelo roseiral. Quando o príncipe certo chega, depois de cem anos, as plantas é que abrem caminho para ele. Ele costumava amar essa história, sua mãe a contava, e ele acreditava em cada palavra.

Enquanto ele olha em volta, memórias pairam ao seu redor antes de pousarem em seus ombros feito libélulas. Antigamente, eles tinham flores ali: lavanda e madressilva, além de imensas flores de alho roxas, as preferidas do seu pai. Rosas brancas do tamanho do seu punho fechado, nas quais se metiam gordas abelhas douradas. Videiras com flores roxas estreladas. Havia legumes, pés de abóbora retorcidos com folhas ásperas e tomateiros com muitos galhos. As galochas verdes da mãe, com o solado incrustado de lama. As de Bird eram laranja. Uma vez, ele levou uma picada, e a mãe pusera o pulso do filho na boca para chupar o ferrão da sua pele.

Ele se aventura mais para dentro, afastando as ervas daninhas. Há a estaca na qual os feijões trepavam por barbantes que formavam um triângulo. Aquilo já fora um esconderijo fresco e verdejante. Seu pai tivera um na infância, e sua mãe havia plantado um para ele. Agora os barbantes estão vazios e cinzentos com a exposição, alguns frouxos e outros esfiapados. Aos seus pés, há um emaranhado de trepadeiras secas e mortas.

Em algum lugar, lembra ele, em algum lugar daquele jardim, existe uma chave. Ele tem certeza disso. Perto dos degraus dos fundos, talvez, ou debaixo deles. Uma pedra com uma chave enterrada embaixo.

Eles estavam ali fora. Quantos anos ele tinha? Quatro, cinco? Seu pai estava no trabalho, sua mãe cuidava do jardim, tirando as ervas daninhas, podando arbustos, amarrando, em suas estacas, galhos inchados de frutos quase maduros. Ele fechou a porta dos fundos e não conseguiu mais abrir, então começou chorar. Tinha certeza de que eles tinham ficado presos para sempre do lado de fora. Está tudo bem, dissera ela. Escuta, vou lhe contar uma história. Ela sempre contava histórias enquanto cuidava do jardim e ele cavava a terra, juntava gravetos ou se deitava na grama aos seus pés. *Era uma vez uma bruxa que tinha um jardim encantado. Era uma vez um rapaz que entendia a língua dos animais. Era uma vez um tempo em que no céu havia nove sóis, e fazia tanto calor que nada era capaz de crescer na terra.*

Daquela vez, enquanto limpava sua bochecha suja de terra, ela contava: *Era uma vez um menino que encontrou uma chave dourada.* Ela se ajoelhou ao pé dos degraus, levantado uma pedra. Tcharã! Ali estava.

Sua mãe sempre fazia isso quando contava histórias. Abria brechas para a magia, transformando o mundo num lugar cheio de possibilidades. Depois que ela foi embora, ele parou de acreditar nessas fantasias. Sonhos falsos e evanescentes que se desintegravam à luz da manhã. Agora lhe ocorre que talvez, no fim das contas, possa haver alguma verdade neles.

Ele demora muito tempo, mas acaba encontrando. Meio afundada na terra, os dentes incrustados de ferrugem. Mas ali está ela, na sua mão, dura, sólida e real. Ainda encaixa na fechadura, ainda faz clique quando a gira, ainda recolhe o trinco para rodar a maçaneta e ele entrar.

Lá dentro, ele sente o cheiro de uma casa desocupada há muito tempo. Uma sensação pegajosa, o odor de mofo de um ar não temperado pelo calor de corpos vivos, mas isso ele já esperava. O que não esperava é a sensação de familiaridade. O corredor longo e estreito da cozinha até a sala onde ele e o pai apostavam corrida de brinquedos a corda, a lareira de tijolos embutida na parede, a escada que sobe íngreme e desaparece na escuridão do andar de cima. Era como se a casa fosse um lugar que ele havia visitado em um sonho, um lugar que conhece mesmo sem reconhecer, um lugar pelo qual consegue se movimentar, embora não consiga desenhar um mapa. Para onde quer que olhe, lembranças se agitam e se avultam. Ele se lembra dos móveis que desapareceram, a adorada poltrona de couro da mãe, a mesa de centro com tampo de vidro onde os três costumavam jogar *Candyland*. Lembra a cor da luz no fim do dia, quando estava quase na hora de dormir, um tom de mel, quente, que iluminava a casa inteira.

Dentro do castelo, tudo congelara no tempo. A criada dormia na cozinha segurando no colo um frango meio depenado. O cozinheiro roncava com uma das mãos ainda erguida, prestes a dar um tapa no ajudante.

Olá?, chama ele, mas ninguém responde.

Não há mais nada ali a não ser partículas de poeira suspensas na luz do sol que penetra por entre as persianas fechadas. Um retângulo mais escuro no chão de madeira, que durante anos seu tapete mantivera intacto. Na lareira, cinzas da cor de ossos descorados. Seu pai tinha empilhado ali os livros da sua mãe e encostado um fósforo aceso nos cantos do papel.

Nenhum sinal dela em lugar algum. Sinais dela por toda parte.

Ele põe a mão no corrimão e começa a subir. Em cada degrau, seus pés deixam pegadas na poeira.

Lá em cima, a única luz no patamar vem das riscas que penetram pelas laterais das persianas fechadas. O quarto dos pais. O banheiro, a banheira de pé, agora manchada de ferrugem. E ali, no fim do corredor, o seu quarto, com a porta de formato singular: um dos cantos cortado para encaixar sob o teto inclinado. Ele a abre devagar, mas não há ninguém lá dentro. No canto, um estrado sem colchão, um esqueleto de cama. Na parede da frente, uma estante vazia, uma cômoda com as gavetas penduradas. Ele espia lá dentro: nada. A casca de sua antiga vida. Uma lembrança bem antiga irrompe à superfície, e ele passa a mão pelo batente da porta para retirar a sujeira até encontrar. Marcas a lápis parecendo os degraus de uma escada, todas identificadas com uma data e duas letras. BG. Bird Gardner. Seu nome de antigamente. Noventa e um centímetros de altura. Noventa e seis. Um metro e seis centímetros. Subindo cada vez mais.

As dobradiças do guarda-roupa rangem quando ele o abre. Vazio. Lá em cima, um cabide solitário pendurado no varão nu. Ali está, na parede dos fundos do armário, a divisória de correr que é, na verdade, uma porta. Ele protegeu esse segredo com tanto cuidado que nem os amigos sabiam, guardou somente para si. E para a mãe. Ele tinha uma lembrança perfeita daquilo. Era como se sua imaginação tivesse ganhado vida.

Com todo o cuidado, Bird levanta o trinco e abre a divisória, revelando um nicho que seria apertado para uma criança de cinco anos. Ele se deita no chão do armário, enfia a cabeça e um dos ombros lá dentro. Não consegue ver nada, mas tateia dentro do cubículo, passando as mãos por tudo que consegue. Na sua lembrança, aquilo era um espaço imenso, uma caverna gigantesca, mas, na verdade, é só um nicho. Mesmo se ele se espremesse para passar pela abertura, não caberia lá dentro.

No armário, ele encontra uma velha lanterna e aperta o botão de ligar, mas, como era esperado, estava sem pilha. Um travesseiro puído. Um ruído de celofane que, ao observar de perto, ele descobre ser um papel de bala vazio e empoeirado. Nada mais. Ele se sente bobo por ter pensado que ela estaria ali.

Ele se contorce, segura a abertura com as duas mãos para sair do buraco, e é então que sente. Um pequeno cartão encaixado na parte de trás da moldura da porta do nicho. Não, não é um cartão, é um pedacinho de papel. Empoeirado como todo o resto, como se estivesse ali há muito tempo. Uma única palavra escrita em caneta preta, DUQUESA, e logo abaixo um endereço na Park Avenue, em Nova York. A letra é da sua mãe.

Ao sair da escola no dia seguinte, ele volta à biblioteca pública e relembra as palavras da bibliotecária conforme ele se aproxima da entrada: *Se eu puder ajudar com mais alguma coisa.* Ele não sabe ao certo se ela pode, mas, se tem uma coisa da qual se lembra das histórias, é que você não deve ignorar as pessoas que oferecem ajuda ao longo do caminho, pois elas podem ajudá-lo a encontrar um tesouro ou alertá-lo para o perigo.

Nesse dia, para o desânimo de Bird, a biblioteca não está inteiramente deserta. Há outro visitante: um homem negro mais velho na seção de trabalhos manuais, não muito longe do balcão da recepção. Alto, de porte esbelto, barba cinza e *dreads* grisalhos compridos presos na nuca. Bird enrola perto dos livros de culinária, num lugar em que não pode ser visto, e observa o homem abrir livros e, em seguida, fechá-los, recolocando-os no lugar sem demonstrar nenhum interesse no conteúdo. Ele decide esperar o homem ir embora para falar com a bibliotecária.

Só que, depois de dez minutos de consultas aleatórias, o homem continua ali. Por que está demorando tanto? Bird sabe que algumas pessoas entram na biblioteca em busca de um lugar para se aquecer. Estão em outubro; o tempo tem esfriado mais a cada dia que passa, e, mesmo após uma década dos acontecimentos da Crise, ainda tem muita gente morando na rua, ocupando esquinas ou encolhida em bancos de praça, esquivando-se da polícia e dos grupos de ronda do bairro. Mas aquele homem não parece estar em situação de rua. Ele veste calça jeans escura e blazer de alfaiataria bronze e calça sapatos de couro encerado. Ele tem uma postura descontraída e parece à vontade ali, mesmo sem nenhum objetivo aparente, diferente de Bird. No entanto, há também certa tensão, como se ele estivesse se preparando para uma tarefa difícil.

O homem tira do bolso do blazer um pedaço de papel, o guarda com todo o cuidado entre as páginas de um manual de conserto de máquinas de lavar e o fecha novamente. Um marcador de página, pensa Bird. Mesmo assim, algo naquele gesto lhe chama a atenção: o olhar levemente furtivo que o homem lança por cima do ombro, o modo como ele ajeita os livros na estante, alinhando as lombadas com tanta precisão que não dá para dizer qual deles desapareceu. De repente, Bird se lembra da bibliotecária vasculhando os livros na sua mesa da última vez, do papel que ela havia encontrado entre as páginas. O homem se endireita como se tivesse tomado uma decisão, põe o livro debaixo do braço e segue na direção do balcão de empréstimos, agora com um ar decidido.

Com licença, diz ele à bibliotecária. Encontrei esse livro jogado por aí. Não tenho certeza, mas acho... acho que ele estava no lugar errado.

Bird agora consegue vê-lo melhor. O castanho quase preto dos olhos, o branco limpo do colarinho da camisa. A barba aparada com precisão.

A bibliotecária ergue os olhos, e, quando fala, sua voz tem um tom de ansiedade intensamente reprimida. Obrigada, responde. Vou dar uma olhada.

O homem põe o livro no balcão. Não tenho certeza, sabe, comenta ele. Mas eu *acho* que alguém pode estar procurando esse livro.

Ele desliza o volume na direção dela, mas sua mão continua pousada na capa. Como se ele não conseguisse soltá-la.

A pessoa deve estar muito, muito preocupada, continua ele. As palavras saem roucas e embargadas, como se tentasse não chorar.

Vou fazer o possível para descobrir de onde é, garante a bibliotecária.

Espiando de trás da estante de livros de culinária, Bird sabe que eles estão falando sobre algo que ele não consegue escutar. Pressente isso mais do que constata, sente um débil latejar bem no fundo de seus ossos. Ninguém jamais choraria por causa de um livro fora do lugar.

Não vou falar sobre isso com ninguém, retruca a bibliotecária. Sua voz sai tão baixa que Bird precisa se esforçar para distinguir as palavras. Obrigada por devolver o livro.

Ela sorri para o homem e põe a mão na capa ao lado da dele, sem puxar o livro para si, apenas o segurando, esperando o homem se sentir pronto, e por fim ele solta.

Eu não me perdoaria se não fizesse isso, confessa em voz baixa. Meu irmão e eu fomos criados por famílias de acolhimento anos atrás. Disseram que nossos pais não eram capazes de nos criar... quando eles conseguiram nossa guarda de volta, eu já era quase adulto.

Ele então vai embora.

Quando a bibliotecária pega o pedaço de papel, ela percebe a presença de Bird e fecha rapidamente o livro. Dessa vez, Bird consegue ver o papel de relance antes de ela guardá-lo no bolso do suéter e nota algumas palavras rabiscadas, o que poderia ser um endereço e um nome. A animação em seu rosto se transforma em cautela quando a bibliotecária o reconhece.

Opa, oi de novo, ela o cumprimenta. Você voltou. Precisa de mais alguma coisa?

A senhora disse que poderia me ajudar, começa Bird. Na última vez em que estive aqui. Disse que... se pudesse ajudar com mais alguma coisa, era para eu voltar.

A bibliotecária não concorda nem discorda. Ainda segurando o livro com força, ela o estuda com o olhar.

Eu posso tentar, responde. Do que você precisa?

Bird pigarreia.

Eu preciso ir até Nova York, diz ele. A cidade. Preciso encontrar uma pessoa lá.

A bibliotecária ri. Isso está fora do meu alcance, replica ela. Eu quis dizer ajudar com outro livro. Ou a conseguir alguma informação.

Isso é conseguir uma informação. Preciso falar com alguém que está lá.

Ele passou a noite inteira pensando no assunto. Tem certeza de que sua mãe lhe deixou aquele endereço por um motivo. Ninguém mais sabia sobre o esconderijo, somente ela poderia ter deixado alguma coisa lá. A carta dela, a história, o bilhete, não podem ser apenas uma coincidência. Para Bird, aquilo é tão certo quanto uma profecia ou uma busca sagrada; ele sente isso com a segurança arrogante que só uma criança consegue ter. Aquela tal de Duquesa, seja ela quem for, deve ter algo a lhe dizer sobre sua mãe, portanto seu próximo passo tem que ser ir até ela.

A bibliotecária esfrega o nó dos dedos na têmpora. Desculpa, não vou conseguir ajudá-lo com isso.

Por favor, pede ele. É por um bom motivo. Eu juro.

Ainda assim, ela balança a cabeça.

Eu não sou agente de viagens. E, mesmo que fosse, não posso ajudar uma criança a fugir de casa.

Eu não vou fugir de casa, retruca Bird, mas ela não está mais escutando.

Desculpa, ela torna a dizer e começa a dar as costas, então Bird decide blefar.

Eu sei o que vocês estão fazendo, dispara, embora obviamente ainda não saiba direito. O que ele sabe que é que algo ilícito estava acontecendo, algo vergonhoso ou talvez até ilegal, então ele poderia usar aquilo como chantagem para conseguir o que quisesse.

Ela não responde, mas se detém, parcialmente de costas para ele, e, pelo leve retesamento em sua postura, Bird percebe que ela está prestando atenção e decide pressionar mais um pouco.

Eu vi aquele homem, continua, com os olhos cravados nas costas dela. E vi o que a senhora estava fazendo no outro dia. O bilhete dentro do livro.

Então, tomando coragem, ele ousa: Eu vi o que a senhora pôs no bolso.

Dá certo. A bibliotecária se vira, e, embora sua expressão esteja calma e impassível, sua voz tem uma tensão que antes não existia.

Vamos conversar na minha sala, responde ela, e então o segura pelo cotovelo com a força de uma pinça, marchando de volta por entre as estantes até a salinha reservada para funcionários. Dessa vez, depois que eles entram, ela o segura pelos ombros com os olhos em brasa.

Eu sabia que você estava espionando, diz ela. No outro dia. Sabia que você ia dar trabalho. Você não pode comentar com ninguém o que viu... com ninguém. Entendeu?

Bird tenta se desvencilhar, mas não consegue. Eu só preciso da sua ajuda, tenta.

Ninguém pode saber, repete ela. Pessoas vão ser punidas se alguém descobrir, seriamente punidas.

113

Pessoas como aquele homem?, indaga Bird. Um chute, mas um chute certeiro. A bibliotecária o solta e se encosta na parede atrás de si, abraçando o livro contra o peito.

Ele está tentando ajudar, explica ela. E correndo um risco enorme só por tentar. A maioria das pessoas nem isso faz. Elas preferem apenas fechar os olhos, contanto que não sejam os seus filhos em risco.

Ela se vira de volta para Bird.

Quantos anos você tem? Doze? Treze? Tem idade o bastante para entender isso, não tem? A vida das pessoas está em risco. Vida de crianças também.

Eu não quero causar problemas, garante Bird. Sua língua está estranha e dura, um peixe saltando em terra firme. Desculpa. Desculpa mesmo. Por favor. Já que a senhora os está ajudando, não pode me ajudar também?

Do bolso da calça jeans, ele retira o papelzinho com o endereço, agora surrado e amassado.

Estou só tentando encontrar minha mãe, implora, e então se dá conta de que isso, mais do que todo o resto, talvez possa convencê-la. Ela sabia o seu nome antes. Como, senão pela sua mãe? Tudo se encaixa na mente de Bird, as peças se colando direitinho umas nas outras. O desenho na rua, a faixa no Brooklyn, as filipetas efêmeras salpicadas pelos bairros. Os poemas de sua mãe, as crianças roubadas, os corações perdidos. Ele consegue ver tudo com a mesma clareza de uma teia de aranha salpicada de orvalho, os fios diáfanos se entrecruzando para formar um todo magnífico e cristalino. Ele e a bibliotecária estão do mesmo lado.

Minha mãe é uma das líderes, afirma ele, orgulhoso. Uma sensação que ele nunca se atreveu a expor, e dizer aquilo em voz alta é como ficar em pé depois de anos agachado.

A bibliotecária o encara com um ar de ironia, como se ele estivesse prestes a lhe contar uma piada que ela já conhece.

Sua mãe, diz ela.

Bird pigarreia. Margaret, responde, e sua voz falha só um pouquinho no M, uma fratura fina como um fio de cabelo. Margaret Miu.

É a primeira vez que pronuncia o nome dela em voz alta até onde sua memória alcança. Talvez a primeira vez na vida. O nome soa como um feitiço. Ele fica esperando... o quê? Terremotos. Relâmpagos. Trovoadas. Mas tudo o que Bird vê é um sorrisinho de canto de boca da bibliotecária. Pensou que o nome fosse uma senha capaz de abrir portas para lugares ainda desconhecidos. Mas, em vez disso, ele deu com a cara na parede.

Ah, eu sei exatamente quem é a sua mãe, diz a bibliotecária.

Ela estuda Bird e se inclina para mais perto dele, tão perto que ele consegue sentir no seu hálito o cheiro do café azedo que ela tomou de manhã. Ele murcha sob o olhar dela.

No começo, eu não te reconheci, sabe?, confessa ela. Na última vez em que te vi, você era um bebê. Ela vinha aqui com você no *sling*. Mas, quando me perguntou sobre o livro dela, percebi quem você me lembrava. Por que você parecia familiar. Depois que conectei as coisas, percebi que, na verdade, você se parece bastante com ela.

Bird tem vontade de fazer muitas perguntas, mas todas se embaralham na sua mente e desabam numa pilha confusa. Ele tenta visualizar aquela imagem, sua mãe ali, no meio daquelas mesmas estantes; ele, pequenininho aninhado contra o seu peito.

Ela vinha aqui?, repete. Ainda processando a ideia de que sua mãe um dia esteve em pé naquele mesmo ponto, tocou os mesmos livros que os cercam por todos os lados.

Todo dia. Para pegar livros emprestados, na época em que ainda estava escrevendo seus poemas. Antes de virar *a voz da revolução*.

A bibliotecária ri, uma risada curta, mas amargurada. Fecha os olhos e recita numa voz cantada:

Todos os corações perdidos
espalhados para brotar noutro lugar.

Bird fica calado depois de ouvir isso e deixa as palavras se entranharem nele como a chuva que cai sobre uma pedra. Deixando uma mancha escura de umidade. Não é só um livro, mas um poema também.

Eu nunca ouvi o poema inteiro, admite Bird.

A bibliotecária torna a se recostar na parede com as mãos nos quadris. Todos aqueles cartazes e faixas com o slogan dela. Um *branding* tão bom. Todas aquelas fotos que viralizaram.

Ela funga.

Acho que é mais fácil escrever palavras corajosas do que realmente dar a cara a tapa.

Então é isso que a senhora faz, conclui ele. Encontra as crianças e as manda de volta para casa.

A bibliotecária suspira.

Não é tão simples assim, reconhece ela. Tem muito medo envolvido nessa história toda. A maioria nem sequer reclama publicamente que seus filhos foram levados. Eles falam para essas pessoas que, se elas ficarem caladas, podem ter seus filhos de volta. Só que…

Ela se cala e belisca o nariz. Nós tentamos convencê-las, diz. Mantemos uma lista: nome, idade, descrição física. E, quando ficamos sabendo de uma criança realocada, tentamos descobrir quem é. Às vezes, as pistas dão em alguma coisa, outras vezes não.

Inconscientemente, sua mão toca o bolso do suéter, e o bilhete do homem faz barulho ali dentro.

É arriscado, sabe… Muita gente simplesmente não quer se envolver. Mas tentamos encontrar pessoas confiáveis, aqui e ali.

Como aquele homem, diz Bird, e ela assente.

Muitas vezes, ninguém sabe para onde as crianças foram levadas. As mais novas geralmente são realocadas. Mas algumas têm o nome trocado. Outras são tão novas que nem sequer sabem o nome dos pais. E, em geral, elas são realocadas longe de casa. E não é por acaso.

Bird pensa em Sadie, nas centenas de quilômetros entre Cambridge e seus pais em Baltimore. Pensa em quanto seria impossível uma criança percorrer essa distância sozinha.

E depois?, pergunta ele.

Por enquanto, nada, responde ela, e ele pode ouvir como as palavras soam amargas na boca da mulher. Não há nada que possamos fazer para de fato mandá-las de volta para casa. Pelo menos não enquanto a PACT estiver em vigor. Mas conseguimos localizar algumas, e eu acho que isso ajuda as famílias, saber que pelo menos os filhos estão seguros e onde estão. Estamos só tentando manter o controle. De quem se perdeu e de quem foi achado. Esse é o máximo que conseguimos.

Como assim, estamos?

Tem muita gente tentando ajudar, revela com cuidado. Estão espalhadas pelo país. Nós trocamos bilhetes. Ela abre um meio sorriso. Faz parte do nosso trabalho, sabe. Informar. Reunir informações, guardar informações. Ajudar as pessoas a encontrarem o que necessitam.

Durante toda a conversa, uma pergunta ronda a mente de Bird.

Mas por quê?, pergunta ele. Se é tão arriscado. Vocês também não vão ser punidos se forem descobertos?

Os lábios da bibliotecária se contraem.

É claro que vamos. Eu e todas as outras pessoas que estão tentando encontrar essas crianças. Aquele homem, e qualquer outra pessoa que nos passe informação. É claro que é arriscado. Mas...

Ela faz uma pausa e esfrega as têmporas.

Meu bisavô esteve em Carlisle, diz apenas, como se isso explicasse tudo. Então, ao ver o ar de incompreensão de Bird, ela dá um suspiro. Você não tem a menor ideia, né? Como teria? Ninguém ensina nada disso para vocês. É antipatriótico demais falar sobre as coisas horríveis que o nosso país já fez. Sobre os campos de concentração em Manzanar ou sobre o que acontece na fronteira. Eles devem ensinar que a maioria dos senhores de engenho tratava bem os escravizados e que Colombo *descobriu* a América, né? Porque contar o que realmente aconteceu seria como defender opiniões antiamericanas, e isso com certeza não iríamos querer.

Bird não entende direito o que ela diz, mas o que ele entende, de repente e com tanta força que sua cabeça começa a girar, é o quanto ele não sabe de nada.

Sinto muito, murmura ele, em um tom doce.

A bibliotecária suspira. Como você pode saber disso se ninguém te ensina, se ninguém nunca fala a respeito, se todos os livros que tratam do assunto sumiram das prateleiras?

Um silêncio demorado se prolonga entre eles.

Eu não queria causar problemas, diz Bird, por fim. Sério. Eu só... eu só quero encontrar minha mãe.

A atitude dela se abranda.

Eu vi sua mãe poucas vezes, revela. Há muito tempo. Mas me lembro dela. Era uma pessoa legal. E uma boa poeta.

Mas uma mãe ruim, pensa ele.

Só quando a bibliotecária responde ele se dá conta de que falou aquilo em voz alta.

Você não deveria dizer isso, corrige ela. Não sobre a sua própria mãe.

Ela coloca a mão no ombro de Bird, dessa vez suavemente. E aperta de leve.

Não estou dizendo que não existem mães ruins, continua. Só que nem sempre dá para saber o que as faz agir de uma forma em vez de outra. A maioria de nós está fazendo o melhor que pode.

Algo em sua voz faz Bird prestar mais atenção. Um som áspero. Algo excessivamente esgarçado, mais rachado do que inteiro.

Você tem filhos?, pergunta ele.

Dois, responde ela devagar. Eu tinha dois.

Tinha, no pretérito. A frase partida em dois: antes e depois. O que houve com eles?

Minha menininha adoeceu. Durante a Crise. A gente não tinha dinheiro para pagar o hospital, quase ninguém tinha. Aí, mais para o final, meu menino ficou sem insulina.

Os olhos dela se desviam dele e encaram algo logo acima do seu ombro na parede mais atrás.

Onde quer que a sua mãe esteja, o que quer que ela esteja fazendo, diz a bibliotecária, de uma coisa eu tenho certeza: ela ficaria feliz em saber que você cresceu e continuou bem. Que ainda está aqui.

Ela pisca, uma vez, duas. E volta ao presente, a ele.

Mas veja bem, Bird, continua ela, se você quiser ir até Nova York... precisa ir por conta própria. Eu só consigo transmitir informações. Não transporto pessoas.

Bird assente.

E só posso deixar você ir embora se prometer que não vai falar sobre esse assunto com ninguém. Por favor, Bird. Mais do que qualquer um, você tem que entender. Finja que não sabe de nada, nada *mesmo*. A vida de outras pessoas está em risco.

Eu não vou falar nada, assegura ele, e a última palavra sai meio engasgada. Nunca. E então, para provar que está falando sério, ele diz: Minha melhor amiga era uma dessas crianças. A Sadie.

Uma pausa longa e espantada.

Você conhecia a Sadie?, pergunta ela.

Bird então lembra. Claro. Sadie passava na biblioteca todos os dias depois da escola, nem que fosse só por alguns minutos.

A gente conversava, relata a bibliotecária. Difícil não notar uma menina pequena que aparece assim, sozinha.

Uma súbita onda de esperança atravessa Bird.

Foi para lá que ela foi?, pergunta ele, animado. Vocês a mandaram para casa? De volta para a mãe e o pai?

Mas a bibliotecária balança a cabeça.

Eu não consegui descobrir para onde os pais dela foram. Ninguém descobriu nada a não ser que eles não estão mais em casa. E aí, de repente, Sadie também sumiu.

Alguns instantes de silêncio, durante os quais a bibliotecária o encara com um olhar suave e gentil. Ele se sente supreendentemente bem conversando sobre Sadie com alguém que a conhecia. Lembrando-se dela.

Escuta, diz a bibliotecária. Eu não posso levar você até Nova York. Não conheço ninguém que possa. Mas uma coisa eu consigo fazer.

Ela o conduz de volta para fora da sala e pelo meio das estantes até um grosso fichário bordô. Lá dentro havia páginas e mais páginas de horários impressos em colunas azul-claras.

Horários e rotas de trem, explica ela. Esse fichário aqui é o dos ônibus. Na rodoviária, você pode ir ao guichê, mas tem também máquinas que vendem passagens. Caso você queira evitar... questionamentos.

Obrigado, Bird consegue dizer.

Ela sorri. Eu falei que esse era o meu trabalho. Informar. Transmitir informações. Ajudar as pessoas a encontrarem o que querem.

Ela põe o fichário aberto em cima do balcão e o desliza na sua direção.

O que você faz com essa informação é problema exclusivamente seu, diz.

Na segunda-feira de manhã, seu pai já está esperando com a pasta de trabalho na mão quando Bird sai do quarto. Ele escondeu os livros didáticos na cama, debaixo do cobertor; no lugar deles, sua mochila contém uma muda de roupa, uma escova de dente e todo o dinheiro que ele guardou ao longo dos anos. Todas as cédulas perdidas que Bird encontrou, todo o dinheiro do lanche que ele poupou nos dias em que, em vez de comer no refeitório, ficava sentado do lado de fora com seus pensamentos. Quantia suficiente para uma passagem só de ida até Manhattan. O ônibus que ele escolheu sai às dez da manhã. Há tempo de sobra.

Embora o elevador tenha sido finalmente consertado, a cabine range e estala enquanto desce tremendo devagar. Entre as paredes espelhadas, uma sequência infinita de Bird e do pai se estende para longe como as dobras de um acordeão.

Bird espera o número baixar de seis para cinco antes de falar.

Esqueci meu almoço.

Noah, responde o pai, quantas vezes tenho que te lembrar?

O elevador para devagar, e a porta se abre na portaria do alojamento. Os raios de sol entram pelas janelas de blindex, tão fortes que ele se sente um inseto numa mesa de luz. Com certeza seu pai vai olhar para a sua cara e saber que ele está mentindo. Mas ele só suspira e confere as horas no relógio.

Tenho uma reunião de equipe agora às nove, diz ele. Não posso te esperar. Sobe lá para pegar e corre para a escola. Não demora, tá?

Bird assente e aperta o botão do elevador, enquanto seu pai se vira para ir embora. Ao ver as suas costas, tão conhecidas com seu antigo sobretudo marrom, Bird sente a garganta apertar.

Pai, chama ele, e seu pai se vira e solta um *uf* baixinho quando Bird lhe dá um abraço.

O que é isso?, pergunta seu pai. Pensei que você não estivesse mais na idade de abraçar.

Mas ele está brincando, então Bird se aninha na lã empoeirada e aconchegante do sobretudo do pai enquanto ele o aperta com força. De repente, sente vontade de lhe contar tudo. De dizer "vem comigo". Vamos encontrá-la juntos. Mas sabe que o pai nunca o deixaria ir, quanto mais acompanhá-lo. Se Bird quiser fazer isso, terá que fazer sozinho.

Tchau, pai, e seu pai lhe dá um aceno e vai embora.

Quando entra no apartamento novamente, Bird corre até a janela. Esgueira-se atrás das cortinas e espia o quadradinho coberto de grama do pátio. Lá está ele, o pontinho escuro que é seu pai, já quase no portão.

Ele já ficou sozinho assim, observando o pai pela janela, nos dias em que a escola fechava por conta da neve. Costumava esperá-lo surgir lá embaixo, descer o caminho e sumir de vista. No inverno, as pegadas do pai pareciam mágica. Bird sabia que de perto elas eram buracos toscos de neve pisada. Mas de onde estava, dez andares acima, eram delicadas e precisas. Lindas. Cheias de propósito. Um fino bordado numa colcha toda branca; um rastro de pedras posicionado para sinalizar o caminho até em casa ou para mostrar o caminho a alguém. Como era reconfortante saber que ele podia descer e seguir as marcas deixadas pelos pés do pai até aonde quer que ele tivesse ido.

Agora, enquanto ele observa, a solitária figura de sobretudo marrom fecha mais o casaco em volta de si para se proteger da brisa gelada do outono e passa pelo portão. Ainda não há neve para gravar pegadas, e um segundo depois, quando seu pai some de vista, é como se ele nunca nem tivesse estado ali. Nesse dia, Bird acha aquilo insuportavelmente triste: passar por um lugar sem deixar qualquer vestígio da própria existência. Não ter ninguém para lembrar que você esteve ali. Sua vontade é descer correndo todos os dez andares de escada e pôr os pés dentro das pegadas invisíveis do pai. Ele pressiona a ponta dos dedos na vidraça fria, como se, tentando o suficiente, conseguisse empurrar a vidraça inteira, passar para o outro lado e ficar suspenso no ar acima daquilo tudo.

Ele não tinha erguido os olhos quando ela foi se despedir.

Birdie, disse ela, eu preciso sair.

Foi isso mesmo? Ou ela havia dito "Eu preciso ir"? Ele não lembra. Estava brincando de Lego, construindo alguma coisa que ele não lembra mais o que era.

Bird, chamou ela. Parada logo atrás dele, que já estava impaciente. O que quer que estivesse construindo não queria se manter de pé, ficava inclinado e caía numa chuva de peças, quebrando-se toda vez. Ele pegou duas peças e as encaixou com tanta força que os pinos deixaram marcas na sua pele.

Birdie, eu... eu estou indo.

Ela estava esperando que ele lhe desse um beijo como sempre fazia. Ele pôs mais uma peça, e a coisa toda desabou com estardalhaço outra vez. Bird pôs a culpa nela, por chamá-lo quando ele estava concentrado em outra coisa.

Tá bem, falou ele. Tornou a pegar as peças, juntou a coisa toda outra vez, e, quando finalmente se virou para ver se a mãe ainda estava ali, ela já tinha ido embora.

Quase nove horas, ele tinha que ir. Quando seu pai voltar para jantar, o apartamento vai estar vazio, e Bird, em Nova York. Ele passou o fim de semana inteiro pensando nisso, em como contar ao pai para onde iria. Qualquer menção à mãe é um risco muito grande, então o bilhete que ele deixa em cima da mesa é curto e vago: *Pai, vou voltar daqui a alguns dias. Não fica preocupado.* Ao lado, põe a carta dos gatos dentro do envelope. Então rasga o papel do cubículo em dois pedaços. Ele guarda no bolso o que contém o endereço da Park Avenue; o outro, onde está escrito apenas *Nova York, NY*, ele coloca ao lado da carta e do bilhete. Por último, uma caixa de fósforos. Torce para que o pai entenda aonde ele foi, por que e, principalmente, o que fazer com essa informação.

Ele nunca viajou para fora de Cambridge; passou a noite inteira preocupado com os possíveis perigos ao longo do percurso. Pegar o trem errado, virar na rua errada ou embarcar no ônibus errado e ir parar sabe-se lá onde. Imaginou um agente controlando as passagens e perguntando: Onde estão seus pais? Policiais o parando, o colocando no banco de trás de uma viatura e o levando de volta ao pai, ou pior, para outro lugar. Desconhecidos o examinando. Medindo-o com os olhos, avaliando se ele é uma ameaça ou alguém a ser ameaçado.

Só que nada disso acontece. Com seu boné de beisebol bem enterrado na cabeça e seus óculos escuros, ele vai de metrô até a rodoviária. Os policiais na plataforma, entretidos discutindo futebol, nem prestam atenção nele. Em vez de se aproximar do guichê de passagens, ele se encaminha para a máquina: enfia o dinheiro, pega a passagem, ninguém pergunta nada. No terminal de ônibus, ninguém olha em volta, todos ali parecem estar concentrados no chão, evitando contato visual, e ocorre-lhe que talvez eles também estejam torcendo para não serem vistos. Um pacto entre desconhecidos, todos concordando tacitamente em ignorar uns aos outros, cuidar da própria vida para variar um pouco. À medida que os medos sucessivos não se materializam, Bird começa a se sentir cada vez mais confiante, absurdamente confiante. É como se o universo estivesse sinalizando que ele está na direção certa, que está fazendo exatamente o que deveria. Quando o ônibus chega, ele se senta a uma janela mais para o fundo. Conseguiu. Está a caminho.

Depois que sua mãe foi embora, ele passou meses deitado na cama à noite certo de que, se conseguisse ficar acordado por tempo suficiente, ela voltaria. Estava convencido, por motivos que jamais conseguiria explicar, de que a mãe voltava durante a noite e desaparecia de manhã. Como ele dormia, toda vez perdia a visita dela. Talvez aquilo fosse um teste, para ver quanto ele realmente queria vê-la. Será que conseguiria ficar acordado? Imaginava a mãe toda noite parada junto à sua cama, balançando a cabeça. Dormindo, de novo! Mais uma vez, ele não passava no teste.

Aquilo costumava fazer total sentido para ele — ainda faz. Em todas as histórias que a mãe tinha lhe contado, o herói passava por uma provação: descer o poço tal para pegar a pederneira; ficar deitado debaixo de tal cascata e se deixar despedaçar pela água batucando no seu corpo. Bird tinha certeza de que, se conseguisse ficar acordado, sua mãe apareceria. O fato de o teste ser tão arbitrário não o incomodava: afinal, os testes que eles faziam na escola também eram. Circundar os substantivos e sublinhar os verbos; combinar dois números aleatórios para formar um terceiro. Testes eram sempre arbitrários; fazia parte da natureza deles e, na verdade, era isso que os transformava em testes. Cate as ervilhas e lentilhas das cinzas do fogão antes do amanhecer. Viaje ao fundo do mar e traga a pérola que brilha à noite.

Ele havia beliscado a própria pele para tentar se manter acordado; marcas escuras e azuladas lhe desciam pelo antebraço. Noite após noite, beliscava um pedacinho de pele entre o indicador e a unha do polegar, e apertava até clarões brancos começarem a pipocar na periferia do seu campo de visão. Pela manhã, sua mãe continuava ausente, uma meia-lua roxa marcava seu antebraço, e seu pai perguntava se os outros meninos na escola estavam fazendo bullying com ele. Estavam, mas não como seu pai pensava. Está tudo bem, pai, dizia ele, e suas pálpebras passavam o dia inteiro se fechando, pesadas. À noite ele tentava e mais uma vez não conseguia se manter acordado. Foi nessa época que parou de acreditar em histórias.

Agora, depois de todo aquele tempo, estava indo encontrá-la. Como um personagem daquelas mesmas histórias que ela havia lhe contado tantos anos antes. Vai fazer uma viagem até onde a mãe o espera pacientemente. Assim que ela o vir, seja qual for o feitiço que a manteve afastada esse tempo todo, ele vai se romper. Nos contos de fadas, isso acontece instantaneamente, como um interruptor acionado, na hora, ela o reconheceria. Na hora, reconheceria o seu verdadeiro eu. Ele tem certeza de que é isso que vai acontecer com a sua mãe. Ela vai vê-lo, e na mesma hora será sua outra vez, e eles todos viverão felizes para sempre.

A rodovia interestadual passa depressa à medida que o motor se acomoda no ritmo da marcha alta. Quanto mais eles se afastam, mais Bird respira aliviado. Adormece e só acorda quando o ônibus diminui a velocidade e encosta à esquerda, chacoalhando-o junto à janela. No acostamento, um SUV azul-marinho está parado no recuo com uma viatura estacionada atrás, luzes piscando. Um policial de uniforme azul-marinho salta do banco do motorista. Fique longe da polícia, diz o pai na sua mente, e Bird puxa a aba do boné um pouco mais para baixo, escondendo o rosto enquanto os agentes passam depressa. Deveria estar com medo, mas, para a própria surpresa, não está. Tudo para lá da janela parece muito distante, protegido atrás do vidro, e seu coração bate no mesmo ritmo lento e constante das rodas que os carregam. Do lado de fora do ônibus, árvores e campos de vegetação baixa vão passando num interminável borrão.

O ônibus o deixa em Chinatown, no meio de uma garoa fina. É outro mundo. Muitas pessoas, muita agitação, muito barulho. Apesar do ruído e da confusão, Bird se sente estranhamente em casa e leva alguns segundos para entender por quê. Quando ele olha ao redor, vê pessoas com o rosto parecido com o dela. E um pouco parecido com o seu. Nunca esteve num lugar como esse, onde ninguém estranha a sua aparência. Se seu pai estivesse ali, seria ele a se destacar, não Bird, e Bird ri. Pela primeira vez na vida, ninguém olha para ele diferente, e isso lhe dá uma sensação de poder.

Antes de sair, ele havia estudado o mapa que a bibliotecária deslizara na sua direção sem dizer nada. É que nem uma grade, teria dito o pai, calmo e paciente. É só ir contando as ruas para cima e depois para o lado. Ele faz as contas: a Bowery dá na Terceira Avenida; oitenta e sete quarteirões para cima, depois dois quarteirões a oeste. Oito quilômetros quase cravados. Tudo que ele precisa fazer é andar em linha reta.

Ele começa.

E começa a reparar em algumas coisas.

Repara que, em todas as placas de Chinatown, algo foi apagado com tinta ou coberto com fita adesiva e, em alguns casos, removido. Ainda consegue ver as perfurações onde algo antes ficava pregado, ainda distingue as formas em relevo por baixo da fita prateada. Repara que as placas de rua também foram pintadas: sob as letras brancas bem-feitas que dizem "MULBERRY" e "CANAL", há uma linha preta grossa, como uma sombra ao meio-dia, como uma olheira escura sob o branco de um olho. Somente quando ele vê uma na qual a tinta começou a se desgastar e revelar um emaranhado de ideogramas por baixo é que entende. Lembra-se do pai desenhando ideogramas como aquele na poeira da estante. Aquelas placas antes eram bilíngues, mas tentaram fazer o mandarim desaparecer.

Ele começa a reparar em outras coisas.

Em como as pessoas falam inglês ou não dizem nada, só lançam olhares rápidos uma para a outra, sem pronunciar uma palavra. Só quando entram em alguma loja é que ele às vezes consegue captar o murmúrio baixo de outra língua — cantonês, supõe. Seu pai saberia; seu pai talvez até entendesse. Todo mundo ali parece cauteloso e nervoso, correndo os olhos pelas calçadas ou pela rua, olhando por cima do ombro. Prontos para fugir. Ele repara na imensa quantidade de bandeiras dos Estados Unidos: em quase todas as fachadas de loja, nas lapelas de quase todo mundo que passa por ele. Na esquina de cada loja, estão pendurados os mesmos cartazes que ele vê na sua cidade: DEUS ABENÇOE TODOS OS NORTE-AMERICANOS LEAIS. Por toda Chinatown, não há uma única loja sem bandeira. Algumas também exibem outras placas, berrantes em vermelho, branco e azul: PROPRIEDADE E ADMINISTRAÇÃO NORTE-AMERICANA. CEM POR CENTO NORTE-AMERICANO. Só quando ele sai de Chinatown e os rostos ao redor se tornam negros e brancos em vez de amarelos é que as bandeiras se tornam mais esporádicas, e as pessoas parecem mais confiantes de que a sua lealdade é verdadeira.

Ele segue caminhando.

Passa por fachadas de loja cobertas por gradeados de metal grafitados. Novos e usados. Compra e venda. Aluga-se. Um canteiro central de concreto dividindo ruas de concreto remendadas. Nomes intrigantes: Sol Max. Mesa reservada. No meio-fio, paletes quebrados se espalham como ossos descorados no deserto. Não há gramados nem árvores, nada verde, apenas postes de luz do mesmo cinza da calçada, das ruas, da sujeira que sobe do chão pelas laterais dos prédios. Tudo cor de poeira, como se estivesse tentando se esconder. As pessoas carregam sacos plásticos pesados, empurram carrinhos de compras, evitam cruzar olhares umas com as outras. Não se demoram. Às vezes, as faixas de pedestres são pintadas apenas com tinta spray, as linhas tortas e irregulares; em outros lugares nem sequer há faixas. Mais de uma década depois da Crise, muitas coisas ainda não foram consertadas.

Quarteirão por quarteirão, a paisagem à sua volta começa a mudar. Trechos de grama raquíticos lutam para emergir de buracos na calçada. Há quanto tempo ele está andando? Uma hora? Perdeu a conta. Será que a escola já notou sua ausência, será que já avisaram ao seu pai? Ele vai subindo, subindo, subindo. A garoa diminui, depois para. Supermercados com gigantescos cartazes lustrosos de pizza, couves *kale* intrincadamente franzidas, fatias de manga que o deixam com água na boca. Sua barriga ronca, mas ele não para; não tem mais dinheiro mesmo. Pequenas mercearias com montanhas de frutas em cascata, baldes com ramos de rosas e gatos indiferentes bocejando estirados no meio das mercadorias; barbearias onde a risada dos homens sai flutuando pelas portas escoradas, acompanhada por uma onda de loção pós-barba. Nas vitrines, cartazes conhecidos: ORGULHO DE SER NORTE-AMERICANO. NÓS TOMAMOS CONTA UNS DOS OUTROS. Há árvores agora, tão pequenas e magras que mal ultrapassam a altura de um homem, mas ainda assim árvores. O sino de uma igreja badala em algum lugar. Três da tarde, ou serão quatro? Ele ouve os barulhos vindos da rua e não consegue distinguir os badalos dos ecos. Deveria estar voltando da escola agora, mas está ali, e seu coração bate mais rápido a cada quarteirão. Está quase chegando.

Ele aperta o passo, e ao seu redor a cidade também se apressa, como um vídeo acelerado precipitando-se em direção ao futuro ou quem sabe ao passado. O modo como as coisas costumavam ser, aquele mundo dourado anterior à Crise do qual ele só ouviu falar. Ele vê mais táxis, táxis mais bonitos e mais novos. Mais limpos, como se estivessem recém-lavados. Os postes de rua ali são pretos e reluzentes, mais altos e mais esguios, como se houvesse mais espaço para manter a cabeça erguida. Ele passa por prédios com coroas decorativas de pedra entalhada acima de cada janela. Ali alguém se deu ao trabalho de realçar detalhes em bege no vermelho, só para ficar bonito. As lojas agora têm largas vitrines, sem medo de serem quebradas. Os restaurantes têm toldos. As pessoas passeiam com cachorros pequenos; as árvores são rodeadas por grades de metal que mal passam da altura do seu joelho — são apenas decorativas, não para proteger.

À medida que a névoa da garoa se dissipa, ele começa a ver trechos de verde suspensos no ar: jardins nas coberturas, plantas em vasos apontadas para o céu. Os prédios e comércios não estão mais tentando se esconder. SIM, ESTAMOS ABERTOS. Nomes vistosos, sonoros, excêntricos tentam se destacar, chamar a atenção e grudar na mente: A Lula Salgada. Oásis do Som. Frangosidade. Seu pai teria rido. Em todas as vitrines, a conhecida placa com a bandeira. Faixas louvando o luxo das mercadorias, não seu preço baixo. O número das ruas perpendiculares vai subindo, como se ele estivesse galgando uma escada: cinquenta, cinquenta e cinco, cinquenta e seis. Homens de terno. Homens de gravata. Homens de sapato de couro com borlas franjadas e solado liso, com os quais não é preciso correr. Muito tempo antes, seu pai usava sapatos assim. Bancos, tantos bancos... três, quatro, cinco em sequência, às vezes o mesmo de ambos os lados da rua, um de frente para o outro. Ele não sabia que era possível ser tão rico a ponto de nem precisar atravessar a rua.

Uma loja de departamentos que ocupa um quarteirão inteiro, toda de granito escuro e lustroso, tão polido que parece um espelho. Como quem diz: aqui até mesmo as pedras brilham como estrelas.

Nas vitrines, manequins sem rosto usam lenços de seda floridos no pescoço. Prédios residenciais bem altos, cada janela um pedacinho de céu refletido incrustado nas paredes como pedras preciosas. Ele imagina a mãe morando num daqueles edifícios, olhando para ele lá de cima, à sua espera. Em breve, ele vai saber. Caminhões frigoríficos aguardam junto ao meio-fio com os motores ligados, abarrotados com entregas de hortifrúti, bufando seu hálito que se condensa no ar frio. Agora há cafés, lugares para as pessoas se demorarem. Cartazes anunciando clareamento e realinhamento dental; hotéis com porteiros de uniforme e chapéu postados do lado de fora. Ali as pessoas usam bolsas feitas não para carregar coisas, mas para compor um visual bonito. Muitas lavanderias a seco — um bairro de sedas demasiado delicadas para serem lavadas em casa. Em cada porta, homens corpulentos da ronda do bairro estão a postos.

Número setenta e sete. Setenta e seis. Prédios antigos que o tempo tornou mais elegantes e que parecem distintos, não malcuidados. Ali as palavras estrangeiras são exibidas com orgulho: Salumeria. Vineria. Macarons. Uma alteridade segura e desejável. Lojas ditas *gourmet* e *de luxo* e *vintage*. Ali a rua é larga e margeada por árvores — não parece possível ser a mesma rua que ele subiu desde aquelas placas pintadas e sussurros cheios de medo; ele deve ter entrado em outro mundo. Mulheres louras de calça legging passam arfando ao seu lado com o rabo de cavalo a balançar, esperando o sinal abrir. Babás empurram carrinhos de luxo que transportam bebês suntuosamente vestidos. Ele passa por lojas que apenas emolduram quadros, restaurantes que servem apenas salada, lojas que vendem camisas cor-de-rosa bordadas com pequenas baleias sorridentes. Prédios tão altos que não dá para ver o topo mesmo ele esticando o pescoço até quase cair para trás. Qualquer coisa poderia acontecer ali, qualquer coisa de fato acontece. Parece uma terra de sonhos ou um conto de fadas.

É aqui, pensa ele. É aqui que ela está.

Como aquela é uma terra mágica onde tudo pode acontecer, como ele está tão revigorado pelo que viu, ainda embriagado pelo ar repleto de possibilidades que lhe infla os pulmões, não fica surpreso quando de repente ela surge: a sua mãe, bem ali do outro lado da rua. Acompanhada por um cachorrinho marrom. Algo dentro dele salta em direção ao céu numa chuva de centelhas, e Bird quase solta um grito de alegria.

Sua mãe baixa os olhos para o cachorro, entretido farejando um canteiro de flores impecável, e não é de modo algum a sua mãe. É só uma mulher. Que, na verdade, não se parece nem um pouco com ela, só nos aspectos mais superficiais: uma asiática de longos cabelos pretos, descuidadamente presos num coque solto. O rosto dela, agora que ele consegue ver melhor, não é em nada parecido com o da mãe. Ela nunca teria tido um cachorro daqueles, aquele pomponzinho âmbar que mais parece um urso de pelúcia, com olhos pretos redondos e um nariz sedoso empinado. É claro que não é ela, repreende ele a si mesmo, como poderia ser? Apesar disso, algo na atitude da mulher, a postura alerta, a rapidez do olhar, o faz pensar nela.

A mulher percebe que Bird a encara do outro lado da rua e sorri. Talvez ele também lhe lembre alguém; talvez, à primeira vista, ela o tenha confundido com alguém que ama, e esse amor agora esteja transbordando nele num ato de generosidade. E, como ela está olhando para ele, sorrindo e talvez tendo pensamentos afetuosos sobre aquele menino que lhe lembra alguém que ama, ela é pega desprevenida: um punho fechado a acerta em cheio no rosto.

Acontece em segundos, mas parece durar uma eternidade. Vem do nada. Um homem branco alto. A mulher desaba no chão, transformada em entulho. O corpo do próprio Bird petrificado, seu grito cimentado na garganta. O homem se avulta acima dela, um chute, outro, um terceiro, pancadas macias e nauseantes como um martelo batendo em carne: na barriga, no peito e, então, quando ela se encolhe feito um camarão sem casca, com os braços cobrindo o rosto para tentar proteger o que pode, na base das costas. Seus gritos são sons sem palavras, pendurados no ar como cacos de vidro. O homem mesmo não diz nada, como se executasse um trabalho, algo impessoal, mas necessário.

Ninguém aparece para ajudar. Um casal mais velho gira sobre os calcanhares como quem se lembra de algo urgente a ser feito em outro lugar. Um homem se afasta depressa curvado junto ao telefone; carros trafegam, imperturbáveis. Eles devem estar vendo, pensa Bird, como podem não estar? O cachorro não para de latir na altura do tornozelo. Um porteiro sai do prédio de trás, e Bird quase soluça de tanto alívio. Ajude, pensa ele. Ajude, por favor. Mas o porteiro fecha a porta com um puxão. Bird consegue distingui-lo debilmente do outro lado do grosso vidro temperado, borrado e espectral, observando aquilo como uma cena na TV: a bochecha da mulher agora encostada na calçada, o tranco que seu corpo dá a cada golpe. Esperando que tudo se acabe para poder abrir a porta outra vez.

A mulher agora parou de se mexer, e o homem a encara de cima. Nojo? Satisfação? Bird não sabe dizer. O cachorro segue rosnando e latindo, furioso e impotente, arranhando a calçada com as patinhas. Com um movimento rápido, o homem dá um pisão nas costas do bicho com a bota. Do mesmo jeito que poderia ter esmagado uma lata de refrigerante ou uma barata.

Bird então solta um grito, o homem se vira e o pega olhando, e o garoto sai correndo.

Corre às cegas, o mais depressa possível. Sem se atrever a olhar para trás. Com a mochila batendo no corpo feito um tambor. A camiseta empapada de suor e depois fria na base das costas. Será que ela morreu?, pensa ele. Será que o cachorro morreu? Faz diferença?

Os olhos do homem ainda lhe perfuram a nuca; Bird fica enjoado e sente uma golfada, mas nada sai. Desce correndo uma ruazinha e se encolhe atrás de um latão de lixo, onde recupera o fôlego enquanto sente o fundo da garganta arder e queimar.

Tinha se esquecido: nas terras mágicas, também existe o mal. Monstros, maldições. Perigos disfarçados à espreita. Demônios, dragões, ratazanas grandes como um boi. Coisas capazes de destruir você com um simples olhar. Ele pensa no homem no parque da universidade. Pensa no pai, em seus ombros largos e suas mãos fortes, colocando-o de pé outra vez. Mas seu pai está muito longe, abrigado no casulo da biblioteca silenciosa, onde o mundo externo não pode alcançá-lo. Ele não faz ideia de onde o filho está, e isso, mais do que tudo, faz Bird se sentir terrivelmente só.

Ele passa muito tempo ali, tentando acalmar a respiração, tentando firmar as mãos, que se recusam a parar de tremer. Quando finalmente se sente pronto, levanta-se e volta para a esquina. Acabou correndo para trás e se desviou vários quarteirões do caminho. Ao chegar à Park Avenue, move-se depressa e com cuidado, varrendo as ruas. Ele se sente exposto agora; repara nas pessoas reparando nele. Entende como não tinha entendido antes. Talvez antes ele fosse invisível, mas o feitiço se desfez ou talvez só tivesse existido na sua imaginação. As pessoas conseguem vê-lo, e ele, por fim, compreende quanto é pequeno, com quanta facilidade o mundo poderia estraçalhá-lo.

Já é fim de tarde quando ele finalmente chega ao endereço: um prédio de tijolos, jardineiras floridas na janela, uma porta verde imensa. Não é um edifício residencial, e sim uma casa unifamiliar, algo que ele não sabia existir ali. O castelo da Duquesa. Com todo o cuidado, Bird o estuda do outro lado da rua. Nas histórias, os personagens podem encontrar qualquer coisa dentro de um castelo: um tesouro, uma feiticeira, um ogro esperando para devorá-lo. Mas aquele é o lugar aonde sua mãe o mandou ir. O nome da rua e o número da casa escritos com a letra dela. Ele precisa confiar nela.

Ele sobe os degraus de mármore, estende a mão para a aldrava de bronze e bate três vezes à madeira pintada de verde.

Parece uma eternidade, mas só demora um ou dois minutos até que um homem branco de idade avançada apareça para atender. Ele é meio parrudo e está de uniforme: botões de latão reluzentes sobre lã azul-marinho, como o capitão de um navio. Encara Bird com frieza, e o garoto engole em seco duas vezes antes de conseguir falar.

Vim encontrar a Duquesa, anuncia, e, como por magia, o capitão aquiesce e dá um passo para o lado.

Um vestíbulo solar, amarelo, uma lareira acesa apesar de ainda ser outubro. Um piso de lajotas cor de creme cravejadas com quadradinhos entre o âmbar e o marrom. Uma mesa baixa com tampo de mármore ocupa o centro do recinto, e sua única função aparente é sustentar o maior vaso de flores que Bird já viu na vida. À sua volta, as luzes têm um halo dourado.

Eu vim encontrar a Duquesa, repete Bird, tentando soar mais seguro do que está, e o capitão estreita os olhos para ele.

Vou ter que avisar lá em cima, devolve o homem. Quem deseja, por favor?

E, como ele está com fome, com sede e exausto, como andou quilômetros de estômago vazio, como a sua cabeça lhe parece estranhamente separada do corpo, feito um balão flutuando logo acima dos ombros, como ele se sente ligeiramente irreal e não tem certeza se aquele lugar é de verdade, quanto mais aquela cidade, tampouco a Duquesa que ele está ali para encontrar, Bird responde como se estivesse num conto de fadas.

Bird Gardner. O filho da Margaret.

Espere aqui, por favor, pede o capitão.

Bird fica parado, sem saber direito o que fazer junto a uma das cadeiras próximas da lareira. A cadeira é forrada de veludo cor de areia e lembra um trono. Ele acompanha com os dedos os sulcos entalhados nos braços, e palavras que seu pai ensinou voltam flutuando: mogno, alabastro, filigrana. Ele pigarreia. Sobre a cornija da lareira, há um pequeno relógio dourado, com uma mulherzinha dourada gesticulando decorosamente em direção aos ponteiros. São quase cinco. Daqui a pouco seu pai vai voltar para casa e descobrir que Bird sumiu.

O capitão reaparece. Venha comigo, por favor.

A passos largos, ele atravessa um arco e desce por um corredor, e Bird caminha atrás dele cauteloso, espiando pelas quinas, esperando algum monstro aparecer. Mas todas as coisas ali parecem luxuosas e dignas de um palácio. Um biombo de seda bordado com ciprestes, garças e, ao longe, um pagode. Um sofá de seda amarela com almofadas em formato de bala; uma sala de jantar oval imensa com um piso de taco vertiginoso. Tudo ali parece pontuado de dourado: as alças das urnas e os vasos nos parapeitos, as borlas retorcidas das cortinas, até mesmo as garras das patas de leão que sustentam mesas e cadeiras. Eles chegam ao pé de uma grandiosa escadaria cujos degraus vão subindo em espiral, no meio da qual há uma cascata amarelo-escura de um grosso tapete. Ele nunca viu uma escadaria assim. Um lustre delicado pende de uma corrente forrada com veludo. Bird começa a contar: um andar, dois, três, quatro, e bem lá em cima há uma claraboia em formato de bússola, uma piscina de céu azul parecendo um cristal.

Por aqui, por favor, orienta o capitão. E Bird então vê: logo ao lado da escada, um pequeno elevador, com paredes revestidas em madeira e piso de taco. Um elevador dentro de uma casa, pensa ele com assombro. O capitão faz um gesto com uma das mãos, e Bird entra... e sente estar adentrando uma casca de noz encerada.

Ela o está esperando lá em cima, diz o capitão. Então fecha uma grade de latão, aprisionando Bird lá dentro.

Enquanto o elevador estremece e começa a subir, os pensamentos giram na mente de Bird. Em volta dele, as grades de latão da porta pantográfica chacoalham, como se alguma coisa estivesse tentando sair ou entrar. Ele não faz ideia do que vai encontrar. Como será a Duquesa? Gentil ou ameaçadora? Ele visualiza as rainhas más dos livros, toda a sua maldade disfarçada por charme. Preciso confiar nas histórias, pensa, era preciso confiar nos desconhecidos pelo caminho. Até mesmo aquele elevador é decorado como num palácio. Molduras douradas em miniatura circundam desenhos de prédios antigos e mulheres aladas. Há um pequeno telefone branco. Na parede dos fundos, um espelho redondo curvo e convexo lhe devolve o próprio rosto num reflexo distorcido: o rosto de um ogro ou, quem sabe, de um anão.

Por fim, o elevador se abre. Uma sala de estar do mesmo tamanho do apartamento em que ele e o pai moram. Mais uma mesa; mais um vaso repleto de flores. Na superfície encerada, ele vê seu rosto o espiando de volta. No chão, o tapete tem uma estampa dourada. A casa de alguém da nobreza, certamente.

Então ela surge, deslizando por entre portas de varanda no fim da sala: a Duquesa. Mais jovem do que ele imaginava: imponente, alta, os cabelos louros curtos ao redor da cabeça. Pérolas. Ela está usando um terninho azul de tecido maleável em vez de um vestido, mas fica claro que se trata de uma mulher poderosa. Por alguns instantes, Bird fica sem voz e apenas a encara. Ela não rompe o silêncio, apenas o olha de cima com um ar perplexo.

A senhora é a Duquesa?, pergunta ele, por fim. Mas já sabe que sim.

E quem temos aqui?, rebate ela, com uma das sobrancelhas arqueada, sem acreditar.

Bird, responde tremendo. O filho da Margaret.

Por um segundo, teme que ela diga "Quem?". Mas não. O que ela diz em vez disso, com bastante frieza, é: Por que você está aqui?

Minha mãe, diz ele, a resposta tão óbvia que parece algo ridículo. Vim encontrá-la.

O que te leva a pensar que ela esteja aqui?, pergunta a Duquesa, com uma levíssima entonação de curiosidade se insinuando na voz.

Porque sim, fala ele e se cala. Tentando encontrar a resposta dentro de si. *Eu quero saber por que ela me abandonou. Porque eu quero que ela volte para mim. Porque eu quero que ela também me queira de volta.*

Ela me mandou um recado.

A Duquesa franze os lábios, e ele não sabe dizer se ela está perplexa, satisfeita ou brava. Por um instante, parece uma professora, avaliando a resposta que ele deu para decidir se o elogia ou se o pune.

Entendi. Quer dizer que a sua mãe… pediu que você viesse aqui?

Bird hesita. Pensa se deveria mentir, se aquilo é um teste. Sente o peito apertado.

Não tenho certeza, admite. Mas ela me deixou o endereço daqui. Um tempão atrás. Eu achei… achei que a senhora talvez soubesse onde ela está.

Ele tira do bolso o pedacinho de papel, ou o que sobrou dele. Rasgado e amassado, com as bordas manchadas pela tinta azul do jeans. Mas ali está, na letra da mãe: o endereço exato em que os dois estão.

Entendi. E você veio até aqui sozinho? Cadê seu pai?

Como ela sabe sobre o pai?, pensa Bird com um sobressalto.

Ele não sabe que eu estou aqui, diz e, quando as palavras saem da sua boca, ele torna a se dar conta de quanto essa afirmação é alarmante e verdadeira. O pai não tem a menor ideia de onde ele está; o pai não pode ajudá-lo nem salvá-lo.

A Duquesa se aproxima e o examina com olhos penetrantes feito agulhas. De perto, ele vê que o rosto dela está começando a ficar enrugado, que os cabelos ainda não estão grisalhos. Percebe que ela talvez tenha a mesma idade que a sua mãe teria.

Então quem sabe que você está aqui?, ela exige saber. A ameaça cintila no seu tom de voz feito aço.

Bird sente um nó na garganta. Ninguém, diz. Eu não contei para o meu pai. Não contei para ninguém. Eu vim sozinho.

Pode confiar em mim, é o que ele quer falar. Um pânico suado rasteja pelo seu rosto, o medo de ter ido até lá só para ser dispensado. De que aquele dragão em forma de Duquesa e seu palácio dourado possam engoli-lo e aprisioná-lo para sempre.

Interessante, responde a Duquesa. Ela dá as costas, e, para Bird, a sensação é de uma luz muito forte se apagando. Espere aqui, pede ela e, sem mais uma palavra, o deixa sozinho na sala.

Inquieto, Bird dá a volta no recinto. Cortinas douradas empoeiradas nas janelas, através das quais ele pode ver o tráfego reluzindo na rua lá embaixo. Um piano de cauda num dos cantos. Em cima da mesa de canto, um porta-retrato de prata com a foto de uma mulher e um homem: a Duquesa, bem mais jovem e com os cabelos mais compridos, praticamente uma menina, e alguém que poderia ser seu pai. O velho Duque, decide Bird, embora o homem vista camisa polo e calça de lona cáqui, e os dois pareçam estar no convés de um veleiro, com o céu azul e a água mais azul ainda a colidir no horizonte ao fundo. Seu rosto exibe uma expressão grave e quase zangada. Ele se pergunta onde estará o velho Duque. Como a Duquesa conhece a sua mãe. Pergunta-se o que sua mãe tem feito durante todos esses anos que passou longe dele. Se ela vai reconhecê-lo quando o vir. Se ela lamenta, se alguma vez pensa nele. Se ela se arrepende.

Lá fora, o céu escureceu e se petrificou num cinza chapado de aço. Para seu espanto, ele não sente mais fome. Imagina o pai chegando em casa, no minúsculo alojamento feito de tijolos de concreto, e encontrando o apartamento escuro e vazio. Procurando por ele. Chamando seu nome. Está tudo bem, pai, pensa, eu vou voltar logo. Ele se sente estranhamente alerta e vivo, as veias eletrificadas. Está quase lá. Depois de tanto tempo.

Ao longe, nos recantos da casa, um relógio bate as horas com um som grave e potente. São cinco da tarde. E então, como se aquilo fosse um sinal, a Duquesa reaparece.

Se você realmente é quem diz ser, então prove. Qual é a cor da sua bicicleta?

O quê?

Esteja ciente, acrescenta ela, que, se você estiver mentindo sobre a sua identidade, eu não vou ter pena nenhuma em chamar as autoridades.

Eu... Bird se detém, perplexo. Seu pai não o deixa andar de bicicleta desde o dia em que ele caiu e o vizinho chamou a polícia.

Eu não tenho bicicleta, diz ele de uma vez só. O semblante da Duquesa se mantém calmo, impassível e inexpressivo.

Que tipo de leite você põe no seu cereal de manhã?, pergunta ela.

Mais uma vez, Bird fica estarrecido demais para responder qualquer coisa. Ele hesita, mas a única coisa a fazer é dizer a verdade, por mais esquisita que pareça.

Eu como meu cereal sem leite.

A Duquesa não responde. Em que lugar do refeitório você almoça?, indaga, e Bird faz uma pausa e se vê fora do corpo, um solitário pontinho sentado na escada com um saco de papel pardo na mão.

Eu não almoço no refeitório. Almoço do lado de fora. Sozinho.

A Duquesa não diz nada, mas sorri, e com isso ele entende que passou no teste.

Quer dizer que você quer ver a sua mãe.

Não é uma pergunta.

Bom. Venha comigo.

No corredor, ela aperta um botão na parede, e uma porta de correr se abre. Magia? Não, um elevador, astutamente camuflado no corredor. Na verdade, o mesmo elevador no qual ele subiu. A um toque da Duquesa, o botão se acende e fica da cor do fogo. Quando as portas tornam a se abrir, eles estão numa caverna escura: uma garagem subterrânea, um sedã preto reluzente já com o motor ligado. Um homem bigodudo de terno parado em postura de atenção junto ao carro que aguarda. O criado, pensa Bird enquanto eles entram no banco de trás.

Então eles partem.

O carro sobe a rampa, sai da garagem e se insere nas ruas movimentadas: fluido, liquefeito, elegante. Dentro dele, Bird não consegue ouvir nada. Nem a voz das pessoas reunidas nas esquinas, cujo número diminui e aumenta ao ritmo dos sinais de trânsito, como uma imensa cobra avançando lentamente em direção ao sul da cidade. Nem o rosnado dos motores dos carros que os cercam. Nem as buzinas que ele sabe que estão rasgando o ar, aqueles brados ensurdecedores de frustração impotente. Simplesmente não há ruído, e, pelas janelas escurecidas, a cidade vai passando em tons de sépia como um filme mudo. Para Bird, eles não parecem estar andando de carro, e sim flutuando.

O cinto, por favor, avisa a Duquesa ao seu lado. Seria uma pena vir até aqui para sofrer um acidente.

Bird abre a boca, e a Duquesa a fecha com um olhar.

Eu não estou aqui para lhe dar respostas. Esse trabalho é da sua mãe, não meu.

Depois disso, ela não diz mais nada enquanto eles vão margeando o rio, entram num túnel comprido, depois tornam a sair e avistam a lua começando a surgir. O tempo se move em espasmos, avançando e parando como o tráfego ao redor. Às vezes, Bird pega no sono e, quando acorda, constata que eles não saíram do lugar; outras vezes, tem certeza de não ter fechado os olhos, mas eles parecem ter se teletransportado por uma grande distância e nada lá fora é conhecido. Então, à sua volta, o tráfego volta a congelar e coagular até eles rastejarem, e, por fim — ele não sabe quanto tempo se passou —, o sol baixou e as ruas em volta estão calmas e quase desertas, margeadas pelas casas geminadas tradicionais chamadas de *brownstones*. O carro encosta no meio-fio e finalmente para.

Escuta bem, diz a Duquesa com uma urgência nova na voz. Como se aquela fosse a última vez que ela falaria com ele, como se o verdadeiro teste estivesse prestes a começar. Siga exatamente o que eu vou falar. Não posso me responsabilizar pelo que acontecer se você não fizer isso.

Para Bird, com os olhos cansados e meio tonto de animação e fadiga, isso não parece estranho. Na verdade, ele não esperava nada menos que isso: nas histórias, há sempre regras inescrutáveis a serem obedecidas. *Ignore a espada de ouro; em vez disso, use a velha e enferrujada. Por maior que seja sua sede, não beba o vinho. Não diga nada, mesmo se for beliscado e surrado, mesmo se cortarem sua cabeça.* Depois que o carro vai embora, deixando-o parado na calçada, ele faz exatamente como a Duquesa mandou. Anda dois quarteirões para o lado e outros três para cima, atravessa a rua, e ali está, como ela falou: uma *brownstone* grande, com a porta vermelha e todas as janelas tapadas. *Vai parecer deserta, mas as aparências enganam.* Conforme as instruções, ele ignora os largos degraus da frente e dá a volta até a lateral. *Ninguém deve ver você entrando pelo portão.* Duas vezes um carro passa enquanto ele está tentando encontrar o trinco, a madeira áspera do portão espetando a ponta dos seus dedos, até que encontra: o metal frio, sólido e liso. Olha por cima do ombro para as janelas iluminadas das casas à sua volta e, quando tem certeza de que ninguém o está observando, gira o trinco e abre o portão.

Nos fundos da casa, tem uma porta. Você precisa fazer silêncio absoluto quando chegar perto dela. Com passos hesitantes, Bird vai avançando pelo emaranhado de ervas daninhas e mato. Aquilo um dia devia ter sido o jardim, intacto por séculos; aqui e ali, ele tropeça numa árvore jovem, fina e atrevida, que agita os galhos no seu rosto. Mas, sob o luar, pode ver o débil brilho de um caminho, o cascalho brilhante cercado de cimento apontando a direção, e vai seguindo aquilo até o vulto escuro da casa. *Digite estes cinco números, e ela vai se abrir para você: oito, nove, seis, zero, quatro.* Ele tateia o muro lateral da casa como se estivesse acariciando um dragão adormecido, em busca do ponto certo: tijolo, tijolo, tijolo, e então a porta e um mostrador. Está escuro demais para conseguir ver, mas ele conta os botões e digita a senha. Um leve bipe. Ele gira a maçaneta.

Lá dentro ele se depara com um corredor estreito que dá numa escuridão mais densa. *Você precisa fechar a porta pela qual entrou, mesmo que esteja totalmente escuro. Só vai conseguir vê-la depois que fizer isso.*

Lentamente ele fecha a porta, e o mundo lá fora se estreita até sumir. O trinco faz um clique, trancando-o na escuridão.

Então, ele ouve passos apressados na sua direção. Uma luzinha se acende e espalha centelhas douradas por seu campo de visão.

Sua mãe, estupefata. Estendendo os braços. Envolvendo-o com eles. A quentura dela. O cheiro dela. O choque, o assombro e o deleite no seu rosto.

Bird, diz ela chorando. Ai, Bird. Você me encontrou.

dois

Ali está ele: Bird. O seu Bird.

Mais alto e mais magro do que ela imaginava. Já quase sem nenhum vestígio das bochechas fofas de criança. Um rosto esguio, calmo, cético, a boca contraída, um maxilar quadrado que ela não consegue muito bem identificar. Não é de Ethan; certamente não é dela.

Bird, como você espichou.

Bom, diz ele, subitamente tímido. É que faz um tempão.

Ele não confia nela, isso ela logo percebe: o modo como fica parado junto à porta, sem encará-la. Ainda, pensa ela. Não confia nela *ainda*. Ela apaga a luz.

Não podemos chamar atenção, comenta.

Já o imagina pensando: Que lugar é esse?

O corredor é estreito, e, atrás dela, os passos de Bird vão ficando mais vagarosos à medida que ele tateia para encontrar o caminho entre paredes desconhecidas. Um passo hesitante, uma pausa. A sola dos tênis esfregando no chão quando ele arrasta os pés.

Por aqui. Espera. Cuidado, o chão aqui é desnivelado. Olha bem onde pisa.

Ela fala depressa, mais tagarela do que de costume, as palavras tropeçando umas nas outras ao saírem da boca, mas ela não consegue se conter.

Eu sabia que você iria entender, revela enquanto eles avançam pelo corredor escurecido. Sabia que era inteligente o bastante.

Como?, pergunta ele.

Na porta da sala, ela para e espera que ele a alcance, e a mão dele roça a base das suas costas em busca de algo conhecido, de algo firme. Ela quer segurar a mão do filho e levá-la ao rosto, mas sabe que ele ainda não está pronto.

Alguém me contou, diz ela.

Depois da escuridão do corredor, a sala chega a cegar. Bird leva as mãos à vista para protegê-la, como se estivesse debaixo de um sol ofuscante. Ela o observa enquanto os olhos dele se adaptam, absorvendo o ambiente aos poucos. O papel de parede que se descola em tiras como uma pele velha. Um sofá desbotado e puído encolhido junto à parede, uma mesa de carteado dobrável coberta de ferramentas. Uma única luminária sem cúpula, a lâmpada nua os encarando. Ela vê os olhos dele se moverem até o compensado pregado em frente às janelas, as marcas borradas de goteiras no teto por onde a chuva entrou. Para ela mesma, desgrenhada e com os cabelos compridos demais, vestida com uma camiseta esfarrapada e uma calça jeans gasta. Escondida feito uma ermitã na escuridão pardacenta. Não é onde imaginava que ela fosse estar. Ela tampouco é quem ele esperava que fosse.

Você deve estar cansado, comenta ela. Tenho um quarto pronto para você.

Ela conduz Bird escada acima, e a passadeira vermelha alaranjada que cobre os degraus abafa seus passos. Durante toda a subida, marcas quadradas no papel de parede assinalam os pontos onde antes pendiam quadros.

De quem é essa casa?

Agora, de ninguém. Cuidado. Olha bem por onde anda. O corrimão está quebrado aqui.

No patamar, ela abre a porta no alto da escada. Um cômodo grande que um dia com certeza pertenceu a uma criança pequena: quando ela aciona o interruptor, a luminária do teto exibe um rosto de palhaço, a cúpula de vidro presa por um parafuso em forma de nariz vermelho. No canto, ainda há um berço, com uma das laterais abaixada e o colchão nu. Ela varreu o quarto, mas isso não é o bastante para torná-lo acolhedor. Parte do gesso do teto esfarelou e deixou à mostra as finas ripas de madeira, parecendo ossos. As janelas estão cobertas de preto.

Sacos de lixo, explica ela. Para esconder a luz. Precisamos ter cuidado, os vizinhos acham que a casa está abandonada.

Bird põe a mochila no chão e leva uma das mãos ao plástico estendido por cima da janela. Ela fez a mesma coisa muitas vezes, sentindo o leve tremor toda vez que um carro passa na rua lá embaixo.

Arrumei isso aqui para você, diz ela. Caso você conseguisse chegar. Ela alisa o saco de dormir estendido no banco abaixo da janela, afofa a pequena almofada onde seria a cabeceira. Desculpe não ter uma cama de verdade. Pelo menos é mais confortável do que o chão.

Bird ergue um dos ombros e se vira parcialmente. De fora, o lamento agudo de uma sirene penetra por entre os plásticos, vai ficando mais alto, então torna a diminuir. Se tudo fosse diferente, pensa ela, se ela tivesse tido todos aqueles anos com ele, como devia ter tido, talvez aquela língua fosse menos desconhecida. A língua daqueles que estão começando a deixar a infância para trás, toda feita de gestos e duplos sentidos, de cautela e desdém. Talvez ela devesse ter aprendido a compreendê-la. Pensa se Ethan a compreende.

Está com fome?, pergunta ela, e, embora tenha quase certeza de que é mentira, ele balança a cabeça. Então só descansa, diz. Depois a gente conversa.

Ela para, então torna a se virar.

Bird, estou muito feliz por você estar aqui.

Quando era bem pequeno, Bird chorava sempre que os outros choravam. Determinadas músicas lhe causavam um formigamento, como se fosse uma dormência, e mexer nem que fosse um dedo intensificava a dor. Que insuportável Jackie Paper não aparecer mais. Que tragédia ela estar saindo de casa depois de morar tantos anos sozinha. Que aterrorizante ser o único menino vivo em Nova York. A música lhe descascava a pele, nota por nota, e os músculos expostos latejavam e ardiam. Pare, mamãe, soluçava ele, faça isso *parar*, e Margaret, horrorizada, corria para pausar a música e o tomava nos braços.

Ficava pasma ao ver quanto ele estava ávido e maravilhado com tudo. Era uma criança calada, que observava com atenção e absorvia qualquer coisa, o bom e o mau, a alegria e a dor. Os botões rosados da cerejeira que inchavam até desabrocharem. O pardal morto todo encolhido na calçada. O jorro exuberante de balões soltos subindo por um vasto céu azul. Como era porosa a fronteira entre seu filho e o mundo, tudo parecia fluir por ele feito água por uma rede. Ela ficara preocupada com Bird, movendo-se num mundo duro com um coração exposto e sensível, batendo desprotegido num lugar em que qualquer coisa podia ferir.

Aquele menino em pé na sua frente se parece com Bird e fala como Bird. Ela reconheceria aquele rosto em qualquer lugar. Mas agora há algo entre os dois que a impede de vê-lo e ouvi-lo bem, algo opaco e duro, uma camada de casco de tartaruga. Como se ele estivesse sempre, por um triz, fora do alcance do seu braço. Alguma coisa nele se calejou. Ai, Bird, pensa ela.

Lá em cima, Bird espia o corredor. Não há luz, apenas uma débil claridade arredondada na parede vinda da única lâmpada lá embaixo. Ele vai passando pé ante pé por sucessivos cômodos às escuras. No banheiro, a privada e a pia estão encardidas e manchadas de verde; o limo se alastra da banheira enferrujada num tapete luxuriante. Apenas outro cômodo parece estar ocupado. Um colchão nu em um dos cantos e, ao seu lado, rente ao chão, uma velha mesa de cabeceira. O quarto da mãe. O cheiro forte de suor paira no ar. A mãe, que plantava flores debaixo do sol e sussurrava histórias no seu ouvido à noite, de alguma forma virou aquela mulher estranha, à espreita nas sombras. Ele queria que o pai estivesse ali para explicar aquilo. Para ajudá-lo a entender. Para decidir o que fazer.

No patamar da escada, a luz vinda de baixo parece encardida, como algo reutilizado, e ele precisa se guiar com os dedos por toda a extensão do corredor até voltar ao seu próprio e solitário quarto.

Quando Bird acorda, Margaret está sentada no chão ao lado da sua cama. Com as pernas dobradas debaixo do corpo no tapete gasto, o olhar suavemente pousado no seu rosto. Como se o estivesse estudando enquanto ele dormia, esperando pacientemente até ele acordar. De fato, era o que ela fazia.

Que horas são?, grasna ele. Sob a janela escurecida, é impossível saber se é dia ou noite.

Acabou de dar meia-noite, responde ela.

Ela lhe trouxe uma caneca de café. Ele não gosta daquilo, ela percebe no seu rosto, é claro que não gosta, que tipo de mãe dá café para o filho beber, devia ter levado outra coisa, mas café é tudo o que ela tem. Está enferrujada naquilo, em tudo. Mas a caneca está quentinha e aconchegante no quarto frio, e ele se esforça para se levantar e tomar um gole. Ela também toma um gole da sua caneca. Amargo, mas reconfortante. Como um remédio forte.

O gás está desligado, diz ela. Então não dá para cozinhar de verdade. Só tem uma placa de fogão de indução. Mas a água e a energia ainda estão ligadas. E eu não preciso de mais do que isso.

Que lugar é esse?, pergunta ele, mas ela não responde. Há outras coisas que precisa explicar primeiro. Começar pelo começo, lembra ela a si mesma. Foi para isso que você o chamou aqui.

Bird, eu quero lhe mostrar uma coisa.

Ela o faz subir outro lance de escada até o terceiro andar, onde todos os cômodos estão vazios. Pelas portas entreabertas, os pisos de tábua corrida nus parecem águas profundas: escuros, perdem-se numa escuridão maior ainda. Ela havia entrado por ali uma vez, assim que chegara. A poeira tinha se erguido em nuvens, parecendo neve. Móveis velhos com pernas ou pés faltando, parcialmente ajoelhados no chão; uma vitrola antiga ainda com o disco em cima, arranhado demais para tocar. Por toda parte, sinais de fora se esgueiram para dentro, assumindo o comando. No banheiro, um braço de hera comprido tinha penetrado o cômodo se enroscando por uma vidraça quebrada e se estendia tentando segurar o trinco da janela; num dos quartos, ela encontrou uma floresta de cogumelos brotando do tapete encharcado de chuva debaixo de uma fissura na parede.

Agora, no alto da escada, ela estica a mão para a sombra, tateando à procura da cordinha. Quando a encontra e puxa, um alçapão desce, e uma escada se desdobra. Seu instinto é segurá-lo pela mão para guiá-lo, mas ela se contém. Como sabe que ele também se conteria.

152

Por aqui, diz, subindo para a penumbra espessa e cinza. Sem esperar por ele.

Atrás de si, ouve Bird pousando um pé hesitante no primeiro degrau da escada. Obriga-se a seguir em frente, a continuar se afastando. A ter confiança de que ele vai segui-la. Chegando ao final da escada, ela para e, pela primeira vez, se vira para ele. Seus olhos estão acostumados ao escuro, mas os dele não, e o filho a segue mais pelo som do que pela visão, tateando com a mão para encontrar o caminho, guiando-se pelas vigas que correm no chão como os trilhos de um trem. O espaço é poeirento e frio, e o luar penetra pelas fendas no revestimento da parede, formando barras de luz das quais ele esquiva a cabeça ao seguir avançando por toda a extensão do sótão. Quando chega aonde a mãe está, ela encaixa o ombro no alçapão do telhado.

Chegamos, diz ela quando o trinco cede com um guincho agudo. Cuidado onde pisa.

Eles saem para a laje do telhado e mergulham numa piscina de noite. Faz frio, e o vento raspa o topo da cidade como uma faca nivelando a farinha medida numa xícara, mas, quando eles emergem do alçapão, Margaret sente os cantos de si mesma se suavizarem. Diante de tamanha beleza.

À sua volta, a cidade se alastra como um tecido estendido, cheio de picos, cordilheiras e dobras escondidas. Mesmo com o silêncio pairando, carros trançam pelas ruas desenhando fitas brilhantes; ao longe, uma floresta de árvores de aço se estica para cima tentando agarrar a lua. Ela distingue com dificuldade o fulgor estrelado das janelas distantes, cujas vidraças escurecidas refletem o luar. A laje está vazia; tudo que existe ali em cima é a cidade, o céu e eles dois. Nenhum guarda-corpo, apenas a borda abrupta e livre cedendo espaço ao chão lá embaixo. Ao seu lado, ela ouve Bird dar um arquejo e por um instante o vê: o seu filho, do jeito como se lembra dele.

Curioso, alerta. Com o olhar aceso. Maravilhado ao perceber quanta vida existe lá fora.

Eu não..., começa ele, e então se cala. Lentamente, dá um passo no chão liso da laje, depois outro. Com cuidado, como quem pisa num terreno pedregoso. Não sabia que a cidade era grande assim, diz ele. Uma das suas mãos se estende, como se seu dedo pudesse tocar a ponta de um dos arranha-céus do sul de Manhattan.

É impressionante, concorda Margaret. Eu só subo à noite. Vai que alguém está vigiando. Incrível, né?, emenda ela, virando-se para o horizonte. Muito maior do que eu imaginava antes de vir para cá. Assim que cheguei, quando era mais nova, eu andava por todo lugar que pudesse. Para tentar absorver tudo.

Bird vira muito discretamente a cabeça na sua direção, e ela sabe que atraiu a atenção dele. Finge não notar.

É claro que eu via boa parte da cidade por causa do meu trabalho. Aprendi a me movimentar muito bem.

Ela faz uma pausa e aguarda. Pensando se Ethan contou alguma coisa a ele. Se Bird sabe alguma coisa. Mas, depois de alguns segundos, ele morde a isca.

Que trabalho?, pergunta, sem se virar. Como se aquilo não tivesse a menor importância para ele.

De mensageira. Eu levava cartas e outras coisas. Na época da Crise. De bicicleta, acrescenta ela, como se fosse um detalhe.

Bird não responde, mas, por alguns instantes, o céu que os separa se apaga. Ela nunca lhe contou nada sobre sua época em Nova York, nada sobre sua vida antes de ele nascer. Primeiro porque ele era novo demais, depois porque ela não estava mais lá. Até onde Bird sabe, a vida da mãe antes dele é uma *tabula rasa*. Ela o observa se ajustar a isso, a esse novo fragmento de informação. A essa imagem nova da mãe: chispando pela cidade, carregando coisas.

Que tipo de coisas?, pergunta ele.

Entregas, principalmente. Às vezes documentos que precisavam ser assinados. Muitas coisas estavam fechando nessa época, e não havia tantos caminhões. As bicicletas eram mais baratas e mais rápidas, e a gasolina também custava muito caro.

Ela observa seu rosto. Às vezes comida, prossegue. E remédios, quando as pessoas adoeciam e não podiam sair. A gente buscava na farmácia e deixava na porta das casas.

A gente?, pergunta Bird.

Éramos muitos. Todos tentando ganhar a vida.

Ela pensa se deve contar mais. Decide esperar.

Foi assim que você conheceu meu pai?

Margaret balança a cabeça.

Ele vivia em outro mundo. Era universitário. A gente se encontrou por acidente.

Ela faz uma pausa.

Como ele está?, pergunta. Sem saber como perguntar o que realmente quer saber: quem ele é agora, se mudou nesses anos todos que os dois passaram separados, depois de tudo. Ele deve estar morrendo de preocupação com Bird, pensa ela com uma pontada de remorso. Queria poder ligar para lhe assegurar que Bird está bem. Mas é perigoso demais; nada mudou. Não ainda. Ele vai ter que confiar... do mesmo jeito que ela confiou nele por todo esse tempo para manter o filho seguro.

Bird dá de ombro, erguendo só um e deixando-o cair. Está tão dividido que nem mesmo seus ombros conseguem concordar entre si.

Está bem. Eu acho.

Ela aguarda, prendendo a respiração, mas ele não diz mais nada. Durante todo esse tempo, Bird não desgrudou os olhos da cidade lá embaixo, daquele formigueiro denso e agitado. Uma das mãos continua parcialmente erguida, como se ele estivesse se apoiando no ar ou tentando segurar a borda da linha de prédios. Ela espera e deixa aquele instante respirar e passar, confiando que ele vai encontrar o próprio jeito de aterrissar.

Por que você foi embora?, pergunta ele, por fim.

Por algum motivo, era mais fácil perguntar aquelas coisas ali, onde tudo exceto eles é pequeno e distante.

Ela abre bem os braços como se fosse mergulhar, inclina a cabeça para trás e fecha os olhos. O luar se reflete em seus cabelos e faz gear neles lampejos prateados. Por alguns segundos, congelada ali, ela parece a figura de proa de um navio a singrar orgulhoso por águas estranhas e desconhecidas. Então, suas mãos baixam, pendendo ao lado do corpo, e ela se vira.

Eu vou lhe contar, diz ela. Vou lhe contar tudo. Se você prometer escutar.

Ela começa a história enquanto trabalha: curvada acima da mesa dobrável, com rolos de arame e pedaços de cano compridos dispostos à sua frente. Com todo o cuidado, escolhe um dos canos e gira em volta dele um cortador, seccionando segmentos do tamanho do polegar e nivelando as bordas com uma lixa. Uma nuvem de pó prateado se ergue à sua volta. Bird fica sentado na borda do tapete, à espera, observando. Do lado de fora, para lá das janelas forradas de preto, a luz da manhã começa a colorir lentamente o mundo em escala de cinza.

Vou lhe contar primeiro como cheguei aqui na cidade, diz sua mãe.

Como os anseios de seus pais os fizeram atravessar o oceano, ela ganhou um nome ambicioso: Margaret. Primeira-ministra, princesa e santa. Um nome com um pedigree ancestral, um tronco sólido apoiado em grossas raízes: *la marguerite* em francês, margarida; em latim *margarita*, pérola. Tanto sua mãe quanto seu pai eram bons católicos em Kowloon, educados por padres e freiras, criados à base de hóstia, confissão e missa diária. Santa Margarida, a que vencera dragões, muitas vezes retratada metade para dentro e metade para fora da boca de um dragão.

$$* * *$$

Algo que ela só viria a descobrir depois: a bomba na caixa de correio dos pais, dois meses antes de ela nascer. Apenas o bastante para arrancar das dobradiças a porta de alumínio e deformar a caixa por dentro, como se uma criatura enfurecida tivesse tentado sair na marra. Uma caixa de correio nova, uma casa nova, seu pai o novo engenheiro na fábrica da sua cidade no Cinturão da Ferrugem. Poder explosivo mínimo, segundo a polícia. Uma brincadeira apenas, sabe-se lá por quê. Depois da bomba, o pai de Margaret desenterrou o poste de metal deformado, com os cabelos grudados na testa pelo suor, enquanto a mãe de Margaret assistia da soleira da porta, uma das mãos pousada na barriga e Margaret ainda crescendo lá dentro. Das janelas, os novos vizinhos também observavam em silêncio e, quando o poste se soltou e a caixa de correio amassada desabou no chão com um barulho alto, se recolheram para dentro de casa.

Faltavam décadas para a PACT, mas seus pais já podiam sentir os olhos da vizinhança vigiando cada movimento deles. Ser como todo mundo era a melhor alternativa, decidiram. Assim, quando Margaret nasceu, eles a vestiram com macacões de veludo cotelê cor-de-rosa e sapatos de boneca, e prenderam com fitas o cabelo num rabo de cavalo. Quando ela ficou mais velha, compraram as roupas do manequim sem cabeça da loja de departamentos: tudo que o manequim usava ela usava também. Discretamente, eles estudavam as crianças do bairro e compravam para Margaret o que viam: bonecas Barbie, uma Casa dos Sonhos da Barbie, uma boneca chamada Susanna Marigold. Uma bicicleta rosa com franjas brancas no guidom; um forno de brinquedo que assava brownies usando a luz de uma lâmpada. Toda uma camuflagem suburbana tirada do catálogo da Sears. Seu pai dizia: *A bordoada acerta o passarinho que mais estica a cabeça*. E sua mãe: *O prego que fica para fora é onde bate o martelo*. Nunca, em toda a sua memória, ela havia escutado os pais dizerem uma só palavra em cantonês. Só mais tarde se daria conta do que tinha perdido.

Às sextas-feiras, os três pediam pizza e jogavam jogos de tabuleiro; aos domingos, iam à missa e eram as únicas cabeças de cabelos pretos na igreja. Seu pai começou a assistir ao futebol e a tomar cerveja com os homens da vizinhança. Sua mãe comprou um conjunto de refratários e aprendeu a preparar pratos de forno. Já Margaret gostava de ler e adorava poesia. Assim como os pais, esforçava-se para *passar despercebida* e se saía bem nisso. Ser notada era um convite à agressão; o melhor era se misturar imperceptivelmente à folhagem. Ela tirava notas medianas, correspondia às expectativas, mas raramente as superava, e não causava nenhum problema nem dava nenhum exemplo. Formou-se no ensino médio e ganhou uma bolsa para fazer faculdade em Nova York: *a cidade*, como sua mãe sempre dizia. Como se só existisse uma. O que a atraiu foi uma promessa intangível: de que, na cidade, houvesse mais de um jeito de ser. Então, a dura realidade nova-iorquina raspou seu esmalte e revelou por baixo algo derretido e pulsante.

Naqueles primeiros dias, ela se vestiu como achava que uma nova-iorquina deveria se vestir: calça jeans preta, salto alto, blusa de seda. Glamour e sofisticação. Mistério. Então, dois dias depois de chegar, desceu do vagão do metrô e uma pessoa barbada usando um vestido de gala verde passou deslizando, arregaçou as saias e se espremeu para se sentar no lugar que ela havia acabado de deixar. Ninguém nem sequer virou a cabeça, e, enquanto as portas se fechavam, a pessoa puxou do meio das dobras do vestido um exemplar da *New Yorker* e começou a ler, desaparecendo no trem em movimento. Nos dias seguintes, ela veria muito mais. Um homem de bicicleta costurando por entre os carros no engarrafamento e fazendo com a boca barulhos altos de sirene. Uma idosa de bengala descendo a Broadway enquanto cantava a plenos pulmões no mesmo ritmo de seus passos: *Nosso Deus é um Deus assombroso / A reinar lá no alto do Céu*. Um homem e uma mulher aos amassos nos degraus de um prédio, os joelhos dela unidos ao redor da cintura dele, o espaço estreito inteiramente tomado por seus gemidos, afunilando-os como se fosse um alto-falante até a rua. Ninguém parava, nem sorria com ironia nem desviava os olhos; todo mundo se afastava apressado, concentrado nos próprios afazeres, na própria vida. Começou a chover, e lençóis de água cobriram a cidade; Margaret entrou numa livraria próxima, encharcada e com os cabelos lambidos, e ninguém nem ao menos piscou. Ali ninguém reparava um no outro, percebeu ela. Ou seja, as pessoas podiam fazer qualquer coisa, ser qualquer coisa. No banheiro, ela descolou dos pés as meias ensopadas e as secou debaixo do secador de mãos, e ninguém disse nada. Quando ficaram secas, tornou a calçá-las e sentiu o calor se enroscar entre cada dedo. Nunca tinha se sentido tão livre.

Cortou os cabelos, depois tingiu uma mecha de roxo. Para ver até onde podia ir antes que alguém prestasse atenção e estranhasse o seu visual. Foi mudando peça por peça as roupas que usava: saltos mais altos, saias mais curtas, calças jeans tão rasgadas que eram mais buracos do que tecido. Fez piercings. Ninguém nunca se interessou. Não era como na sua cidade, onde as pessoas sempre a olhavam uma segunda vez, às vezes uma terceira. Onde ela era sempre obrigada a ter um comportamento exemplar, a não dar motivo para repararem nela: um passarinho mantendo a cabeça baixa, um prego aninhado na segurança da madeira macia. Não atrair atenção: era assim que se sobrevivia.

Naquela época, as coisas já estavam começando a ficar difíceis. Menos horas de trabalho, salários mais baixos. Os preços começando a subir. Mas ainda não era generalizado: ainda havia pessoas comprando roupas novas ou comendo em restaurantes. À noite, algumas partes da cidade ainda cintilavam e zumbiam com a energia reunida de gente que se juntava só para ser jovem e estar viva no escuro. Ainda era possível curtir as coisas. Perder tempo. Sentar num banco de parque ou nos degraus da frente de casa para ver os outros passarem, sorrindo e rindo, e sorrir de volta para eles.

Margaret mergulhou em Nova York. Arrumou um emprego de garçonete. Matava aula e ficava dando voltas e mais voltas pela cidade, explorando seus cantos e recantos, devorando-a. Fez amigos. Em Chinatown, na época, ainda era possível ouvir gente falando cantonês. Ela comprou jornais e um dicionário de mandarim e à noite estudava os ideogramas, aprendendo sobre suas partes e seus sons como poderia aprender sobre o corpo de um amante. Pela primeira vez se deu conta de que sua antiga vida a incomodava como um casaco apertado demais. Aprendeu a beber e a paquerar. Aprendeu a dar e receber prazer. A essa altura, já estava escrevendo, linhas rabiscadas em pedaços de folha, em notas fiscais de mercearia, no verso branco dos papéis de chiclete de hortelã, cada palavra uma lasca de diamante, afiada e cortante como sílex. Pareciam as palavras de outra pessoa, alguém que ela não sabia carregar dentro de si. A Crise estava chegando, em breve estaria lá, mas ainda havia revistas e tempo para poesia e pessoas para lê-la, e os editores gostaram do seu ritmo tempestuoso, da maravilhosa flexibilidade indomada de suas linhas. Imagens que cravavam os dentes no coração e se recusavam a soltar. Eles nunca pagavam, mas pouco importava. À noite, ela e os amigos juntavam seu punhado de notas e as trocavam por garrafas de vinho, que bebiam em copos de plástico no quarto de alojamento de alguém, sentados em roda com as bocas tingidas de vermelho.

Nessa época, a cidade estava em temperatura máxima, como se todos pudessem sentir a tempestade chegando, uma eletricidade no ar, estalando de possibilidades. Seus pais achavam uma loucura, mas, para ela, aquilo parecia um caminho mais são e lógico: se o mundo estava pegando fogo, então era melhor queimar com força. Noites viradas que se transformavam em manhãs, dinheiro o suficiente só para comprar café onde quer que ela fosse parar. Voltar a pé para casa de madrugada para economizar o dinheiro do táxi, ver a cidade mudar de cinza para dourado conforme o sol nascia. Ela ia a festas, dançava, beijava desconhecidos só para ver o que acontecia. Muitas vezes, eles acabavam na cama de alguém: na sua, na deles ou na de outra pessoa. Homens lindos. Mulheres lindas. O mundo naquela época estava cheio de gente assim, todos furiosamente incandescentes como estrelas a caminho da morte.

Mais tarde, ao pensar naquele período, ela imaginava uma boate com o ar à sua volta cheio de fumaça espessa e escura. Corpos se sacudindo, suor pingando. Centelhas de luz rodopiando pelo recinto, fragmentos por toda parte: um olho, um pedaço de boca, a mão de alguém, um peito. A sensação de se dissolver na multidão, uma coisa pulsante e suada, sem forma, todos se movendo separadamente na mesma batida, unidos por aquele instante. Acima das cabeças, luzes fortes que se acenderiam quando a noite acabasse, caso eles ainda não tivessem ido embora. Sob os pés dançantes, o chão grudento de tanta bebida derramada. Ainda não existia toque de recolher.

No início, foi devagar, como a maioria das coisas. Ela estava no penúltimo ano da faculdade. Lojas começaram a tapar as vitrines passando sabão nos vidros por dentro. Primeiro aqui e ali, como dentes cariados, e de repente quarteirões inteiros se esvaziaram país afora. Aluguéis muito caros, clientes muito raros. Mais pedintes chacoalhando moedas dentro de copos de papel pegos no lixo, mais cartazes escritos a canetinha em pedaços de papelão. FAMÍLIA DE CINCO PESSOAS. DESEMPREGADO. QUALQUER AJUDA É BEM-VINDA.

Tudo custava mais, e todo mundo tinha menos para gastar. As lojas de roupas liquidavam suéteres: descontos de dez por cento, vinte, quarenta e cinco, e, mesmo assim, eles continuavam pendurados nos cabides. Ninguém nem sequer experimentava. Ninguém mais tinha dinheiro nem tempo para isso. Segundo as estatísticas, uma em cada dez pessoas estava sem emprego. Depois uma em cada cinco. As pessoas começaram a perder o carro, depois a casa. Começaram a perder a paciência.

O restaurante onde Margaret trabalhava fechou: quarenta e cinco anos de existência, mas ninguém mais o frequentava a não ser os homens que pediam um café e se demoravam nos nichos das mesas de canto, bebericando muito depois de a bebida esfriar. Seu chefe chorou ao fechar a porta pantográfica da entrada; quando criança, ele tinha brincado atrás daquele balcão. Quando ela foi perguntar em outros restaurantes se estavam contratando, alguns riram. Outros apenas balançaram a cabeça. Um gerente aconselhou, com toda delicadeza, que ela fosse para casa. Vai ficar pior antes de melhorar, disse ele. *Se* melhorar. Ele tinha uma filha mais ou menos da idade dela que também acabara de perder o emprego.

Os economistas nunca chegariam a um consenso sobre o que havia causado aquilo: alguns diziam que era um ciclo infeliz, que aquelas coisas aconteciam periodicamente, como ataques de gafanhotos ou pestes. Outros culparam a especulação, ou a inflação, ou uma falta de confiança do consumidor, embora as causas *disso* jamais fossem elucidadas. Com o tempo, muitos acabariam desencavando velhas listas de adversários em busca de alguém em quem pôr a culpa; em poucos anos, acabariam escolhendo a China, aquela eterna e perigosa ameaça amarela. Passariam a ver sabotagem chinesa por trás de cada tropeço e fratura da Crise. Mas, no início, o único consenso era: aquela era a pior crise desde os anos 1980, depois desde a Grande Depressão, e depois as pessoas pararam de fazer comparações.

Aqueles que antes estavam no topo trancaram as portas e se entrincheiraram para esperar tudo passar. Conforme as lojas foram fechando, passaram a pedir delivery e a pagar preços cada vez mais altos. Os que antes tinham certo *conforto* fecharam o bolso e começaram a comprar com desconto, a diminuir e a cortar tudo o que podiam: sem viagens, sem lazer, só menos, menos, menos. Aqueles que mal conseguiam fazer um contracheque durar uma semana foram ladeira abaixo: primeiro perderam o emprego, depois o contrato de locação, em seguida a dignidade. Pessoas por todo o país não conseguiam mais pagar o aluguel; àquela altura, os despejos já eram diários. As mesmas imagens se repetiam: móveis jogados sem cerimônia nas calçadas, famílias amontoadas em seus sofás junto ao meio-fio, passantes assistindo boquiabertos aos proprietários trocando as fechaduras. Falências sacudiram quarteirão atrás de quarteirão até bairros inteiros virarem desertos.

Uma *correção*, foi como os jornais chamaram primeiro, como se todo aquele tempo em que a maioria das pessoas conseguia levar a vida, comer e ter uma moradia tivesse sido um erro; como se tudo estivesse melhorando, e não o contrário. Em Houston, as filas nos centros de distribuição gratuita de comida se estendiam por vários quarteirões. Em Sacramento, era preciso esperar horas para sair com uma lata de feijão e algumas caixas de biscoitos água e sal. Em Boston, as pessoas dormiam nos bancos das igrejas para atravessar a noite, e, pela manhã, havia outras do lado de fora.

Em pouco tempo, começaram os protestos nas ruas. Greves. Manifestações pacíficas. Manifestações armadas. Vitrines quebradas, saques, incêndios: a raiva e a necessidade tornadas manifestas, tangíveis. A polícia paramentada para o combate. A mesma história se repetindo país afora, apenas numa escala diferente. Em Nova York,

Margaret viu a cidade se esvaziar à sua volta. Os que tinham casas e parentes em outros lugares buscaram abrigo lá para dividir as despesas e dar um jeito. Os que não tinham sumiam de outras formas: escondidos, entocados ou então mortos. De repente, o canto dos pássaros entre as pilastras dos prédios conseguia ser ouvido. A *crise econômica*, como os jornais chamaram — e então, quando aquilo se tornou mais do que econômico, quando as pessoas passaram a perder a confiança, o senso de propósito, a vontade de se levantar da cama, a resiliência, o otimismo de que algo poderia mudar e a lembrança de que algo um dia fora diferente, a esperança de que algo algum dia fosse melhorar, outras expressões entraram em destaque. *Nossa crise nacional em curso*, diziam as manchetes, e, em pouco tempo, passaram a economizar até nas palavras: a Crise. O C maiúsculo, a única extravagância ainda permitida.

Na faculdade, as aulas foram adiadas e logo depois canceladas. O alojamento ficava cada vez mais silencioso à medida que os pais chamavam os filhos de volta para a segurança de suas casas. Dos pais de Margaret vinham notícias sombrias: licenças na fábrica, falta de produtos nas lojas. Eu estou bem, disse Margaret aos pais, vou ficar aqui, está tudo bem, não se preocupem comigo. Tomem cuidado. Amo vocês. Então, após desligar o telefone, ela percorria os corredores para catar o que conseguisse nos sacos de lixo abandonados por quem partia. Roupas e sapatos grandes demais para ela usar, mas que pegava mesmo assim. Cobertores, livros, pacotes de biscoitos ainda pela metade. A maioria dos quartos do alojamento estava agora fechada, seus quadros de aviso vazios exceto um, rabiscado em preto: "A gente se vê do outro lado." Ela passou um dedo pelas letras. Perenes.

Três semanas mais tarde, esbarrou pela primeira vez com outra pessoa nos corredores do alojamento: Domi. Elas faziam uma disciplina juntas quando ainda havia aulas: Marxismo e Literatura do Século XX. Domi, chique e experiente, com traços perfeitos de delineador subindo feito asas em direção ao céu. É para dizer *me mostra*, tinha explicado ela com uma das sobrancelhas arqueada. Agora, sem maquiagem, seus olhos parecem maiores, mais jovens. Mais coelha do que águia.

Não achei que mais ninguém fosse doido o suficiente para ainda estar aqui, disse Domi. Vem. Hora de ir embora.

Domi tinha um ex que namorava uma menina cuja irmã morava num apartamento de dois quartos em Dumbo. Eram seis espremidos lá agora: a irmã e o namorado em um, o ex e a namorada nova no outro, Domi no sofá e Margaret num saco de dormir no chão da sala. O cômodo era tão pequeno que, quando eles esticavam os braços no escuro, seus dedos se entrelaçavam.

Na penumbra da *brownstone*, ela conta essas coisas para Bird enquanto desenrola arame do rolo e remove o plástico vermelho para revelar a medula de cobre reluzente. Há uma destreza no jeito como ela trabalha, uma precisão, que é como ver um relojoeiro encaixar no lugar cada engrenagem. Bird fica sentado com os joelhos abraçados junto ao peito, hipnotizado: pela história dela, pelas mãos dela. Do outro lado das janelas escurecidas, é o meio da manhã, a Crise acabou faz tempo, e a cidade pulsa e se move, mas lá dentro reina um silêncio perturbador iluminado pela lâmpada solitária. Os dois juntos dentro daquela bolha sem som, escutando.

A irmã do apartamento ainda tinha um emprego, uma das poucas. Trabalhava para a Prefeitura como atendente telefônica, tentando pôr as pessoas em contato com os serviços de que precisavam. Elas precisavam de aluguel, refeições, remédios. De alguém que as tranquilizasse e acalmasse. O que essa moça tinha a oferecer era solidariedade, uma promessa de transmitir seus pedidos. Um outro telefone que elas pudessem tentar. Às vezes, tijolos quebrados entravam voando pelas janelas do escritório; em outros dias, eram balas. Em pouco tempo, as mesas estavam todas amontoadas no meio das salas. O namorado da irmã era segurança num arranha-céu vazio em Midtown, antes tão movimentado que havia três halls de elevadores: um para a metade inferior, outro para a superior, e o terceiro com um elevador expresso direto ao topo. Agora todo mundo fora mandado para casa, de licença ou demitido de vez, e ele percorria o lobby sob oitenta e um andares de salas abandonadas. Havia computadores lá em cima, cadeiras de escritório ergonômicas, sofás de couro marrom-tabaco. As pessoas que costumavam se sentar nessas cadeiras e sofás não tinham mais acesso ao prédio, e os donos dos móveis estavam em suas residências em Long Island, Connecticut ou Key West esperando a Crise arrefecer. Um dia, quando ninguém tinha mais dinheiro e eles estavam todos passando fome, o namorado da irmã subiu sem ser visto, roubou um notebook, vendeu e levou para casa nove sacolas plásticas de compras tão abarrotadas que cavaram sulcos nas suas mãos. Eles tinham passado duas semanas vivendo daquela comida.

O ex de Domi e sua namorada nova arrumavam bicos onde podiam: pregando tábuas nas vitrines de comércios falidos, carregando caixotes em caminhões para aqueles que estavam deixando a cidade. Ele era um sujeito atarracado e forte, careca por opção; a namorada nova tinha cabelos castanho-claros e era magra e rápida, ambos sempre alertas para qualquer oportunidade. Um armazém no Queens fechou, e eles festejaram: quase um mês de salário carregando paletes e mais paletes num navio cargueiro até ele zarpar para longe, de volta para Taiwan ou, quem sabe, a Coreia — nenhum deles sabia onde, só que era *longe* —, e o armazém ficar vazio e tomado por ecos, com colunas de luz do sol descendo e cortando o ar empoeirado. Quando não conseguiam encontrar trabalho, eles catavam restos, reviravam as ruas e recolhiam latas para vender o alumínio ou qualquer coisa útil que pudessem reutilizar. Visitavam os bairros ricos onde o lixo continha tesouros, cujos donos os observavam de cima, por trás de janelas de vidro antirruído, como se fossem urubus devorando carniça. Certa vez, tinham visto um homem em Park Slope sendo levado embora de maca coberto por um lençol branco. Deixando sua *brownstone* desprotegida por um tempo. Depois de escurecer, voltaram e entraram na casa. Os móveis e as roupas já tinham sumido, mas eles retiraram metros de canos e fios de cobre das paredes, e a namorada encontrou um relógio de pulso, um pequeno bracelete de prata ainda funcionando, gravado com as palavras *Para A de C*, que pusera no pulso antes de os dois desaparecerem noite adentro com seu butim. Nenhum deles sentia culpa, pelo menos não na época. As coisas podiam continuar sem uso e descartadas ou podiam ser transformadas em calor, barrigas cheias, uma noite de pilequinho esperando alegremente a Crise ou o mundo acabar. Era uma escolha fácil.

Domi e Margaret, por sua vez, viraram mensageiras. Percorriam a cidade de bicicleta, descendo ruas meio vazias no silêncio perturbador de uma Manhattan quase deserta. Era mais fácil do que despachar as coisas pelo correio, que estava passando por dificuldades: menos verba, carteiros demitidos, gasolina nas alturas, embrulhos roubados do próprio caminhão de entregas. Por três dólares, um ciclista chegava ao destino em uma hora. Margaret foi a primeira: uma manhã, notou uma bicicleta apoiada nos degraus da frente de um prédio e, quando viu que continuava lá à noite, sem cadeado, a levou sem a menor pena. Uma frota de mensageiros ziguezagueava pela cidade, e ela reconheceu os rostos e aprendeu os nomes conforme suas rotas se entrecruzavam. Poucas semanas depois, quando as duas encontraram outra bicicleta, Domi se juntou ao grupo.

À noite, partes da cidade se tornavam violentas. Homens desempregados ficavam sentados no parque, torrando seus últimos poucos dólares numa garrafa de uísque, e, quando a noite caía, começavam a ficar ressentidos e briguentos. Mulheres aprendiam na marra a evitá-los. Desde a infância, Margaret dominava a arte de olhar por cima do ombro, de avaliar o risco a partir de um gesto, de lutar caso não conseguisse fugir. Já Domi, tendo crescido em Westport com o pai — casa de veraneio, aulas de equitação, piscina coberta —, estava menos preparada. Às vezes, ela gritava dormindo, e suas mãos voavam para proteger o rosto, como se alguém estivesse tentando lhe arrancar os olhos. Margaret se deitava no sofá ao seu lado, a abraçava com força, afagava seus cabelos, e Domi se acalmava e voltava a dormir. Pela manhã, as poucas lojas que ainda se agarravam teimosamente à vida podiam encontrar as vitrines quebradas, as prateleiras esvaziadas e o alarme tocando enlouquecido, embora ninguém mais atendesse ao chamado. Havia quem evitasse sair, e, em pouco tempo, além de entregar recados, Margaret realizava pequenas missões. Cinco dólares o trajeto, depois dez, mas, para quem precisasse, ela fazia por um. Remédios da farmácia, uma sacola de compras. Absorventes internos, pilhas. Velas. Bebida. Tudo que as pessoas necessitavam para sobreviver mais um dia. Ela dobrava as notas de dólar que recebia e as escondia nos bojos do sutiã; ao final da noite, de volta ao apartamento, contava-as, macias como feltro úmido por causa do suor, e as alisava outra vez. Àquela altura, ela já nem sequer pensava em poesia.

Depois de um tempo, você se acostumava com todas as novas regras impostas pelo prefeito e pelo governador para tentar manter a ordem: quando era permitido sair, quando era preciso ficar em casa, quantas pessoas podiam se reunir ao mesmo tempo — poucas, depois menos ainda. Às vezes, ondas de doenças assolavam primeiro a cidade, em seguida o estado inteiro: não havia pessoas suficientes trabalhando para pagar contas de hospital, mas também nem havia médicos ou remédios suficientes, apenas receitas para comprar anti-inflamatórios na farmácia da esquina ou algo mais forte na loja de bebidas ao lado. Filas por toda parte, tudo faltando, menos raiva, medo e tristeza. Barracas amontoadas feito cogumelos sob viadutos e pontes. E, segundo o noticiário, aquilo acontecia em todos os lugares. Você se acostumava a esperar, se acostumava aos homens agachados na calçada segurando cartazes rabiscados em papelões: QUALQUER AJUDA É BEM-VINDA. Aprendia a ficar de olho neles sem cruzar olhares, a contorná-los de longe. Ouvidos alertas para gritos, para o estilhaçar agudo de vidraças; mesmo antes de reconhecer o som, seus pés já fariam você dobrar em outra rua, desviando com segurança. Acostumava-se a preparar sanduíches com o que tivessem — ketchup, maionese, sal, o que quer que tornasse o pão palatável o bastante para engolir — e a passar o mesmo pó de café uma vez, duas vezes, a semana inteira se fosse preciso; mesmo que saísse praticamente água, ajudava a se aquecer. Acostumava-se a não falar com os outros na rua, a se esquivar, ambos a caminho de outro lugar, e também com as sirenes, que disparavam para logo depois se calarem como o choro abafado de um bebê. Depois de um tempo, você parava de se perguntar para onde elas estariam indo, quais necessidades elas estariam indo atender. Em algum lugar lá fora, você sabia, os ricos estavam em suas fortalezas protegidas por barricadas, alimentados e aquecidos, talvez até felizes, mas logo parava de pensar neles. Parava de pensar nos outros no geral. Você acabava se acostumando com isso também, da mesma forma que se acostumava com o fato de as pessoas desaparecerem — voltarem para casa, irem para outro lugar na esperança de uma vida melhor, às vezes simplesmente sumirem.

Aquilo com que você não conseguia se acostumar, com que ela nunca tinha se acostumado, era o silêncio. Na Times Square, os sinais passavam de vermelho para verde, e vice-versa, sem que um carro sequer passasse. No céu, as gaivotas gritavam e mergulhavam em direção ao porto vazio. Quando ela falava com os pais, eram conversas breves: a conexão era ruim, os minutos custavam caro, e, na verdade, tudo o que eles precisavam saber era se o outro ainda estava vivo. Às vezes, ela passava de bicicleta pelo Central Park e não via uma alma, nem nos caminhos nem no lago, nenhum sinal de um único ser humano que fosse, exceto nas barracas que coalhavam o gramado de Sheep Meadow, surgindo durante a noite e desaparecendo com igual rapidez quando chegavam notícias de uma batida policial. No silêncio entre as coisas, havia tempo demais para pensar, e, por mais depressa que ela pedalasse, não conseguia deixar os próprios pensamentos para trás.

À luz âmbar da lâmpada, as mãos dela tremem.

A Crise. A Crise. Bird cresceu ouvindo falar naquilo: não devemos nunca esquecer a turbulência da Crise, todo mundo disse sua vida inteira; não devemos nunca mais voltar àquilo. Mas é impossível explicar a sensação que se tinha.

Despejos e protestos todo dia, depois toda noite, pessoas implorando por assistência, por qualquer tipo de ajuda. A polícia disparando balas de borracha e borrifando gás lacrimogêneo; carros avançando para o meio das multidões. Todas as noites, as sirenes ganhavam vida e gemiam cidade afora, a única diferença era em qual direção. Incêndios começaram a surgir por todo o país, fogueiras de sinalização desesperadas, acesas pelos abandonados, pelos desalentados: numa noite em Kansas City, na seguinte em Milwaukee e Nova Orleans. Em Chicago, tanques patrulhavam diante das lojas de departamentos da Michigan Avenue para proteger as mercadorias reluzentes. Ninguém concordava em relação a quem culpar, não ainda, e, sem um foco preciso, a indignação, o pânico e o medo foram inflando e dominando tudo, quentes e viscosos, fazendo arder os pulmões. Estavam nas ruas escuras e silenciosas depois do toque de recolher, nas sombras cinza cor de ardósia dos prédios e no eco das pisadas de sapatos nas calçadas desertas. Piscavam fortes e brilhantes nas luzes dos carros de polícia que passavam, sempre a caminho de algum outro lugar mais urgente, que era todo e qualquer lugar.

Como explicar isso para alguém que nunca viu? Como explicar o medo para alguém que nunca o sentiu?

Imagina, é o que Margaret quer lhe dizer. Imagina se tudo o que você acha que é sólido fosse, na verdade, fumaça. Imagina se nenhuma das regras valesse mais.

Estou com fome, arrisca Bird, e Margaret se vira com um tranco e olha para o relógio de pulso. Já passa do meio-dia, e ele não comeu nada no café da manhã. Ela pragueja mentalmente contra si mesma. Faz muito tempo que não cuida de ninguém.

Pousa o alicate e limpa as mãos nas coxas da calça jeans.

Sei que tenho alguma coisa aqui, diz, revirando um saco plástico ao lado do sofá. Depois de alguns instantes, tira lá de dentro uma solitária barrinha de cereal.

Fico entretida trabalhando, acrescenta ela, quase constrangida. Esqueço de ter comida por perto. Aqui, come você.

Bird abre o papel metalizado da barrinha, então hesita. Está começando a fazer sentido para ele: os traços emaciados da mãe, as olheiras escuras. O que quer que ela esteja fazendo a está consumindo. Ela mal se alimenta, talvez mal esteja dormindo também. Passa o dia inteiro, a noite inteira, trabalhando... ou fazendo seja lá o que for.

Come, manda ela suavemente. Põe alguma comida para dentro. Hoje à noite eu consigo mais.

De baixo da mesa, ela puxa outro saco plástico; dentro dele, há tampinhas daquelas que se usa para fechar garrafas PET de dois litros. Vermelhas, brancas, laranja, um verde fluorescente enjoativo, todas grudentas, ainda com um leve cheiro de cola, cafeína e acidez gasosa. Ela coloca um punhado em cima da mesa, escolhe uma e a inspeciona. Separa-as de duas em duas. Passou semanas juntando aquilo, aqueles pequenos círculos coloridos recolhidos nas calçadas e nas bocas escuras das lixeiras.

O que você está fazendo?, pergunta Bird entre uma mordida e outra da barrinha. Para que isso *serve?*

Margaret pega uma das tampinhas e empurra o restante para o lado, então retira da pilha um transistor: listrado de vermelho e amarelo, como os confeitos de um bolo de aniversário infantil. Encosta a solda num de seus finos pés de metal, e o cheiro quente e ácido de resina toma conta do ar.

Quero lhe contar como conheci seu pai, diz ela em vez de responder.

Ela estava muito louca quando os dois se conheceram.

A Crise já durava dois anos; seu lema na época era *que se foda tudo.* Pessoas iam e vinham, às vezes de propósito, outras sem aviso, e nunca se sabia para onde elas tinham ido, se aquilo fazia parte do seu plano ou se fora um acidente ou coisa pior. De tempos em tempos, nas entregas, as pessoas cuspiam na cara dela e diziam que aquilo era culpa da China, a acusavam de ter espremido os Estados Unidos até o bagaço; ela havia começado a usar um lenço levantado até o dorso do nariz. Que se foda isso, que se foda tudo, concordavam ela e Domi, e com isso queriam dizer: não se apegue a nada nem a ninguém. Apenas sobreviva. Diziam isso uma à outra de um jeito quase carinhoso, como uma saudação ou um beijo de boa-noite. Que se foda tudo, murmurava Domi na hora em que elas adormeciam na sala, e Margaret, enrolada num cobertor no chão, apertava sua mão e sussurrava de volta a mesma coisa enquanto o suor do dia secava na pele até virar um fino pó cristalizado.

Então, Ethan apareceu. Era o aniversário de Domi, e eles comemoravam com fúria diante de tudo que estava acontecendo. Bebida suficiente para fazer uma festa; o apartamento lotado de gente, que se danassem as restrições de aglomeração; o ar quente e pegajoso como o hálito de alguém. Domi já estava bêbada e não reparou nele, mas Margaret sentiu um arrepio ziguezaguear entre as omoplatas. Um amigo de um amigo de um amigo, deslocado com seu terno cinza-escuro. Um terno! Ela sentiu uma vontade irresistível de desarrumá-lo. O recinto rodopiava, úmido e barulhento, e ela se afastou de Domi, atravessou a sala e segurou com o punho fechado o nó da gravata dele.

Os dois acabaram do lado de fora, na saída de incêndio que mal passava de uma borda, tão pequena que, ao se espremerem para cima dela, ficaram perto o suficiente para se beijarem. Entre seus pés, o vaso de planta quebrado de Domi, cheio de guimbas de cigarro e cinzas. Ethan, disse ele. Tinha acabado de se formar em Columbia quando a Crise interrompeu tudo. As pessoas passaram a noite inteira entrando e saindo do apartamento atrás deles, rindo, bebendo, esquecendo por alguns instantes todo o resto. Nenhum dos dois reparou. O ar da noite caiu como um cobertor puxado por cima da cabeça. Eles ficaram conversando até se pegarem semicerrando os olhos para o nascer do sol cor de pêssego que brotava por entre os prédios. Lá dentro, a festa tinha se extinguido feito um fogo que alguém abafa na lareira. Um punhado de pessoas estava deitado encolhido no tapete e no sofá, um emaranhado de filhotes de cachorro solitários. Domi tinha ido para a cama acompanhada.

É melhor eu ir, disse Ethan, e Margaret tirou o paletó dele dos ombros, onde ele o havia posto por causa da friagem da noite, e lhe devolveu. Foi a única vez que eles se tocaram a noite toda. Ela sentiu vontade de beijá-lo. Não, de mordê-lo, forte o suficiente para tirar sangue.

Foi bom te conhecer, disse ela, e entrou no apartamento.

Na noite seguinte, depois do toque de recolher, ela atravessou a ponte e subiu a cidade na direção norte, escondendo-se nas sombras quando os poucos carros ainda na rua passavam depressa. Deixou a bicicleta no apartamento; até as que tinham cadeado amanheciam depenadas se ficassem na rua. Ethan tinha dito que morava no quarto andar. De vez em quando, ela cruzava com outra pessoa, e os dois trocavam um olhar rápido antes de seguirem em frente, cada qual na própria misteriosa missão. Subiu cento e vinte quarteirões até o prédio de Ethan, e a janela dele estava acesa como um olho desperto. Ela galgou a escada de incêndio e passou os dedos pela janela entreaberta; ao ouvir o barulho, ele se virou num susto e largou o livro que estava lendo. Levantou a janela de guilhotina e a deixou entrar.

De manhã, um círculo com a marca dos dentes dela havia florescido na pele nua do ombro dele.

Domi não gostou.

Você mudou, reclamava ela, agora só pensa *nele*. Falava assim mesmo, *ele*, um pedaço de caroço que precisava cuspir.

Seu namorado chique, dizia ela. Com aquele apartamento chique. Bem *melhor* do que aqui.

Na verdade era uma quitinete a três andares do chão, só um cômodo grande com um futon que servia de sofá-cama e uma velha banheira de pé na cozinha americana, mas era seguro e quentinho. A família de Ethan não era chique nem rica: a mãe era auxiliar de enfermagem num lar de idosos; o pai, engenheiro. Mas eles eram bem relacionados. O locador da quitinete era um velho amigo de escola da mãe e alugou o apartamento para Ethan com um baita desconto, então ele podia se dar ao luxo de esperar muito tempo até a Crise passar. A verdade era que Domi, se quisesse, também poderia ter tido o próprio apartamento, e um bem mais bacana, pois a empresa de eletrônicos de seu pai fabricava as entranhas de metade dos celulares e computadores do país — ele tinha dois iates, um jatinho particular, casas em Londres, Los Angeles e no sul da França. E uma na Park Avenue também, onde Domi fora criada: ela a havia apontado para Margaret numa tarde, então as duas cuspiram na calçada e saíram correndo antes que o motorista do pai dela pudesse enxotá-las. Sua mãe morrera quando ela tinha onze anos; um mês depois, seu pai se casou com a babá dinamarquesa, e Domi jurou que, depois de sair de casa, nunca mais falaria com ele, e não falou mesmo. Na faculdade, rasgava os cheques que ele mandava e devolvia os pedacinhos pelo correio.

Então é isso, continuou Domi, você vai simplesmente ficar escondida com seu namorado rico e ignorar essa história toda enquanto nós aqui passamos necessidade?

As mãos de Margaret estavam ressecadas e feridas; uma semana antes, alguém agarrou seu casaco e o rasgou, querendo mais do que ela estava oferecendo, mas ela conseguira escapar. Ela remendou o rasgo com linha — vermelha, a única cor que tinha —, e a costura formou um talho serrilhado ao longo da clavícula.

Que se fodam vocês dois, disse Domi, mas Margaret não respondeu. Já estava saindo pela porta.

Ele falava fluentemente meia dúzia de idiomas e se virava em outros tantos mais. Nada mau para um garoto branco de Evanston, costumava brincar. Tanto seu pai quanto sua mãe adoravam viajar

de férias e costumavam escolher um país diferente a cada vez —
antes de completar dez anos, ele já tinha visitado quatro continen-
tes. Era filho único, como Margaret, e isso foi uma das coisas que
os uniu, o sentimento de que eram os últimos galhos da árvore
genealógica, enxertando-se mutuamente para ganhar força, para
criar algo.

E cantonês?, perguntou ela, e ele balançou a cabeça.

Só um pouco de mandarim. E não muito bem, ainda por cima.

E então: A gente poderia aprender juntos. Nós dois.

Ele era especializado em etimologia — origem e significado das
palavras. Quando menino, gostava de jogar Scrabble e fazer palavras cruzadas com o pai; a mãe foi sua treinadora nas competições
de ortografia. Nos aniversários e Natais, ele sempre pedia livros de
presente. Ultimamente, com as livrarias e lojas fechando, tudo que
tinha para ler era a fileira de dicionários dispostos no peitoril da
janela. Na primeira manhã, depois de eles acordarem, ela se levantou da cama dele e atravessou o quarto para examiná-los. Volumes
grossos e amarelos em várias línguas: francês, alemão, espanhol, ára-
be, algumas que ela nem sequer reconheceu. Línguas mortas como
latim e sânscrito. Um imenso dicionário de inglês do tamanho de
um catálogo telefônico, com as páginas finas como as de uma Bíblia.
Lentamente, ela correu os dedos pelas lombadas e se virou de volta
para ele maravilhada, ambos despidos desde a noite anterior, com a
pele tingida de ouro à luz do meio da manhã. De repente, ela teve
a sensação de que já o conhecia há muito tempo.

Para Ethan, as palavras continham segredos, as histórias de como
tinham surgido, todas as suas antigas identidades. Ele descobria os
modos misteriosos como elas se conectavam, remontando sua árvore genealógica para identificar os menos prováveis dos primos.
Aquilo era uma prova de que, apesar do caos à sua volta, o mundo
tinha uma lógica e uma ordem, havia um sistema, e esse sistema

podia ser decifrado. Ela adorava isso nele, essa crença inabalável de que o mundo era um lugar que se podia conhecer. De que, estudando seus ramos e suas vielas, os sulcos que ele havia escavado na poeira, era possível compreendê-lo. Para ela, a magia não era o que as palavras tinham sido, e sim do que eram capazes; sua capacidade de traçar, com uma única pincelada, os contornos de uma experiência ou a forma de um sentimento. Como elas podiam tornar compreensível o incompreensível, como podiam, num piscar de olhos, invocar uma forma diante de você antes de se dissolver no ar. E isso, por sua vez, era o que ele amava nela: sua curiosidade insaciável em relação ao mundo; como, para ela, o mundo nunca podia ser inteiramente revelado, pois continha infindáveis mistérios e maravilhas e, às vezes, tudo o que se podia fazer era ficar parado boquiaberto, esfregando os olhos para tentar enxergar direito.

Trancados no apartamento, eles liam, tirando da prateleira dicionário atrás de dicionário e examinando-os estirados no futon, com a coxa de um servindo de travesseiro para o outro. Lendo trechos em voz alta, dissecando acepções, ambos escavando: ela, minerando palavras como pedras preciosas e as dispondo ao redor dos contornos do mundo; ele, investigando suas camadas internas fossilizadas. Todos os vestígios de pessoas que tentavam explicar o mundo para si mesmas, que tentavam se explicar umas para as outras. *Testemunhar* tinha raízes na palavra que designava o número três: dois lados e uma terceira pessoa assistindo, servindo de testemunha. *Autor* significava originalmente *aquele que cultiva*, alguém que cuidava de uma ideia até ela dar frutos, colhendo poemas, histórias, livros. *Poeta*, se você remontasse o suficiente, vinha da palavra que significava *empilhar*: a primeira e mais básica forma de criação.

Isso tinha feito Margaret rir. Essa sou eu, disse ela, uma empilhadora de palavras.

Krei, leu ela, significava *separar*. Julgar. Como uma peneira, disse Ethan, separando o bom do ruim. E, portanto, *krisis*: o momento em que uma decisão é tomada, para o bem ou para o mal.

Com um dedo, ela havia acompanhado a delicada linha do esterno dele, rodeado a concavidade suave na base do pescoço.

Então é um momento em que a gente decide quem é, falou.

Lá fora havia sirenes e gritos, às vezes tiros... ou seriam fogos de artifício? Ondas de tumulto se alastravam de estado em estado como um incêndio florestal, o país inteiro ressecado e ansioso para se inflamar. Em Atlanta, manifestantes desempregados tinham tocado fogo no gabinete do prefeito; a Guarda Nacional fora chamada. Bombas não paravam de explodir nas assembleias, nas estações de metrô, nos gramados das mansões dos governadores. Havia reuniões de emergência, votações, marchas, comícios, e nada parecia mudar. Isso não pode continuar assim, diziam as pessoas nos poucos espaços em que ainda ousavam se encontrar: nas gôndolas do mercado, pegando o que pudessem em prateleiras meio vazias; nos corredores dos prédios residenciais quando vizinhos se cruzavam; e por cima das cercas, quando pessoas varriam as folhas caídas, qualquer tentativa de manter a ordem e a organização numa época muito distante disso. Não pode continuar assim, diziam todos, mas a situação continuava.

No apartamento, Margaret e Ethan bebiam chá e comiam biscoitos água e sal tirados do armário. Depois de tomar banho de chuveiro, ela vestia uma das camisas antigas dele, lavava o vestido na banheira e pendurava no varão da cortina para secar. Eles fechavam as janelas, depois as cortinas. Liam. Faziam sopa. Faziam amor.

O jeito como ele a tratava, como manteiga que se lambe dos dedos. Depois, na cama, com a bochecha encostada nas costas dele, ela se sentia calma como nunca. Aquilo era bom, era como se alongar depois de passar semanas encolhida. Numa daquelas manhãs, ela ficou de vez.

Tinha deixado uma carta para Domi quando fora embora: uma tentativa hesitante de se despedir depois de sua última e pior briga, que terminara com Domi tirando a jaqueta que Margaret tinha lhe dado — *Pode levar, prefiro ficar pelada* — e saindo enfurecida. Uma página inteirinha, preciosa, frente e verso, e depois ela não conseguia se lembrar de quais coisas escrevera e quais decidira calar na tentativa de evitar a ira da amiga, de lhe poupar da dor. Tudo de que tinha certeza era que Domi nunca havia ligado nem passado no apartamento, e, depois de um tempo, Margaret cansou de esperar.

No silêncio do apartamento de Ethan, os poemas lhe surgiam como animais tímidos pondo a cabeça para fora depois de um temporal.

Ela escreveu sobre o silêncio da cidade, sobre como a sua pulsação tinha mudado depois de tantas pessoas irem embora. Sobre amor, prazer, conforto. Sobre o cheiro do pescoço dele bem cedo de manhã. Sobre o ninho quentinho e macio da cama à noite. Sobre ter conseguido encontrar silêncio no ronco que existia havia tanto tempo, um lugar de calma em meio aos ásperos e intermináveis guinchos da Crise. Não havia nenhum veículo onde ela pudesse publicar esses poemas, apenas os grandes jornais conseguiram seguir em atividade e, mesmo assim, só com a ajuda do governo. Ninguém tinha tempo para poesia, para palavras, mas ela escrevia frases em pedaços de papel, nas margens largas dos dicionários de Ethan, e algum dia elas viriam a formar os primeiros galhos hesitantes do seu próprio livro.

Ninguém via isso ainda, mas àquela altura, muito discretamente, a história da Crise tinha começado a se solidificar. Em pouco tempo, iria endurecer como lodo em água turva e se assentar formando uma grossa camada de lama.

Nós sabemos quem causou tudo isso, as pessoas começaram a dizer. Pensem um pouco: quem está se dando bem por causa do nosso declínio? Dedos apontavam com firmeza para o Oriente. Vejam como o PIB da China está aumentando, seu nível de vida subindo. Lá os produtores de arroz chineses têm smartphone, vociferou um deputado no plenário da Câmara. Aqui, nos Estados Unidos da América, norte-americanos estão usando balde como privada, porque a água foi cortada devido à falta de pagamento. Me digam se isso não está errado. Me digam.

A Crise era culpa da China, começaram a insistir alguns, de todas as manipulações chinesas, de todas as suas tarifas e desvalorizações. Vai ver eles até tiveram ajuda para nos desmantelar por dentro. Querem nos derrubar. Querem se apossar do nosso país.

Olhos desconfiados se voltavam para aqueles com rosto *estrangeiro*, com nomes *estrangeiros*.

A pergunta, as pessoas não paravam de dizer, era a seguinte: o que nós vamos fazer em relação a isso?

Um telefonema desesperado da mãe, sua voz quase ininteligível: alguém havia empurrado o pai de Margaret na escada do parque. Os pais cruzaram com ele, com o homem que dera o empurrão — os dois estavam descendo a escada, ele subindo —, mas nem sequer tinham olhado para ele, e o agressor então se virara e empurrara o pai dela com as duas mãos, bem entre as omoplatas. O pai de Margaret estava com 64 anos e tinha ficado mais magro, mais franzino, um corpo ainda compacto, mas já sem a mesma força de antes, um pouco de artrite enferrujando o quadril e os ombros. Rolou a escada sem nem tentar se segurar, simplesmente rolou, como um animal já morto, e a quina do último degrau esfacelou seu crânio logo acima da orelha, tudo tão repentino que nenhum dos dois tivera tempo de gritar. Quando a mãe de Margaret entendeu o que tinha acontecido e se virou para ver quem o havia empurrado, o homem já tinha sumido. Seu pai nunca chegou a recobrar os sentidos e, duas horas e meia depois do telefonema, estava morto. Na manhã seguinte, transtornada de tristeza, a mãe infartou na cozinha da sua casa vazia, agora demasiado grande para ela sozinha, e então Margaret, ainda tentando reservar uma passagem de avião, recebeu a notícia de um policial, que deu um jeito de localizá-la por ser a parente mais próxima.

Já estava acontecendo na época, embora ela ainda não soubesse. Não só na hora do empurrão escada abaixo, mas no momento em que as pessoas viram o velho cair e abriram passagem para o agressor, nenhuma delas ousando se perguntar se agia por choque, medo ou aprovação. Já estava acontecendo quando três pessoas — uma mulher de meia-idade, um rapaz de vinte e poucos anos, uma mãe empurrando um carrinho — passaram pelo homem caído antes de a quarta chamar uma ambulância. No instante em que viram a idosa agachada junto ao corpo desconjuntado do marido, sem gritar, mas murmurando para ele coisas ininteligíveis num idioma que ambos não falavam havia décadas, nem mesmo sozinhos, arrancado de dentro dela agora na esperança desesperada de que aquelas palavras estivessem enraizadas o suficiente dentro dele para que talvez pudesse ouvi-las.

Não reparei que ele estava ferido, diria a mulher mais tarde para o marido quando os dois vissem no noticiário uma matéria sobre o *acontecimento infeliz*. Achei que ele tivesse escorregado e caído ou algo assim, e não quis constranger ninguém.

Eu a ouvi falando mandarim ou sei lá o quê, diria o rapaz, inglês não era, e vocês sabem o que andam falando sobre a China ultimamente... pareceu melhor não me meter.

182

A mulher com o carrinho de bebê não se manifestaria. Não chegaria nem sequer a ver o noticiário: seu bebê tinha um molar novo nascendo, e nenhum dos dois dormia a noite inteira.

Um caso isolado, diria o boletim de ocorrência algumas semanas depois. Nenhuma pista sobre o agressor. Nenhuma pista sobre a motivação.

Estava acontecendo em outras cidades, de todos os jeitos: um chute ou soco na calçada, uma cusparada na cara. Aconteceria por toda parte, primeiro aqui e ali, então de modo generalizado, e, depois de um tempo, o noticiário pararia de divulgar os acontecimentos porque não eram mais novidade.

A gente pode pegar um avião para casa. As passagens eram raras e custavam caro, mas os dois tinham algum dinheiro guardado. Pegar um avião para casa e cuidar do que for preciso.

Ela não soube como explicar que não havia mais nada em casa, não havia por que voltar. Que lá não era mais a sua casa. Em vez disso, concentrou-se em outra expressão: a gente.

Eu quero ir embora de Nova York, falou para Ethan. Por favor, vamos embora, só isso. Para qualquer outro lugar.

Não fazia lá muito sentido: os pais dela nunca tinham posto os pés em Nova York, e ela saíra de casa anos antes — então por que aquela necessidade de fugir? Mas, por outro lado, fazia sentido, sim, a vontade urgente que ela sentia de recomeçar do zero. De começar de novo em outro lugar na sua recente condição de órfã, num lugar novo onde pudesse se proteger dos problemas do mundo. Ela queria ser um passarinho e manter a cabeça abaixada. Não queria se destacar. Ethan mandou um e-mail para o pai, que acionou sua rede de contatos: vizinhos, colegas, pessoas com quem ele tinha morado, amigos de amigos, todos os dividendos de boa vontade que havia coletado ao longo da sua sociável vida. Alguém sempre conhecia alguém; era assim que as coisas aconteciam naquele mundo, e nenhum dos dois na época pensou muito no assunto a não ser para sentir gratidão: aconteceu de o irmão do padrinho de Ethan jogar golfe com um vice-reitor de Harvard, que disse que a universidade estava contratando ou iria contratar em breve. Uns poucos telefonemas, um currículo passado por fora, e, em pouco tempo, Ethan se viu recém-contratado como professor adjunto do departamento de linguística.

Em quinze dias, tudo ficou decidido. Eles não se despediram de ninguém; àquela altura, já tinham perdido contato com todos os seus conhecidos na cidade. Levaram pouca coisa, porque pouco tinham para levar: uma mala de roupas em comum, uma pilha de dicionários. Iriam recomeçar do zero.

Bird não consegue imaginar. Ela vê no rosto dele a expressão intrigada de alguém tentando sentir o que nunca sentiu. Ver o que nunca viu. Seu pai um dia lhe contara uma parábola sobre cegos que tentavam descrever um elefante e só conseguiam compreendê-lo em partes: uma parede, uma cobra, um leque, uma lança. Uma história para servir de alerta sobre a futilidade de achar que algum dia seria possível compartilhar com os outros a própria experiência. Os detalhes agora se derramam de dentro dela como grãos duros de areia, mas aquilo segue sendo apenas um pesadelo sonhado por outra pessoa. Nada é capaz de fazê-lo entender a não ser passar pela mesma situação, e ela daria a própria vida para garantir que isso nunca aconteça.

Mas *como* terminou?, pergunta Bird, e ela pensa: Sim. Ainda há tantas coisas para contar.

Ela afundou na nova vida como se esta fosse um grosso edredom de plumas. As paredes da sua casinha em Cambridge, comprada com cada centavo que os dois tinham guardado — a única parte boa da Crise, brincava Ethan com tristeza: muitos imóveis à venda, e todos baratos —, ela pintou num tom quente de laranja-dourado. Da mesma cor que ela queria que fossem as suas vidas. Eles consertaram as janelas, lixaram o piso, plantaram uma horta: abóboras e tomates, alfaces de um verde que chegava a chocar. Do lado de dentro da cerca alta que delimitava seu quintal, do tamanho de uma caixinha de fósforos, era fácil imaginar que o restante do mundo também fosse assim. Fácil esquecer a Crise que ainda se agravava lá fora, porque, com dinheiro, sorte e contatos, os dois tinham saído do meio daquilo do mesmo jeito que se sai de uma nevasca para entrar num abrigo seco e quentinho.

Para todos os outros, tudo acabou como um vídeo chuviscado de uma câmera de segurança. As imagens mostravam uma silhueta cinza e pixelada, coberta por um capuz, à espreita na frente de um prédio comercial numa rua de Washington, D.C. Tudo acontece muito depressa: um homem de terno preto sai do lobby, a figura de capuz ergue uma pistola. Um clarão de luz. A figura de terno escuro desaba. Então, logo antes de sair do enquadramento, o homem encapuzado ergue os olhos para a câmera de segurança como se a estivesse notando pela primeira vez, e seu rosto, coberto por óculos escuros, é centralizado na imagem congelada.

A figura de terno escuro era um senador do Texas, explica o noticiário enquanto transmite as imagens em looping, um dos militantes mais agressivos daquilo que chamavam de *a Crise chinesa*. Tinha ganhado fama com reivindicações acaloradas de sanções, polêmicas sobre a ameaça crescente da indústria chinesa, insinuações quase nada veladas sobre lealdade. Com a tentativa de assassinato, porém, a opinião pública deu uma guinada brusca: embora o rosto do homem encapuzado estivesse embaçado demais para ser identificado, a imagem era nítida o suficiente para mostrar que ele era asiático e, *considerando o contexto*, concluíram os analistas, *provavelmente chinês*. As delegacias foram inundadas com ligações apontando o dedo para vizinhos, colegas de trabalho, o barista do café da esquina. Nas redes sociais, dezenas de imagens pescadas em bases de dados, perfis de aplicativos de relacionamento, acervos profissionais ou pessoais foram colocadas lado a lado com o *frame* da câmera de segurança por pessoas convencidas de que solucionaram o caso. No total, os detetives amadores identificariam com segurança o culpado com trinta e quatro homens diferentes, dos 19 aos 56 anos, nenhum deles parecidos entre si. Por causa disso, o atirador nunca seria indiciado, e todos os rostos asiáticos permaneceriam para sempre suspeitos, seja pelo atentado, seja por simpatizar secretamente com este. Da sua cama de hospital, com o ombro enfaixado filmado em destaque, o senador seguia batendo na mesma tecla. *Viram só? Eles não recuam diante de nada, nem mesmo de um assassinato a sangue-frio. E quem poderia ser o próximo?* Os editoriais colocavam lenha na fogueira: *Não se trata apenas de um ataque à pessoa física de um senador, e sim de um ataque direto ao nosso governo, ao nosso próprio modo de vida.*

Uns poucos tentaram defender o atirador: *Olhem o ódio que esse homem vem destilando; praticar a violência nunca é certo, mas será que podemos mesmo culpá-lo?* Organizações sino-americanas condenaram rapidamente o atirador desconhecido como um lobo solitário, um marginal, uma aberração. Ele não nos representa, pareciam dizer suas declarações. Mas já era tarde. A desconfiança se alastrou feito tinta num pano molhado, jorrando até todo mundo ficar tingido. A mesma tinta suja que seria usada por anos para justificar os olhares tortos para qualquer um que pudesse parecer chinês, para servir de desculpa às recusas de atendimento, às injúrias gritadas e às cuspáradas na cara e, mais tarde, aos tacos de beisebol e aos pés calçados com botas.

Foi o catalisador necessário para aprovar a PACT. Todo mundo estava cansado da Crise: ela já se arrastava havia quase três anos, tempo suficiente para subjugar a população. Para a maioria das pessoas, a PACT pareceu branda, sensata, até: patriotismo, vigilância pública. Por que *não* apoiar aquela lei? Margaret assistiu a um vídeo do presidente a sancionando com um grupo de legisladores reunido ao redor da sua mesa. Logo acima do ombro direito dele, com o braço ainda numa tipoia, o senador ferido aquiescia gravemente.

A PACT vai nos proteger da ameaça muito séria que são aqueles que nos minam por dentro, disse o presidente. Nenhum norte-americano leal precisa temer nada em relação a essa lei, inclusive as pessoas leais de origem asiática.

Ele fez uma pausa, depois assinou seu nome com um floreio no pé da página. Câmeras estouraram. Então se virou e estendeu a caneta para o senador com o braço na tipoia, que a aceitou cuidadosamente com a mão boa.

PACT: Preservação da Cultura e das Tradições Norte-Americanas, na sigla em inglês. Uma promessa solene de extirpar qualquer elemento antiamericano que estivesse minando o país. Financiamento para grupos de proteção do bairro encarregados de dispersar protestos e proteger comércios e lojas; para projetos voluntários destinados a produzir bandeiras, bótons e cartazes incentivando a vigilância; e para *reinvestir nos Estados Unidos*. Financiamento para novas iniciativas de monitoramento da China e novos grupos de cães farejadores para identificar aqueles cuja lealdade pudesse estar dividida. Recompensas para a vigilância dos cidadãos, para aqueles que tiverem *informações que conduzam a arruaceiros em potencial*. Por fim, o mais crucial: evitar a difusão de opiniões antiamericanas por meio da remoção discreta das crianças de ambientes antiamericanos. Ambientes cuja definição não parava de se expandir: ser simpatizante da China. Não ser antichinês o bastante. Ter dúvidas em relação a qualquer coisa norte-americana.

Ter qualquer vínculo que fosse com a China, não importava quantas gerações para trás. Questionar se a China era realmente o problema. Questionar se a PACT estava sendo aplicada de forma justa. No fim das contas, questionar a própria PACT.

Nos dias posteriores à aprovação da PACT, as coisas foram se acalmando, tão imperceptível no início quanto o movimento das estrelas no céu. A calma nas ruas se estendeu por uma, duas, dez noites seguidas. As pessoas começaram a conseguir emprego outra vez. Os ruídos da cidade voltaram à vida como a garganta liberada por um pigarro após um longo período de silêncio. Aqui e ali, à medida que a demanda por produtos nacionais ressuscitou as fábricas paradas, as lojas começaram a reabrir, as prateleiras dos mercados se encheram. Pessoas cambalearam de volta para a luz do dia como sobreviventes de um abrigo antinuclear. Piscando, atarantadas, grogues. Tímidas, cautelosas e atordoadas. Acima de tudo, ansiosas para seguir em frente.

Os defensores da PACT insistiam que a lei iria fortalecer e unir a Nação. Só não disseram que a união exigia um inimigo comum. Um alvo para o qual direcionar toda a raiva; um espantalho no qual pendurar tudo o que as pessoas temiam.

Relatos começaram a chegar: um sino-americano socado no rosto em Washington, D.C.; duas tiazinhas de meia-idade alvejadas com lixo em Seattle; uma sino-americana em Oakland arrastada até um beco e assediada sexualmente enquanto, na calçada, seu bebê berrava no carrinho. O pai de Margaret, no fim das contas, tinha sido um dos primeiros, mas não seria nem de longe o último.

Logo ficou claro que qualquer um que pudesse ser remotamente confundido com uma pessoa chinesa estava em risco. Em Miami, um tailandês a caminho do escritório foi esfaqueado; em Pittsburgh, um adolescente filipino que voltava a pé de um treino de natação foi espancado com um taco de hóquei; em Mineápolis, uma mulher hmong foi empurrada para o meio do tráfego e quase atropelada por um ônibus. Os responsáveis raramente eram capturados e, mais raramente ainda, indiciados: era difícil provar que tinham agido porque a vítima era chinesa ou porque acharam que fosse. *Não é razoável esperar*, sentenciou um juiz, *que o norte--americano comum consiga distinguir visualmente entre as diversas etnias de pessoas de origem asiática*. Como se fossem variedades de maçãs ou raças de cachorro; como se aquelas *pessoas de origem asiática* não fossem norte-americanos comuns. Como se aquilo pudesse ser justificado por um discernimento cuidadoso de quem brandia o taco.

As pessoas de origem asiática, inversamente, eram examinadas a lupa. Uma vigília para o tailandês de Miami foi dispersada pela polícia sob pretexto de arruaça. Um comício em defesa da jovem mãe de Oakland não quis se dispersar, e duas pessoas acabaram presas. Descobriu-se que o sino-americano socado em Washington, D.C., tinha uma multa em aberto por excesso de velocidade, e ele pegou trinta dias de prisão. O adolescente filipino revidou, causou uma concussão no agressor e foi indiciado por agressão. Em pouco tempo, quando os protestos, as vigílias e as manifestações se recusaram a arrefecer, a primeira das realocações de crianças com base na PACT iria começar.

A verdade era que, como a maioria da população, Margaret não pensava muito em nada disso. A nova lei tinha por alvo aqueles que defendiam opiniões antiamericanas, mas ela não estava fazendo nada do tipo. Estava comprando um caminho de mesa, pantufas quentinhas, uma colcha nova para a cama. Revistas tinham voltado a ser impressas e mostravam pessoas lindas e vidas lindas a serem admiradas e copiadas; voltou a ser possível jantar num restaurante e ter o vinho servido por um garçom de camisa branca. Como todo mundo, ela estava tentando construir uma vida nova, reluzente e linda. O que poderia ser mais o estilo de vida norte-americano do que isso?

Uma casa, um marido. Um quintal rodeado por uma cerca. Dois tipos de botas, galochas de borracha para poças, forradas de pele para os dias de frio. Velas perfumadas e descansos de copo, uma lixeira para os recicláveis, uma escova de dentes elétrica, toda a parafernália da vida doméstica. Todas as coisas das quais ela se achava feliz por ter escapado. Se alguém tivesse lhe dito aos vinte anos onde ela estaria dali a cinco, ela teria rido ao escutar que não apenas teria aquelas coisas de novo, mas que as queria. Que ansiava por elas. A única parte em que teria acreditado seria Bird: ela sempre quis ter um filho. Antes, no minúsculo apartamento de Ethan, os dois devaneavam imaginando como seria o filho do casal. Para a felicidade deles, em breve descobriram.

Dentro dela, Bird começou a crescer. Do tamanho de uma lentilha. Do tamanho de uma ervilha. Do tamanho de uma noz, depois de um limão. Todo dia de manhã, antes de sair para o trabalho, Ethan beijava sua barriga logo abaixo do umbigo. Um ano antes, ela e Domi estavam em pé uma na frente da outra, segurando com força seus respectivos guidons, preparando-se para o desafio do dia. Checagem de armadura, era como chamavam aquilo, e não diziam mais nada. Nem tchau nem a gente se vê mais tarde, embora o silêncio quisesse dizer tudo isso. Margaret podia ajeitar a gola da jaqueta de couro gasta de Domi; Domi podia suspender um pouco mais o lenço de Margaret em seu pescoço para lhe esconder o rosto. Checagem de armadura, dizia cada uma antes de sair pedalando. Contido nessas três palavras: se cuida, volta bem, te amo.

Agora, na casa silenciosa, com o sol do sul e o canto dos pardais a entrar pelas janelas, ela usava um vestido comprido e macio debaixo do qual Bird mal começava a aparecer. Chinelos fofinhos com os quais não conseguia correr. Brincos nas orelhas. Ali não era preciso armadura, mas, naqueles momentos, ela sentia saudades de Domi, quando lembrava que a dureza não era mais uma necessidade.

Os pais de Ethan foram visitá-los, e Margaret arrumou com lençóis brancos o quarto de hóspedes, que, em breve, seria o quarto do bebê. Na cozinha, a sogra lhe ensinou a fazer o empadão de carne chamado *shepherd's pie*, prato preferido de Ethan quando criança. Ele ficou olhando as duas da soleira da porta, ambas de avental e rodeadas pelo halo da luz vespertina: Margaret com uma colher de pau numa das mãos enquanto, com a outra, fazia anotações numa ficha; sua mãe pousando a mão livre na barriga cada vez mais arredondada de Margaret com tanto carinho que aquilo poderia ter sido a cabeça de um bebê.

Bird foi crescendo: do tamanho de um pêssego, de uma manga, de um melão. Como entender aquelas sensações misteriosas, aquele novo e incompreensível fenômeno que era o corpo em gestação? Margaret foi até a biblioteca pública, agora reaberta graças a doações particulares; as ruas do centro zumbiam suavemente mais uma vez. As lojas também tinham reaberto, uma depois da outra, e vendiam cadernos, balas e joias chiques; pessoas passeavam outra vez pelas calçadas. Era como os primeiros dias de primavera após um longo inverno nevado, todo mundo louco para não ficar sozinho. Por um breve e glorioso instante, desconhecidos sorriam um para o outro ao se cruzarem, muito felizes por se verem: *Por aqui ainda? Eu também!* Ainda aliviados, na época, ainda sem medo. Lampejos de vermelho, branco e azul nos colarinhos e casacos de todos.

Na biblioteca, nada ainda fora removido; todo mundo estava apenas feliz por ter livros de novo. A jovem bibliotecária no balcão apontou sucessivas prateleiras; Margaret queria saber muito mais do que *o que ela devia esperar* e, à noite, quando os dois estavam deitados na cama, lia pequenos trechos para Ethan. As mães panda iam para a toca sozinhas; nos primeiros meses de vida do filhote, não existia outro mundo senão o lar escuro e aconchegante, nenhuma outra criatura senão a mãe. Cucos se esgueiravam para dentro do ninho de outras aves, punham seus ovos entre os dos desconhecidos e saíam voando, confiando que as outras mães criariam os filhotes como se fossem seus. A fêmea do polvo punha ovos em fileiras, como longas guirlandas peroladas, e as protegia até a morte, matando a si mesma de inanição enquanto soprava ar neles para mantê-los vivos.

Ela foi ficando maior. Lá dentro Bird a batucava: os calcanhares dele pareciam martelos, e a barriga dela, o tambor. Ela podia sentir os soluços, pancadas microscópicas. Quando se virava, sentia-o se mover dentro da própria imobilidade. Como é a sensação?, perguntava Ethan, maravilhado, e ela tentava explicar: como se fosse o chão do mar quando as ondas recuam, depois avançam. Conforme ela ia se aventurando cada vez mais para longe da praia, a bibliotecária deslizava outro livro pelo balcão na sua direção. Alguns peixes não precisavam de parceiro, punham ovos e os viam eclodir sozinhos, cada peixinho uma cópia perfeita da mãe. Algumas criaturas unicelulares se dividiam, separando-se perfeitamente em dois. A cada semana, um livro diferente, uma nova maravilha. Outra peça do eterno mistério, a necessidade da vida de criar mais vida. Do mundo animal ao vegetal: os pés de erva-leiteira espalhavam suas sementes no vento para elas crescerem longe de casa; as pinhas se abriam aos pés do pinheiro-mãe, uma saia de sementes compactas competindo por espaço e luz. As suculentas cresciam de novo a partir de uma folha quebrada, projetando as raízes no ar e depois para dentro da terra: um pedacinho do próprio corpo transformado em filho. Ela pensou no versículo da Bíblia que a mãe antigamente a fazia recitar para o catecismo: *Osso dos meus ossos e carne da minha carne.*

Encontrava mães por toda parte, até mesmo na horta, cuidando das plantas. Aprendeu que, quando o frio estivesse chegando, o jeito de amadurecer os tomates no pé era torcendo suas raízes. Puxá-las até a terra rachar, até os pelinhos lá embaixo se partirem como barbantes cortados. Isso avisa à planta: o fim está próximo... salve o que puder. Desista de crescer; desista de ter folhas grandes. Pense apenas nos frutos, pendurados como punhos cerrados verdes. Até a exaustão. Deixe as folhas ficarem secas e amarelas. Nada mais importa. Esfalfe-se até não restar nada de você exceto um caule seco sustentando um globo vermelho. Murche carregando esse único fruto doce até a maturidade, na esperança de que, chegado o verão, alguma coisa de você torne a brotar.

Acordada à noite pelas cambalhotas de Bird, ela escrevia coisas tenras que iam se prendendo umas às outras, hesitantes, como as ovas de um peixe. Um poema, dois. Logo uma dúzia. Logo o bastante para um livro. Numa daquelas noites, grávida de oito meses e meio de Bird, teve um desejo. Na manhã seguinte, Ethan lhe trouxe uma romã, e ela a rasgou com as mãos em duas metades sangrentas. As romãs tinham voltado a brotar depois da Crise, e eram todo o luxo que transpareciam, pesadas com tantas pequenas pedras preciosas. Sementes reluzentes se espalharam pelo chão, gotículas vermelhas derramadas nos ladrilhos. Quantas árvores poderiam brotar daquele único globo rígido? Era aquele o seu trabalho, entendeu Margaret de repente: criar todas aquelas sementes, em seguida explodir. Por dentro, Bird a chutou de leve. Como quem faz uma brincadeira. Será que a romã sabia, pensou ela, será que se perguntava para onde iam as sementes, o que lhes acontecia? Se elas algum dia conseguiam crescer? Todos aqueles pedacinhos do coração que agora estava perdido. Espalhados para brotar noutro lugar.

Quando o livro terminasse, aquele seria o último poema.

É doloroso admitir: naquela época, ela acreditava que a PACT fosse um avanço, que eles tivessem superado algo. Que estivessem a caminho de algo melhor. Que, se ela se comportasse, nada daquilo a atingiria. De vez em quando, a imprensa ainda noticiava tumultos: rondas do bairro que descobriam *radicais* ameaçando a ordem pública; investigações de *atividades suspeitas*. Mas era tudo em outro lugar, abstrato e nebuloso. Casos isolados. O concreto estava ali: nos movimentos íntimos de Bird dentro dela, como um navio singrando o mar; no marido quente e sólido em sua cama. As longas noites que eles passavam lendo lado a lado no sofá, os pés dela no colo dele, compartilhando trechos preferidos com tanta frequência que depois ela teve a sensação de ter lido o livro dele, e ele, o dela. Ela tricotou meinhas. Ethan pintou o quarto do bebê. Quando Bird batia os pés dentro dela, ela batia de volta. Comprou um avental. Assou um frango. Arrumou a louça numa prateleira.

Nunca tinha sido tão feliz.

Enquanto lhe conta isso, ela enrola o arame com todo o cuidado na ponta do dedo e acomoda a espiral dentro da tampinha de garrafa. Um giro da chave de fenda, e a pequena cápsula é lacrada, um gordo comprimido de plástico.

Bird não consegue se conter. O que é isso?, pergunta.

Resistência, responde sua mãe, e põe a tampa em cima da mesa junto com todas as outras.

Boatos começaram a circular. De batidas à porta à noite, crianças conduzidas para dentro de sedãs pretos e levadas embora. Uma cláusula escondida nas entrelinhas da nova lei, que permitia às agências federais retirarem crianças de lares considerados antiamericanos. Uns poucos jornalistas soaram o alerta antes de a PACT ser aprovada; uma deputada havia questionado se aquilo poderia levar a abusos, se era realmente necessário. Mas o consenso, tanto no Capitólio quanto na população, era que o perfeito era inimigo do bom e que era melhor pecar por excesso do que por falta. Que todas as ferramentas deviam ser usadas para salvaguardar a segurança nacional, que nada deveria ser descartado. É claro que ninguém tinha interesse em separar famílias. Só nos casos mais extremos.

Uns poucos desses casos chegaram à imprensa. Em Orange County, uma marcha de protesto contra o preconceito antichinês se transformou num confronto com manifestantes gritando palavras de ordem e terminou com a tropa de choque, *tasers* e uma menina sino-americana de três anos de idade atingida por uma lata de gás lacrimogêneo. Para o policial, licença remunerada; para o manifestante, uma investigação completa da sua família. Âncoras de telejornais a cabo comentaram que aquela não era a primeira marcha à qual a menina era levada; nas redes sociais, fotos a mostravam pequenina encarapitada nos ombros do pai, ainda bebê presa num sling ao peito da mãe como os explosivos de uma mulher-bomba. Pouco importava se os pais eram norte-americanos de segunda e terceira geração, se os avós moravam em Los Angeles antes de a Union Station acabar com Chinatown. Em vez disso, o que aparecia na tela era o retrato dos pais tirado para a ficha criminal, o rosto de cabelos escuros, olhar raivoso e muito obviamente *estrangeiros*. Eles não eram como nós. Do hospital, a menina foi levada embora. Era o melhor desfecho possível, concordaram as manchetes. Proteger uma criança de opiniões tão nocivas.

Ao ler a notícia em seu celular enquanto Bird, embriagado de leite, cochilava no seu peito, Margaret pensou: *Que horror. Como essas pessoas foram capazes de pôr a própria filha em risco?* Tentou se imaginar levando Bird para o meio do empurra-empurra de uma multidão, com granadas de luz e som estourando aos pés e gás lacrimogêneo fazendo suas narinas pegarem fogo. Ela fechou mentalmente a porta na cara desse pensamento. Ali estava ele, na segurança do colo da mãe: o seu Bird. Cílios compridos pousados em bochechas mais macias do que qualquer outra coisa que ela já tivesse tocado. Um pequeno franzido a lhe vincar a testa. Que sonhos perturbadores um bebê já poderia ter? Ela alisou os vincos com o polegar até voltar o semblante tranquilo. Ao lado, a mão de Ethan apertou seu ombro, em seguida segurou a cabeça de Bird. Ela jamais faria uma coisa daquelas, prometeu silenciosamente ao filho. Eles jamais seriam afetados.

A marcha seguinte contra o ódio antichinês, no Queens, teve menos manifestantes; depois disso, houve um longo período sem protestos.

Ela só pensava em seus poemas, em sua horta, em seu marido. Em Bird. Pressionava sementes para dentro da terra e as regava até surgirem filamentos de brotos verdes. Punha embalagens de leite cortadas ao meio por cima das plantas jovens para protegê-las da friagem da noite. Tricotava para Bird um cobertor em lã de cor creme. Tarde da noite, fazia amor com Ethan. Pela manhã, satisfeita, assava *scones* de banana e lambia o mel da colher.

Os pais de Ethan iam visitá-los quando podiam: no aniversário de Bird; no Halloween, levando balas que ele ainda era incapaz de mastigar; no Natal, carregando presentes mais pesados do que o menino que os receberia. A sogra compartilhava com Margaret dicas sobre alimentação infantil; numa tarde em que Margaret, exausta, cochilou no sofá com Bird sobre o peito, o filho exaurido por um ataque de raiva, o sogro estendeu um cobertor por cima deles e, em seguida, apagou a luz. Margaret e Ethan contaram apenas que os pais dela haviam falecido, e ambos ficavam emocionados com a vontade e a generosidade com as quais os pais de Ethan acolheram Margaret em suas vidas.

Ele é igualzinho a ela, não paravam de dizer os pais de Ethan. No início, eles acharam que isso fosse um elogio; talvez fosse mesmo, embora, com o tempo, ambos se perguntassem se era também uma leve insegurança — o rosto de outra pessoa tão claramente carimbado num menino que eles sentiam que deveria ter herdado as feições deles. Pessoalmente, Margaret e Ethan pensavam que Bird se parecia apenas com Bird. Ao olhar para ele, tarde da noite, conseguiam distinguir pequenos traços e remontar até sua origem — as maçãs do rosto de Margaret, os cílios de Ethan —, mas era nas expressões que viam semelhanças: as duas rugas paralelas que surgiam na testa de Bird quando ele estava pensando, a covinha parecida com uma impressão digital na bochecha quando ele ria. Era a ruga de Ethan na testa de Margaret, a covinha de Margaret no canto direito da boca de Ethan. Era uma experiência estranha e perturbadora observar expressões que eles conheciam atravessarem fugazmente o rosto daquela pessoinha, em parte eles e em parte a pessoa que eles mais amavam, e os dois sentiam que aquela seria apenas a primeira de muitas experiências estranhas e perturbadoras que a paternidade e a maternidade iriam proporcionar.

Margaret escreveu mais poemas. As editoras tinham voltado a publicar, e, quando Bird contava três anos, uma editora pequena aceitou publicar seu livro. Na capa, uma romã partida, tão próxima que parecia um órgão ou uma ferida. Era preciso olhar duas vezes para identificar. *Os corações perdidos* foi elogiado por alguns críticos de poesia e lido por quase ninguém. Poucos exemplares vendidos, relatou ela para Ethan, seca. Quem é que lê poesia nos dias de hoje?, e ele brincou: Quem é que lia antes?

Não importava. O mundo para ela, na época, estava cheio de poemas.

Ela ensinou Bird a capturar vaga-lumes: as mãos em concha, a luz verde-amarelada piscando nas brechas entre os dedos. Depois ensinou a soltá-los, espirais que se perdiam na noite como uma faísca que se apaga. Ensinou-lhe a ficar deitado quieto na grama e observar os coelhos fuçando os trevos, tão perto que a respiração do menino agitava a penugem branca da cauda. Ensinou-lhe o nome das flores, dos insetos e dos passarinhos, ensinou-lhe a identificar o arrulho baixinho dos pombos, o grito metálico do gaio-azul e o canto característico do chapim, límpido e fresco como água fria num dia de verão. Ensinou-lhe a colher flores de madressilva da trepadeira e a encostar nelas a pontinha na língua: uma doçura pegajosa. Desgrudou a casca de uma cigarra do tronco de um pinheiro e a virou para lhe mostrar a fenda lisa no ventre de onde, depois de crescer, o inseto havia se espremido para fora do seu antigo eu e virado outra coisa.

E ela lhe contou histórias. Histórias sobre guerreiros e princesas, meninas e meninos pobres e corajosos, monstros e magos. O irmão e a irmã que foram mais espertos do que a bruxa e conseguiram voltar para casa. A menina que salvou seus irmãos-cisnes de um feitiço. Curiosidades antigas que davam sentido ao mundo: por que os girassóis se movem, por que o eco perdura, por que aranhas tecem teias. Histórias que a mãe tinha lhe contado na infância, antes de parar de falar naquelas coisas: como antigamente havia nove sóis que assaram a Terra até um valente arqueiro abatê-los do céu um a um. Como o rei-macaco usou um truque para entrar no jardim celestial e roubar os pomos da imortalidade. Como, uma vez por ano, dois amantes, eternamente separados, atravessavam um rio de estrelas para se encontrarem no céu.

Isso aconteceu de verdade?, perguntava ele toda vez, e ela sorria e dava de ombros.

Talvez.

Ela encheu sua cabeça de bobagem, mistério e magia, reservando um espaço para o assombro. Um oásis no seu Éden de tanto tempo atrás.

Por hoje chega, diz ela, pousando o alicate.

É uma atitude meio egoísta. Ela está prolongando aquele instante de calmaria, demorando-se na época boa, antes das coisas amargas que precisa confessar. Mas há coisas que precisa fazer antes de tudo ficar sombrio, e elas vão levar tempo.

Ela enfileira as tampinhas de garrafa concluídas, separando-as de duas em duas. Cinquenta e cinco. Bem menos do que num dia normal, mas é de esperar: chapinhar no lamaçal do passado diminui o ritmo de suas mãos. Diminui o ritmo de tudo. Cinquenta e cinco pequenas cápsulas redondas contendo um transistor, uma bateria de relógio e um pequeno disco de metal. E fios, tantos fios. Bem encolhidos dentro de uma tampa do tamanho de uma moeda e bem lacrados, simples, primitivos e perigosos como uma pedra. Ela reúne todas as tampas dentro de uma sacola de compras estampada com um *emoji* sorridente: AGRADECEMOS A PREFERÊNCIA.

Bird espera enquanto ela some no próprio quarto no andar de cima e volta usando um moletom largo e um chapéu de palha dobrável de aba larga. Igualzinha às mulheres que andam pelas ruas catando lixo, à procura de garrafas e latinhas que possam recuperar.

Fica aqui, diz Margaret. Ela hesita, então emenda: Vai ficar tudo bem, eu não vou demorar.

Fala isso com firmeza, tentando convencer a si mesma mais do que a ele.

Fica dentro da casa, acrescenta ela, e não faz nenhum barulho. Ela pendura a alça da sacola de tampinhas no pulso, então ergue um saco de lixo que pega no canto. As latas e as garrafas de refrigerante chacoalham lá dentro quando ela o suspende até o ombro. Um cheiro rançoso permeia o ar, e ele não sabe dizer se vem do saco, das roupas que ela veste ou dela própria.

Eu volto logo, avisa ela, e se encaminha para o hall.

* * *

Depois de a mãe sair, Bird pega uma das tampinhas ainda vazias e a gira entre os dedos, fazendo a unha do polegar estalar nas laterais sulcadas. Enquanto isso, sua mente processa o que acabou de ouvir.

É difícil imaginar o mundo que sua mãe descreveu. O mundo da Crise e o mundo de antes. Na escola, quando eles estudavam esse período, a Crise sempre lhe pareceu coisa de livro: uma história com lição de moral. Uma história para servir de alerta. Ouvir sua mãe contá-la é diferente. Ouvir a sensação que a Crise provocava, como eram os sons, os cheiros, imaginar sua mãe no meio daquilo. Ver as cicatrizes impressas nas mãos dela por aqueles dias difíceis.

Sua mãe, recorda ele, que fazia brotar da terra folhas verdes de bordas franzidas e das trepadeiras globos de vegetais lustrosos. Deixava abelhas pousarem nos próprios dedos, passava manteiga na torrada do filho, desfiava no escuro contos de fadas cintilantes. Sua mãe agora é uma criatura totalmente distinta, esguia e musculosa, quase selvagem, com ferocidade nos olhos. Os cabelos despenteados e sebentos, a pele com um cheiro forte e almiscarado de animal. Isso ajuda a acreditar nas coisas que ela lhe contou sobre a Crise, sobre a brutalidade daquela época. Sobre como ela sobreviveu. Também o deixa apreensivo imaginar o que ela pode estar fazendo agora. Bird pensa na mãe, curvada por cima da mesa, sussurrando-lhe histórias enquanto a ponta do arame cortado cintila na mão dela. Com a boca firme e tensa formando uma grave linha reta. Pensa nas tampinhas de garrafa, pequenas bombas-relógio, prontas para serem detonadas. Estilhaços coloridos para perfurar a cidade. Ela não faria isso, ele pensa, mas a verdade é que não tem certeza. Viu nos olhos da mãe uma dureza que não se lembra de ter visto na infância, um brilho afiado como uma navalha, capaz de cortar quem se demorasse demais olhando.

* * *

Quando Margaret volta, nada parece ter mudado: o saco de lixo cheio de latas continua em seu ombro, a sacola plástica continua pendurada no seu pulso. Ela tira o chapéu.

Está tudo bem?, pergunta. Não ficou com medo enquanto eu estive fora?

Você passou três anos sumida, pensa Bird, umas poucas horas não significam nada. Ele engole as palavras.

Sim, tudo bem.

Sua mãe enfia a mão dentro da sacola.

Eu não sabia do que você gostava, diz, então trouxe um pouco de tudo.

Barrinhas de cereal, castanhas, balas, latas de sopa, pacotinhos de amêndoas salgadas, um pacote de macarrão instantâneo. Como se ela tivesse percorrido as gôndolas sucessivamente e pegado um item de cada prateleira. Isso entristece e comove Bird ao mesmo tempo: ela não tem a menor ideia do que o filho quer e, apesar de não saber, se esforçou para lhe agradar.

Ela diz: Já faz tanto tempo que eu não...

Então se cala, olhando de cima para o butim espalhado entre os dois.

Devia ter trazido comida de verdade, reconhece, constrangida, e Bird consegue imaginar a refeição que ela desejaria ter providenciado: quente e nutritiva, balanceada e saudável. Verduras, purê de batatas, milho brilhando de tanta manteiga. Carne fatiada bem fina e disposta em leque no prato de porcelana branca. Mas ele entende, já faz muito tempo que ela não cuida de ninguém e quase esqueceu como se faz isso. Tanto tempo que lhe escapara a possibilidade de uma refeição dessas existir, quanto mais um mundo no qual alguém pudesse consumi-la.

Tudo bem, tranquiliza ele, está ótimo assim. E é verdadeiro quando diz isso.

Eles escolhem o macarrão instantâneo, algo para aquecer as mãos. Ele vê que todas as tampinhas sumiram.

Quando o macarrão fica pronto, ela desliza uma tigela fumegante na direção do filho junto com um garfo de plástico. O macarrão é amarelo-esverdeado e muito salgado, mas Bird o devora depressa. Do outro lado da mesa de centro, Margaret faz uma pausa, sem garfo na mão, e então sorve o seu diretamente do pote.

Faz quanto tempo que você mora aqui?, pergunta Bird. Ele pesca os últimos resquícios de macarrão.

Quase quatro semanas. Mas *morar* não é a melhor palavra. É só temporário, enquanto eu preparo tudo.

A resposta só gera mais perguntas na cabeça de Bird. Prepara, repete ele, prepara o quê? O que você está fazendo?

Bebe um pouco de leite, oferece ela, enchendo uma caneca e empurrando-a na sua direção. É bom para fortalecer os ossos.

Ela enche uma para si e toma um gole.

Além do mais, acrescenta, não dá para guardar. Aqui não tem geladeira. Então bebe à vontade.

Na sacola, ela pega uma lata, suspende o lacre com a unha, retira a tampa. Lá dentro, frutas reluzem como se fossem joias.

A sobremesa, diz ela, pousando a lata entre os dois, e esse gesto, por menor que seja, o aquece: Bird sempre adorou pêssego em calda, e disso ela ainda se lembra. Ele espeta um pedaço dourado com o garfo.

Você está gostando da escola?, pergunta ela de repente. O professor é legal? As outras crianças te tratam bem?

Bird dá de ombros e pega outro pedaço de pêssego. É por culpa dela se não tratam, mas não quer lhe dizer isso. Eles me chamam de Noah, é o que diz. Papai falou para chamarem.

Sua mãe passa alguns segundos calada. Ela mal comeu do seu macarrão e, nessa hora, pousa o pote de lado.

Ele está feliz?, indaga ela.

A voz dela sai calma e firme, como se tivesse perguntado sobre o clima. Apenas as mãos a denunciam: os polegares pressionados contra os dedos com tanta força que as unhas embranqueceram.

Como a maioria das crianças, Bird raramente se perguntou se o pai é feliz ou não. Todos os dias de manhã, ele se levanta, vai trabalhar e cuida das necessidades do filho. Pensando bem, ele se dá conta de que o pai é um tanto melancólico, aquele silêncio que ele atribuía à biblioteca, mas que talvez, percebe agora, tenha uma razão mais profunda.

Eu não sei, responde. Mas ele cuida bem de mim.

Parece importante dizer isso, embora ele não saiba direito se está defendendo o pai ou tranquilizando a mãe.

Sua mãe sorri, um sorriso pequeno e triste. Essa é uma das coisas com as quais eu nunca me preocupei, diz ela. E então: Ele ainda lê o dicionário?

Bird ri. Lê, sim. Todas as noites.

Ela se lembra, sim, pensa ele, mesmo que seja desse detalhe. Isso o ajuda a enxergá-la menos como uma estranha.

Ele não gosta de falar de você, admite Bird. Ele pediu... pediu que a gente fingisse que você não existe.

Ele imagina que isso vá deixá-la ainda mais triste, mas, em vez disso, ela assente.

A gente concordou que era melhor assim.

Mas por quê?, insiste Bird, e sua mãe suspira.

Eu estou tentando lhe contar, Bird. Estou mesmo. Mas, para entender, você precisa ouvir tudo, a história inteira. Amanhã, tá? Eu conto o resto amanhã.

Quando ele está subindo a escada, ela o chama.

Você quer que eu te chame de Noah agora? Se é assim que todo mundo te chama...

Com uma das mãos no corrimão que range, ele se detém.

Não, diz, com as bochechas subitamente quentes. Pode continuar me chamando de Bird. Se você quiser.

Na manhã seguinte, outra vez diante da mesa, ela trabalha mais depressa, as mãos se movendo com rapidez, consciente de que o tempo está se esgotando. Começa sem preâmbulo. Como quem mergulha no oceano antes que possa sentir medo.

Duas semanas depois do aniversário de nove anos de Bird. Durante o café da manhã, Ethan de repente congelou, pasmo, e pousou o celular na frente dela. Com a cabeça curvada sobre a tela, os dois leram juntos a manchete: "PROTESTO TERMINA EM CONFUSÃO; SEIS FERIDOS, UM MORTO". Abaixo do título, a foto de uma jovem negra: longas tranças presas num rabo de cavalo, óculos, gorro amarelo. De pé, com um olhar límpido e franco e a boca entreaberta para gritar, um milésimo de segundo antes de a sua mente entender o que o seu corpo já sente: uma rosa rubra de sangue que começa a desabrochar no seu peito. Segura com força um cartaz: *Os corações perdidos*. E uma legenda: *A manifestante Marie Johnson, 19 anos, caloura da Filadélfia na NYU, foi morta na última segunda-feira por uma bala perdida durante um conflito entre a polícia e opositores da PACT.*

A primeira de muitas matérias sobre o mesmo assunto, mas todas elas usariam a mesma imagem.

Aquela jovem, Marie, tinha lido o livro de Margaret em seu quarto no alojamento universitário. Ela estava estudando psicologia do desenvolvimento, tinha planos de se tornar pediatra, e, a cada nova notícia sobre uma criança realocada, os últimos versos do poema final tinham lhe voltado à mente, insistentes como o choro de um bebê. Nove anos depois de aprovada a PACT, aqueles casos eram cada vez mais frequentes; os poucos que chegavam ao noticiário eram apresentados como histórias de negligência e risco, os pais pintados como temerários, irresponsáveis e insensíveis. Mas havia outros também, rodeados por boatos, segredos e vergonha.

Eram só boatos, desdenhavam alguns; as realocações só ocorriam em alguns poucos casos isolados. Outros insistiam que as realocações via PACT eram um mal necessário: um resgate, para o bem da própria criança e da sociedade. *Não dá para sacudir o barco e ficar espantado se o seu filho cair no mar*, foi o comentário de alguém na internet. Mas, para cada criança que diziam ter sido realocada, quantas famílias se calariam e parariam de protestar, parariam tudo na esperança de que o bom comportamento pudesse lhes trazer os filhos de volta?

Na véspera da marcha, Marie foi à farmácia e comprou folhas de cartolina. Usando marcadores aromatizados de ponta grossa, gravou as palavras no cartaz em linhas oblíquas e abaixo esboçou o rosto solene de uma criança. Depois da marcha, foram encontrados, no chão do seu quarto no alojamento, os marcadores e o resto da cartolina, em branco e intocada, junto a um exemplar bem gasto do livro de Margaret.

Depois disso, vigílias. Campanhas em memória de Marie. Nas redes sociais, milhares de pessoas mudaram a foto de perfil: era Marie, Marie e mais Marie, um mar de Maries clamando, coradas de juventude, fúria e vida perdida pulsante, todas elas brandindo o cartaz com as palavras de Margaret. As pessoas pesquisaram no Google, e na tela surgiu o nome Margaret Miu e o título do livro. Os poemas que ela havia escrito ainda grávida, em meio à névoa insone de amamentar Bird no meio da noite, enquanto via o céu passar de preto a azul-marinho ao azul acinzentado de um hematoma.

Sempre pensara que aquele não era seu melhor verso nem sequer um dos seus melhores poemas; mesmo assim, ali estava ela. Nas mãos firmes daquela jovem morta.

O verso começou a aparecer on-line, adotado como slogan pelos opositores da PACT. Nos protestos que irrompiam aqui e ali, rápidas explosões de tristeza e raiva. Em bótons, grafites, estampas manuscritas de camisetas. Ele está no campus inteiro, disse Ethan com os olhos arregalados. Ao ver aquilo pela primeira vez, Margaret congelou no meio da rua e só tornou a despertar com um sobressalto quando alguém trombou nela por trás, disse um palavrão e passou abrindo caminho com o cotovelo. Sua sensação foi ter dobrado a esquina e esbarrado com uma versão irreal de si mesma. Ela nunca havia participado de um protesto. Para ser bem sincera, nunca tinha pensado muito na PACT.

Alguém pintou o verso no muro da Secretaria de Assistência Social de Nova York, na calçada em frente à Secretaria de Justiça. No país inteiro, marchas anti-PACT começaram a pipocar como incêndios na mata. Os manifestantes anti-PACT passaram a atirar ovos no carro de senadores e de figuras públicas defensoras da PACT, depois pedras. E sempre, sempre carregavam cartazes com o verso de Margaret. Os protestos eram curtos e esporádicos, mas duravam o suficiente para que os transeuntes tirassem fotos e, em pouco tempo, essas fotos estavam por toda parte, bem como as palavras de Margaret.

Quem diria que um poema fosse viralizar, disse ela a Ethan. Nenhum dos dois riu. Aquela era a coisa mais inacreditável de todas as coisas inacreditáveis que tinham acontecido naqueles últimos anos.

Então, um programa de rádio investigou a origem do verso estampado nos cartazes. Margaret.

Quem está inspirando esses baderneiros?, perguntou o apresentador. Bom, eu conto para você: uma poeta radical chamada Margaret Miu, moradora de Cambridge, essa bolha liberal. E olha só que surpresa: ela é japa.

Um apresentador de TV a cabo que tinha defendido a PACT desde o início soube da história: Sino-*americana*?, tinha dito ele, isso não existe; você sabe a quem ela é *realmente* leal. Ele escaneou a foto na contracapa do livro de Margaret e a estampou no vídeo. Deixando seu rosto estrangeiro dizer tudo.

Pessoas assim, comentou ele, são o motivo pelo qual nós *precisamos* da PACT. Sabe quem é o principal público dela, quem está comprando os livros? Eu conto para você. Eu pesquisei os números. São jovens. Universitários, alunos do ensino médio. Talvez até do ensino fundamental, vai saber. Crianças dessa idade são muito manipuláveis. E a influência dessa mulher está ficando *estratosférica*. Sabe quantos livros já foram vendidos? Só na semana passada, quatro mil exemplares. Nesta semana, seis mil. Na semana que vem, vão ser dez mil. Vou lhe dizer uma coisa, precisamos olhar mais atentamente o conteúdo desses poemas. Existe um perigo muito real de as nossas crianças serem corrompidas. É para *isso* que a PACT serve.

Nos fóruns on-line e, logo depois, nos gabinetes das autoridades, as pessoas começaram a dissecar os textos de Margaret. *Espalhados para brotar noutro lugar*: não seria um incentivo para espalhar ideias nocivas? Este poema aqui, sobre uma aranha agarrada no seu saco de ovos vazio, *oco e ressecado, contendo apenas ar*, bom, não é difícil interpretá-lo como uma metáfora dos Estados Unidos, agarrado a ideais *ocos* até morrer. E este aqui, sobre tomates, sobre perturbar suas *raízes robustas*: como ler esses versos a não ser como um incentivo para que os outros destruam o país pelas raízes?

A ideologia antiamericana era nítida, o que tornava ainda mais perigoso o fato de as pessoas estarem lendo aqueles poemas: quase cinquenta mil exemplares vendidos até então, um número inédito para um livro de poesia, principalmente de uma editora minúscula. Aquilo por si só já era suspeito: é claro que o Pentágono deveria investigar. Não se podia excluir a possibilidade de as estrofes conterem mensagens cifradas. Fosse como fosse, aqueles poemas não eram só antiamericanos; eram incitações à revolta. Que endossavam e defendiam atividades terroristas. Que convenciam as pessoas a apoiar a insurreição. Era só ver quantos protestos anti-PACT estavam acontecendo.

É, não tinha como ser diferente, pensou um agente público ao marcar a ficha de Margaret com um carimbo vermelho-vivo. Nascida aqui, mas obviamente norte-americana só no nome. Deve ter aprendido tudo com os pais. Aquele jeito de pensar estrangeiro tinha raízes profundas, filosofou ele; talvez estivesse entranhado até o DNA. Talvez não fosse nem sequer possível corrigir a lealdade daquelas pessoas.

Uma semana mais tarde, Margaret recebeu um telefonema do seu editor: foi ordenado que eles parassem de publicar o livro e que destruíssem qualquer exemplar em estoque. Eles podem fazer isso?, perguntou Margaret, e o editor suspirou. Era um homem branco magrelo, de óculos, capaz de recitar Rilke de cor; a editora funcionava num escritório alugado de dois cômodos em Milwaukee. Ele vinha recebendo havia semanas ameaças por e-mails e telefonemas, o mais recente com uma descrição detalhada do que seria feito com sua filha de sete anos. E não é só isso, falou. Eles também mandaram uma intimação para verificar nossas finanças e nossos outros autores. Não só os asiáticos — todos. Para ver se financiamos alguma outra coisa *antiamericana*. Acho que ficou bem claro que, se não obedecêssemos, eles dariam um jeito de fechar a editora. Eu sinto muito, Margaret. De verdade.

Um mês depois, a editora encerraria suas atividades de qualquer forma e teria todo o estoque transformado em polpa de celulose e todos os arquivos apagados. Soterradas por ligações raivosas relacionadas ao livro, as bibliotecas começaram a retirá-lo das estantes. Defensores da PACT fizeram um comício no centro de Boston no qual reuniram alguns exemplares e os queimaram num barril de petróleo no City Hall Plaza. O correio começou a monitorar a correspondência de Margaret e Ethan.

Só piorou. Alguém fuçou a internet e publicou numa rede social o endereço da casa e o número do celular de Margaret. *Não gosta dessa piranha chinesa & do lixo que ela está ensinando para as nossas crianças? Liga & fala diretamente com ela.*

O que vamos fazer?, perguntou ela a Ethan enquanto punha o celular no silencioso. O aparelho passara os vinte minutos anteriores tocando, e, durante algum tempo, ela havia atendido e desligado na hora, mas todas as vezes ele simplesmente recomeçava a tocar.

Ethan a envolveu nos braços. Ele tinha falado com a polícia: segundo eles, não era ilegal postar uma informação já disponível para o público. Ethan os xingou e desligou na cara deles. Era sábado de manhã, e, num dia normal, eles estariam sentados à mesa da cozinha comendo waffles enquanto a luz do sol banhava os pratos. Em vez disso, ele havia passado a manhã inteira andando pela casa, fechando as cortinas e empurrando Margaret e Bird para longe das janelas.

Vai parar, garantiu ela. Tem que parar. Eles vão cansar. Eu nem fiz nada. Nunca fui a um protesto. Tudo o que eu fiz foi escrever um poema.

Não parou. Ninguém parecia estar se cansando exceto Margaret e Ethan... e Bird. O que houve com o seu telefone?, ele não parava de perguntar, quem fica te ligando? Peixe podre, sacos com cocô de cachorro e cacos de vidro começaram a aparecer nos degraus da frente da casa e, num dia, uma única bala ainda não disparada. Depois disso, Bird não teve mais permissão para sair sozinho, nem mesmo para o quintal dos fundos.

As pessoas são loucas, disse Ethan. Não se preocupe. Você está em segurança.

Você sabia, comentou o apresentador de um *talk show* alguns dias depois, que essa tal de Margaret Miu tem um filho? De nove anos. Pois é. Dá para acreditar numa coisa dessas? E o nome dele, escuta só, o nome dele é *Bird*.

Os comentários na internet:

Isso é abuso infantil, puro e simples. E tenho dito.

Pessoas assim deveriam ser proibidas de ter filhos.

Dá para imaginar o tipo de lixo que ela está ensinando para o menino em casa? Imagina ter ela como mãe.

Coitado desse menino. Vamos rezar para que o Conselho Tutelar apareça lá logo.

Naquela noite, depois de eles terem posto Bird na cama, a mãe de Ethan mandou um e-mail para o filho. *Minha amiga Betsy me encaminhou essa matéria sobre Margaret.* Era a primeira de muitas, algumas das quais ela encaminharia e muitas das quais apenas leria quando aparecessem na sua caixa de entrada, uma por uma e, às vezes, duas ou três juntas, encaminhadas por conhecidos muito bem-intencionados: *Lembro que você comentou sobre a nova esposa do seu filho(?). É a mesma Margaret Miu?!*

À medida que as matérias, reportagens e manchetes se acumulavam, os pais de Ethan liam e debatiam, comparando a mulher que haviam conhecido e amado, que o filho adorava, que dera à luz seu neto, com aquela que o noticiário pintava. A pessoa que eles conheciam — será que conheciam mesmo? — em comparação com a pessoa que todos os outros pareciam enxergar. Quantas vezes eles a tinham encontrado? O quão bem se podia conhecer alguém nesse tempo? Em seus telefonemas semanais, Ethan se queixava com os pais dos últimos desdobramentos: os e-mails anônimos que abarrotavam a caixa de entrada de Margaret, os recados pregados com durex na porta da frente. Foi só quando Ethan parou de falar, exausto de raiva e de medo, que reparou no silêncio atípico da mãe.

Ela sempre pareceu ser tão *boazinha*, disse sua mãe em tom triste e ressentido, e Ethan entendeu: uma história tinha se fixado na cabeça dela, e não havia nada que ele pudesse fazer para reescrevê-la. Nas semanas subsequentes, os pais de Ethan não ligaram, e, quando ele e Bird se mudaram para o alojamento, ele não lhes mandou seu novo endereço.

Então veio o recado. Um pedaço de papel escrito pela professora de Bird, a sra. Hernández, deixado discretamente dentro da mochila dele. *Caros sr. e sra. Gardner*, estava escrito numa letra cursiva bem-feita. O *C* dela era alto e orgulhoso. O *F* reto e de costas eretas. *A escola recebeu um telefonema do Conselho Tutelar. Fui intimada a falar com eles na segunda-feira de manhã, e é provável que eles queiram conversar com vocês logo em seguida. Me pareceu melhor avisar.*

Um aviso. Uma gentileza, na verdade.

Ela fez as malas naquela noite, uma única mala. Que pudesse carregar nas costas, pequena o suficiente para caminhar quanto precisasse; um saco de dormir e todo o dinheiro em espécie que eles conseguiram juntar. O saco de dormir tinha pertencido a Ethan. É quentinho, disse ele suavemente ao tirá-lo do fundo do armário, e ela ouviu a voz dele falhar enquanto os dois imaginavam todas as futuras noites em que não se deitariam mais um ao lado do outro. Ela havia pegado o saco e se virado depressa, abaixando-se para prendê-lo à mochila, mas a verdade era que não conseguia encarar a dor nos olhos de Ethan e não tinha certeza se ele era capaz de encarar a dor nos dela. Os dois combinaram: ela não iria escrever, não iria ligar. Nada que pudesse ser rastreado. Largaria o celular. Como quaisquer vínculos que não fossem rompidos poderiam vir à tona, eles a cortariam de suas vidas, a mãe traidora de origem asiática. Não dariam nenhum motivo para levarem Bird embora. A qualquer custo, concordaram. O que quer que fosse preciso fazer ou dizer para mantê-lo seguro.

Na manhã seguinte, ela tentou se despedir. Era um sábado no fim do mês de outubro. As folhas estavam começando a cair. Nós vamos ficar bem, disse Ethan. Ambos entenderam que ele estava tranquilizando tanto a si mesmo quanto a ela. Ele enterrou o rosto nos seus cabelos, e Margaret se aninhou junto ao seu peito para sentir o cheiro dele, com todas as palavras que não tinha coragem para dizer tentando desesperadamente lhe escapar da boca. Quando enfim se afastaram, nenhum dos dois conseguiu olhar para o outro. Ethan logo se fechou no quarto: não tinha mais nada a dizer e não aguentaria vê-la partir. Bird, sem saber de nada, estava ajoelhado no tapete da sala encaixando tijolos de plástico sem parar. Era uma casa, e o telhado não parava de cair, o arco alto demais para suas mãos de criança.

Birdie, chamou ela. Com a voz se despedaçando. Bird, eu preciso sair.

Esperava que ele fizesse perguntas assim que visse a sua mochila, algo que ela nunca carregava e que ele com certeza notaria. Por que você está com isso? Para onde você vai? Posso ir junto? Mas ele não se virou. Não a escutara da primeira vez, de tão absorto no que estava fazendo, e ela adorava isso nele: o modo como se concentrava, com a intensidade do calor do verão, naquilo que queria resolver.

Bird, tornou a chamar, dessa vez mais alto. Birdie, meu amor. Eu estou indo.

Ele não se virou, e ela se sentiu grata — grata por não ver os olhos dele naquele último instante, por ele não correr até ela e afundar o rosto na sua barriga como costumava fazer, porque, se fosse o caso, como ela conseguiria se afastar?

Tá bem, respondeu ele, e aquela confiança doeu nela, a segurança de que ela voltaria logo, como sempre tinha voltado. Foi ela quem se virou então, pendurou a mochila no ombro e saiu direto antes que o seu coração mudasse de ideia.

Dois dias mais tarde, quando o Conselho Tutelar chegou, as coisas dela já estavam empilhadas junto ao meio-fio. Quando perguntado, Ethan balançaria a cabeça, e o coração do filho se partiria. Não, ele não sabia para onde a mulher tinha ido. Não, não tinha as mesmas opiniões que ela, com certeza. Para falar a verdade, muito pelo contrário. Não, não podia dizer com sinceridade que estava arrependido. Tinha tentado fazer as coisas darem certo pelo bem do filho, mas havia um limite para o que um homem conseguia suportar. Bem... digamos apenas que ele estava aliviado por ela não ser mais uma influência. Isso, exato. Eles estavam muito melhor sem ela.

Os livros dela? De jeito nenhum. Aquele lixo subversivo. Tinha queimado todos.

Um ônibus até a Filadélfia com um lenço cobrindo o rosto e protegida por óculos escuros. Mil e cem dólares no bolso, a maior parte da poupança do casal. Não tinha nenhum plano ainda, apenas uma esperança: alguém que poderia ajudá-la, que talvez lhe oferecesse um lugar para ficar e decidir como agir em seguida. Mas, primeiro, antes de ir para qualquer lugar, ela precisava prestar uma homenagem, desculpar-se. Redimir-se. Afundada no assento, puxou o gorro de tricô quase até o dorso do nariz e enfiou o queixo na gola do casaco. Recusou-se a chorar. Em vez disso, observou a rodovia passar num borrão cinza e branco. Ao seu lado, um homem de bigode roncava, e sua papada gorda estremecia a cada respiração.

O pequeno subúrbio onde Marie Johnson fora criada tinha gramados verdes bem-cuidados cercados por arbustos floridos e carvalhos antigos, casas de madeira arrumadinhas com demãos de tinta recentes cobrindo as quinas arredondadas pelo tempo. A casa de Marie podia ser qualquer uma: de fora, não parecia uma casa enlutada. Mas ela a reconheceu na hora das notícias que apareceram diversas vezes nas telas, sempre com as cortinas bem fechadas para evitar as câmeras que zumbiam ali fora. Agora, meses depois, o bairro havia recuperado um semblante de normalidade: alguns metros mais adiante, um homem deu um puxão na corrente do seu soprador de folhas, e o aparelho ganhou vida com um rosnado grave; do outro lado da rua, uma mulher mais velha com luvas de jardinagem floridas arrancava as flores mortas de um crisântemo com um rigor professoral. Na casa de Marie, os únicos sinais de vida eram o carro parado em frente e a fina brecha entre as cortinas para deixar entrar uma faixa de sol da tarde.

Marie devia ter brincado ali quando era criança. Talvez tivesse dado estrelinhas bambas naquele gramado e traçado amarelinhas com giz nos quadrados da calçada. Talvez tivesse corrido na frente dos *sprinklers* nos dias quentes de verão, fugindo e depois perseguindo a cortina d'água. Margaret conseguia imaginar isso, ouvir o gritinho agudo dela, igual ao de Bird, subir pelos ares como o badalar de um sino. A mochila em suas costas tinha escavado largas marcas vermelhas nos ombros. Ela tocou a campainha.

A mulher que atendeu devia ter dez anos a mais que ela, mas Margaret teve a sensação de que vivera muitas vidas. Embora o rosto ainda fosse jovem, havia algo de gasto e pesado na sua postura, como se ela tivesse sido esticada além do que deveria suportar. Atrás dela estava um homem, os ombros largos arredondados e curvos, os óculos de leitura equilibrados na ponta do nariz e um jornal dobrado na mão.

Sra. Johnson, disse Margaret. Sr. Johnson. Eu estou aqui por causa de Marie.

E tudo então jorrou de dentro dela numa torrente confusa: desculpas e confissão, explicação, arrependimento e autojulgamento. Seus poemas, sua intenção, seu horror e sua tristeza com a morte de Marie. Não foi minha intenção, ela não parava de dizer. Eu nunca imaginei. Eu não esperava. Na mesma hora em que as palavras deslizaram de sua boca e entraram nos seus próprios ouvidos, ela percebeu seu erro. O que ela desesperadamente queria — ser tranquilizada, reconfortada, absolvida —, aquilo ela não tinha o direito de lhes pedir nem eles tinham motivo algum para lhe dar.

Estão atrás de mim, pegou-se dizendo. Implorando, quase numa súplica, o próprio medo agudo em seus ouvidos. Eles me culpam por tudo o que aconteceu. E estão certos.

Os pais de Marie continuaram parados na porta da casa, apáticos. Mais embaixo na rua, o homem do soprador desligou o motor, e um silêncio se fez. Ela ainda estava no degrau da frente; não havia nem sequer esperado, pensou, antes de despejar tudo aquilo diante daquele homem e daquela mulher que tinham perdido a filha. Era inútil, ela era uma inútil; como poderia algum dia se desculpar pelo acontecido?

Lamento muitíssimo, disse ela, por fim, e se virou para ir embora.

O que a senhora veio fazer aqui?, perguntou o pai de Marie. Ele dobrou o jornal ao meio, não com raiva, mas com calma. Como se já tivesse lido notícias suficientes para uma vida inteira, como se aquele fosse o último jornal que fosse ler. Encarou-a, sem desviar os olhos; ele já não sentia medo. Acha que temos alguma coisa para dizer à senhora?, indagou. Nossa filha está morta, e a senhora vem até aqui querendo o quê? Que a gente sinta pena do que *você* passou?

Ele falou baixo, um tom de voz que se poderia usar para falar numa biblioteca, e, por algum motivo, aquilo fez Margaret gelar mais do que se tivesse gritado.

A senhora acha que a conhece?, continuou o pai. Todo mundo acha que conhece. Todo mundo agora acha que conhece. A senhora fez as pessoas começarem a usar a imagem da minha filha no peito, gente que não se importa com ela ou com quem ela foi. Que está só usando o nome dela para justificar as próprias ações. Para essa gente, ela não passa de um slogan. Essas pessoas não sabem nada sobre ela. A senhora também não sabe.

À sua volta, os ruídos onipresentes do subúrbio: carros passando como se não tivessem nenhum lugar urgente para ir, o grasnado de um corvo subindo em direção ao céu, o inevitável latido de um cão vindo de alguma distância indeterminada. Uma rotina normal como se nada estivesse fora do lugar.

O que a senhora tem a dizer?, concluiu ele.

Então, virou-se e se recolheu no interior escuro da casa.

Por alguns instantes, Margaret e a sra. Johnson ficaram paradas ali, de lados opostos da soleira: Margaret petrificada no degrau da frente, sentindo a brisa gelada na nuca onde o suor havia lhe ume- decido os cabelos; a mãe de Marie com uma das mãos no batente, como se estivesse impedindo a casa de ruir. Com os olhos semicer- rados por causa do sol, as costas envoltas em sombras. Estudando Margaret. Margaret se perguntou o que ela estaria vendo. Pensou, com atraso, nos mundos asiático e negro orbitando com cautela, congelados um longe do outro num precário equilíbrio entre atra- ção e repulsa.

Quando ela era criança, uma menina negra foi morta a tiros, Los Angeles em chamas, lojas coreanas incendiadas. Seus pais ficaram furiosos ao ler as notícias, indignados com o estrago, com a *delinquência*. Então, anos depois, um rapaz negro foi morto numa escada, com o dedo de um policial sino-americano no gatilho. Protestos por todos os lados, acidente, truculência policial, bode expiatório, até os grupos tornarem a se separar numa frágil trégua. Mais de uma vez, sua mãe fora empurrada na rua por um adolescente negro tirando sarro da cara dela com musiquinhas preconceituosas.

Depois de se mudar para Nova York, ela estava em Chinatown pegando frutas de um carrinho quando um homem negro passou de SUV, o rap nas alturas saindo pelas janelas abertas, tão ensurdecedor que a sua mão chegara a tremer, e o dono da mercearia, um chinês mais velho, magro e rijo, havia trincado os dentes. Esses arruaceiros, falou, como se fosse uma opinião compartilhada, e cuspiu no chão, e Margaret ficara tão atônita que, para a própria vergonha, só assentiu, pagou e saiu depressa sem dizer nada. Essa história, para ela, é um peso tanto quanto a mochila em suas costas.

Eu sinto muito, disse Margaret outra vez. É melhor eu ir embora.

A senhora tem filhos?, perguntou de repente a mãe de Marie.

Um, respondeu Margaret. Eu tinha um filho. O pretérito despropositado a deixou chocada. A facilidade com que sua mente aceitou o que o seu coração não conseguiu. Tenho, ela se corrigiu. Eu tenho um filho. Mas nunca mais vou vê-lo.

Uma longa pausa entre elas, esticando-se e inflando até envolver as duas, espessa e macia. Então, para a surpresa de Margaret, a mãe de Marie esticou a mão e tocou seu pulso.

Bem-vinda ao pior clube do mundo, disse ela.

A casa dos Johnson era aconchegante e bem-arrumada, mas havia sinais da filha por toda parte. Com os lábios apertados, o sr. Johnson balançou a cabeça em reprovação à atitude da mulher e desapareceu escada acima, mas a sra. Johnson levou Margaret até a sala. Na cornija da lareira, havia um porta-retrato de Marie de beca e capelo, segurando o canudo do diploma debaixo do braço como se fosse um buquê de flores. Formatura do ensino médio, disse a sra. Johnson. Segunda melhor da turma. No canto, havia uma estante de partitura, um estojo de flauta, e partituras cobertas por notas impossíveis de tão agudas.

Ela tocava na fanfarra da escola. Mas gostava mesmo era de música clássica.

Sua mão roçou o couro sintético do estojo, limpou um grão de sujeira do fecho.

Eu queria que ela continuasse a tocar na faculdade. Mas ela disse que não daria tempo. Tinha tantos planos.

Margaret ainda não havia tirado a mochila, incerta de ter sido convidada a ficar. Sentia-se como um animal grande e sem jeito naquela sala abarrotada de coisas, cada movimento ameaçando derrubar no chão alguma parte do passado. Prendeu a respiração, como se aquilo pudesse torná-la menor e mais imóvel, como se pudesse ajudar em alguma coisa.

A sra. Johnson pegou no parapeito um pequeno elefante de porcelana e o virou. Alguns segundos depois, encontrou o que estava procurando e ergueu o elefante para Margaret ver uma linha fina de cola ao redor da tromba erguida.

Está vendo aqui?, perguntou. Uma amiga minha foi passar férias na Índia e me trouxe esse elefante. Marie devia ter o quê, uns sete, oito anos? Ela amou o elefante. Brincava com ele, punha no bolso, carregava para lá e para cá. Um dia, eu cheguei do trabalho, e ela tinha quebrado a tromba. Como eu briguei com ela! Falei que ela não tinha respeito pelas coisas dos outros, que eu tinha dito para tomar cuidado, por que ela não escutou. Não, mamãe, ela me disse, é que eu queria ver o que tinha dentro. Ela fez de propósito. Falei que ela estava de castigo por um mês. No dia seguinte, encontrei o elefante assim.

Ela inclinou a palma da mão sobre a qual o pequeno elefante repousava, fazendo a luz realçar suas curvas.

Ela colou a tromba de volta. Mal dá para ver onde quebrou. Só se você souber onde procurar.

Com todo o cuidado, ela recolocou o elefante no lugar.

Marie era assim, falou. Ninguém por aí se lembra dessas coisas. Só eu.

As duas mulheres ficaram paradas em silêncio. No feixe de luz que entrava pela fresta das cortinas, flutuavam montinhos de poeira.

A senhora pode me contar?, pediu Margaret. Segurou as mãos da mulher mais velha, e a sra. Johnson não se retraiu. Uma gentileza que deixou Margaret comovida, porque ela não fizera por merecer. Pode me contar sobre ela?, perguntou. Quem ela era. Como era.

Eu conto. Mas só se você me prometer que vai lembrar. Que ela era uma pessoa de verdade, não um cartaz. Que era filha de alguém. A minha filha.

Ela passou dois dias lá, escutando. Deixando a mãe de Marie lhe dizer qualquer coisa que lhe viesse à cabeça. O sr. Johnson a evitava, espiando-a com uma desconfiança fria, guardando os óculos no bolso da camisa antes de se retirar.

Ele não confia em você, disse a sra. Johnson quando o marido passou pelo corredor. Não foi um pedido de desculpas, mas uma afirmação da verdade.

Mas a sra. Johnson a levou ao quarto de Marie, onde as duas ficaram sentadas juntas desde o nascer do sol até o crepúsculo. Percorreu o quarto falando baixinho, tocando nisso e naquilo, relembrando. Pegando a escova de cabelos de Marie, os anéis que ela usava, as pedras arredondadas pelo mar que enfeitavam a janela, cada objeto despertando uma lembrança como se fosse um talismã. Nenhuma das histórias era importante. Uma visita a uma tia na Carolina do Norte, um dia no parque Six Flags, a primeira ida de Marie a Nova York, quando adolescente, magrela e desengonçada: Mãe, eu quero *morar* aqui. Todas as histórias eram insuportavelmente importantes. A vez que, ainda criança, ela havia soltado um pum na igreja logo depois de o pastor dizer *Oremos*. Os sapatos vermelhos tão amados que ela passara meses espremendo os pés para calçar, recusando-se a parar de usá-los, insistindo que ainda cabiam até arrebentá-los nas costuras. Como, na adolescência, ela recortava das revistas palavras de que gostava e as guardava como se fossem confetes dentro de um envelope azul: *nebuloso*, *moscovita*, *esfrangalhado*. Gosto do som que elas têm, dizia.

Não sei o que ela queria fazer com essas palavras, disse a sra. Johnson.

Ela foi falando sem parar, passando de lembrança em lembrança, atravessando um vasto oceano como quem saltita por um caminho de pedras. Lembre-se disso, dizia e repetia a mãe de Marie. Agarre--se a isso. Como se a lembrança fosse uma miçanga que pudesse escapulir, cair no chão, rolar para dentro de um buraco e sumir. E de fato era. À noite, enrolada em seu saco de dormir na sala de estar dos Johnson, Margaret anotava o que a mãe de Marie tinha dito, e cada palavra ecoava como um sino. Mas, enquanto a sra. Johnson falava, ela só escutava, escutava, escutava.

Na segunda noite, o pai de Marie apareceu no corredor. Olhou para a esposa sentada na cama florida da filha; olhou para Margaret, sentada de pernas cruzadas no chão.

Sabe a última coisa que eu falei para ela?, perguntou ele.

Sem cumprimento, sem introdução. Como se tivesse esperado muito tempo só para dizer aquilo.

Ela me contou ao telefone que tinha um protesto marcado, um protesto contra a PACT, e que ela pretendia ir com um cartaz. Eu falei: Marie, você não tem nada a ver com isso. Acha que essa gente se arriscaria por você? Acha que alguma dessas pessoas dá a mínima quando a gente é seguido por seguranças nas lojas ou leva um tiro no sinal? Deixa isso quieto.

Ele fez uma pausa.

Ela vinha fazendo pesquisas, continuou ele. Tentando montar nossa árvore genealógica. Ficou curiosa na escola. Vivia na biblioteca consultando bases de dados e registros do censo para tentar encontrar as próprias raízes. As nossas raízes. O que ela encontrou foi um grande vazio. Nenhum registro anterior à Emancipação, com exceção de um. Um recibo de venda de um possível antepassado meu. Aos onze anos de idade. Para um tal de sr. Johnson do condado de Albemarle, na Virgínia.

Nova pausa. Ele baixou os olhos para Margaret, e ela ergueu os seus para ele. Atenta.

Eu não queria que ela fosse. Mas ela estava irredutível. Tudo que ela me disse foi: É errado separar crianças das famílias, pai. Você sabe que é. Como ela não quis discutir mais, nós desligamos, e, no dia seguinte, Marie foi ao tal protesto.

Ele ficou parado, emoldurado pela porta, um homem forte fragilizado pelo luto. A mãe de Margaret antes atravessava a rua ao ver homens iguais a ele se aproximarem. Por desdém? Por medo? Ela não sabia e não tinha certeza se fazia diferença. Na fábrica onde seu pai trabalhava, havia poucos homens negros, e seu pai não socializava com nenhum. Não é meu tipo de gente, justificava ele, e ela nunca se dera ao trabalho de perguntar o que ele queria dizer com aquilo.

O senhor não estava errado, disse Margaret, por fim. Não estava. Mas Marie também não.

Um puxãozinho de nada num nó complexo que seria preciso muitas gerações para desatar.

O sr. Johnson se acomodou na cama ao lado da mulher, que passou o braço ao redor dele e virou o rosto para o seu ombro, e ficaram os três ali em silêncio no quarto de Marie, Margaret como testemunha do que eles tinham perdido.

Depois de muito tempo, ele disse: Sabe o que não sai da minha cabeça? A noite em que eu cheguei do trabalho.

A memória brota como água minando de uma pedra.

Nem lembro quantos anos ela tinha. Talvez uns cinco, talvez quinze.

Margaret não questionou aquilo; entendia como o tempo em relação a um filho era escorregadio, elástico, como parecia se mover não em linha reta, mas em infindáveis círculos, dando voltas e mais voltas, reescrevendo a si mesmo.

Ela estava rindo, contou o pai de Marie. Ria, ria, ria. Ria tanto que não conseguia ficar em pé. Ria tanto que lágrimas escorreram pelo rosto. Eu entrei e a vi ali, rolando no tapete. Simplesmente rindo. Está rindo de quê, Marie?, perguntei. Ela só continuou rindo. Até eu começar a rir também. Não consegui me segurar.

Estava quase rindo outra vez, conforme a lembrança rodopiava em torno dele e o puxava de volta para o passado.

Por fim, ela se acalmou e ficou só deitada no chão. Recuperando o fôlego, olhando para o teto e ainda com um sorrisão no rosto. Marie, perguntei de novo, você está rindo de quê? Ela deu um grande suspiro. Como parecia feliz. Estou rindo de tudo, falou. De tudo.

Ela se despediu da família de Marie com um pedido e um nome.

Escreva um poema para ela, pediu o sr. Johnson, ela iria gostar. Escreva um poema para ela, tá? Faça os outros se lembrarem dela.

Eu vou tentar, respondeu Margaret, embora já soubesse que poema algum conseguiria resumir Marie, da mesma forma que poema algum conseguiria resumir Bird. Sempre haveria coisas demais deixadas de fora.

A sra. Johnson não disse nada, apenas abraçou Margaret com ainda mais força do que Margaret a abraçou. As duas nunca mais voltariam a se falar, mas agora tinham um vínculo; pessoas que atravessaram juntas algo terrível ficam eternamente conectadas, de formas que nem sempre compreendem.

O nome era o da bibliotecária, embora os Johnson soubessem apenas o sobrenome dela: sra. Adelman isso, sra. Adelman aquilo, esse foi o único assunto de Marie durante o ensino médio, contou a mãe; ela passava todo o tempo livre lá. É do outro lado da cidade, o ônibus passa na esquina. Mas Margaret preferiu ir a pé, seguindo o rastro dos pontos de ônibus, vendo o ônibus em si passar por ela a intervalos que lhe serviam de incentivo, certificando-a de ainda estar no caminho certo. Quando chegou à biblioteca, seis ônibus já tinham passado, e talvez por isso, ao subir a escada, ela teve a sensação de já ter estado ali, de que alguma versão sua já tinha chegado, já estava lá dentro, já tinha descoberto o que ela própria só descobriria ao entrar.

A biblioteca não era o imenso salão de mármore que ela esperava, e sim um lugar quentinho e aconchegante, o carpete, as paredes e as estantes todas do mesmo tom de mel de uma velha poltrona de couro, como a sala de estar de uma tia-avó. À mesa no canto dos fundos, estava sentada uma única bibliotecária, uma mulher mais velha, com os cabelos grisalhos riscados por uma mecha branca bem na têmpora — como um raio emergindo do seu cérebro —, o olhar penetrante e a postura mais régia e ereta que Margaret já tinha visto, e ela se deixara guiar pelo instinto.

Sra. Adelman?, chamou. Eu estou aqui por causa da Marie.

No começo, a bibliotecária não disse nada e passou muito tempo estudando Margaret em silêncio. Como se as duas tivessem se conhecido numa vida passada e ela estivesse tentando situá-la. Então, uma mudança atravessou seu semblante, como nuvens que uma brisa forte sopra pelo céu.

Ah, sim. Eu sei quem *você* é.

Então, depois de vários instantes de silêncio: Dei a ela o seu livro, sabe.

Era um dos muitos livros que a bibliotecária tinha entregado a Marie ao longo dos anos. As duas haviam se aproximado quando Marie aparecera tentando encontrar as próprias raízes. A sra. Adelman a ajudara com os arquivos e as sociedades históricas que ela deveria contatar e estava lá quando Marie descobriu que os registros do restante da sua linhagem foram apagados. Os avós da própria sra. Adelman tinham fugido de Munique nos anos 1930, mas o resto da família permanecera, e, embora não fosse a mesma coisa, ela conhecia a dor dos abismos na história familiar, além dos quais não se podia ver. Então, conforme o leque de interesses de Marie crescia, a sra. Adelman acompanhava seu raciocínio e gostava de alimentar aquele apetite de *conhecimento* onívoro e insaciável. *Notas de um filho nativo*. Biografias de Gandhi e Grace Lee Boggs. Livros sobre ecologia, tarô, exploração espacial e mudança climática. E poesia também: Marie tinha começado com os poemas da escola — Keats, Wordsworth e Yeats — e fora lá atrás de outros, e a bibliotecária a ajudara a encontrá-los — Lucille Clifton, Adrienne Rich, Ada Limón, Ross Gay. Todos aqueles livros a bibliotecária lhe entregara, e Marie obedientemente os devolvera quinze dias depois, sem nunca estourar o prazo. Na semana em que partiria para a faculdade, Marie fora à biblioteca uma última vez, e a sra. Adelman deslizara por cima da bancada um pequeno embrulho envolto em papel azul. Escrito no verso da folha de guarda:

Este você não precisa devolver. Na capa, a foto em close de uma romã partida, as sementes reluzentes como joias.

Nós retiramos do acervo, disse a sra. Adelman. Não fui eu quem decidi. Depois de Marie, as pessoas começaram a aparecer. Algumas queriam o livro emprestado. Mas depois, quando os *talk shows* de rádio e aqueles caras da TV a cabo começaram a perseguir você, as pessoas ficaram com medo. Como podíamos manter um livro assim no acervo?, perguntavam elas. Se você era mesmo subversiva, como podíamos correr o risco de permitir que mentes jovens tivessem acesso a esse tipo de material? No fim das contas, os mandachuvas decidiram que era mais fácil retirar o livro e pronto. O prefeito ficou nervoso. Segundo amigos meus, a mesma coisa vem acontecendo em outros lugares. Não só com o seu livro — com qualquer coisa que tenha o mais remoto vínculo com a China. Qualquer coisa asiática. Qualquer coisa que possa ser um risco.

Que covardia, comentou Margaret.

Bom, essas pessoas também têm filhos, sabe.

Fez-se um longo silêncio.

O seu filho, começou a sra. Adelman. Segundo o noticiário, você tem um filho. De que idade?

Nove anos, respondeu Margaret. Faz dez no verão.

No silêncio, ela tentou imaginar o aniversário de Bird. Será que teria bolo? Velas? O que eles iriam comemorar? Será que ele sentiria falta dela? Tudo que ela consegue visualizar é um cômodo às escuras.

Então, antes de eles recolherem o seu filho, você se retirou.

Margaret concordou em silêncio.

Isso deixava Marie arrasada, relembrou a sra. Adelman. Essas crianças levadas embora para silenciar os pais e o fato de o noticiário nem sequer mencioná-las. O fato de todo mundo ficar quieto e fingir que nada estava acontecendo, dizer que as pessoas mereciam. Tantas famílias desfeitas.

O noticiário só mostrava algumas pessoas, nos casos em que a questão parecia clara, e a solução, óbvia e descomplicada.

Quantas?, perguntou Margaret.

Mais do que deveria, respondeu a sra. Adelman. E não só manifestantes. Qualquer um contrário à PACT. E mais a cada dia.

Margaret teve a sensação repentina de captar uma frequência que antes não conseguia escutar. A noite já havia caído; a biblioteca estava fechada. Ninguém tinha aparecido.

Quase ninguém vem aqui agora, disse a sra. Adelman. As pessoas estão nervosas. Se vêm, pegam logo o que querem e vão embora.

Onde posso encontrá-las?, perguntou Margaret. As famílias. Como posso entrar em contato?

Eu *ouvi falar*, começou a sra. Adelman devagar. Certas pessoas estão tentando rastrear as crianças que foram realocadas. Na esperança de que elas voltem para suas famílias.

Isso ainda é possível?, perguntou Margaret.

Nove anos depois de instaurarem a PACT, fazer isso era como combater a lei da gravidade ou a maré. Esses protestos, diziam as pessoas no noticiário e nas ruas, balançando a cabeça em reprovação. Tentativas fúteis. Só servem para incomodar os outros.

A bibliotecária deu de ombros. Me diga você, falou. Se os protestos não significam nada, então o que está fazendo aqui?

Onde posso encontrar essas famílias?, perguntou Margaret. Ao que a sra. Adelman respondeu: Eu conheço uma.

Foi seguindo um rastro de sussurros. O nome fornecido pela sra. Adelman conduziu a outros: um amigo, a irmã de um vizinho. Ouvi falar de alguém. Eu conheço uma pessoa. Nenhum e-mail, nenhum número de celular, nada que pudesse ser rastreado. Uma a uma, ela as encontrou, levando o nome daquela que a havia indicado como um vale de confiança. E foi escutando.

Aos poucos, ela começou a entender como funcionava. Você dizia alguma coisa, e alguém não gostava. Fazia alguma coisa, e alguém não gostava; ou, quem sabe, deixava de fazer alguma coisa, e alguém não gostava. Talvez fosse jornalista e escrevesse um texto sobre crianças realocadas, ou mencionasse os ataques a pessoas asiáticas, ou ousasse questionar a demonização delas. Talvez postasse nas redes sociais alguma crítica à PACT, ou às autoridades, ou aos Estados Unidos. Talvez fosse promovido e um colega ficasse com inveja. Talvez não fizesse absolutamente nada. Alguém aparecia na sua porta. Uma pessoa ligou, diziam, embora nunca revelassem quem, alegando o direito ao anonimato, a santidade do sistema. Só funciona se as pessoas souberem que não terão sua identidade revelada.

Não se preocupe, costumava dizer um dos agentes. Tenho certeza de que não é nada. Só é nosso dever verificar.

Às vezes, acabava não sendo nada mesmo. Se você fosse bem relacionado, demonstrasse a devida deferência ou, quem sabe, tivesse um amigo na Prefeitura, no Governo do Estado ou, melhor ainda, no Governo Federal. Se, na investigação do seu histórico, viesse à tona que você havia doado dinheiro para os grupos certos ou, quem sabe, se mostrasse disposto a doar agora... bem, nesse caso, talvez você conseguisse esclarecer que jamais iria ensinar ideologias perigosas para o seu filho. Mas, com muita frequência, não era assim que acontecia. Na maioria dos casos, quando os agentes apareciam, havia alguma coisa. Você tinha feito algo, dito algo, deixado de fazer algo, deixado de dizer algo. Se não tivesse como se safar com dinheiro ou influência, no fim das contas, eles pegavam seu filho e o jogavam no banco de trás de um carro à espera junto ao meio-fio, depois sumiam.

Ela achava que eram apenas alguns casos extremos, aqueles que a mídia noticiava — histórias exemplares para servir de alerta. Mas a maioria, como acabou descobrindo com sucessivas famílias, acontecia discretamente. Nada era reportado, as retiradas e realocações feitas sem alarde. As próprias famílias não denunciavam; falar sobre a PACT era como reclamar da PACT, o que só confirmaria sua deslealdade. A maioria se calava e torcia para que, em troca do silêncio, seus filhos fossem devolvidos. As pessoas começaram a mantê-los mais perto de si, a morder a língua. Evitavam falar sobre a PACT com medo de serem as próximas vítimas. Editores e produtores usavam com mais liberdade a caneta vermelha: não vamos dizer isso, melhor não melindrar ninguém. Aconteceu tão lentamente que talvez nem desse para perceber, como o céu do crepúsculo. Os cálculos que todos faziam antes de abrir a boca, antes de encostar o dedo em qualquer tecla: quão importante era dizer aquilo? Você olhava para o berço no canto, para o seu filho esparramado no tapete com brinquedos.

Depois de conversar com cinco famílias, ela entendeu: eram mais pessoas do que tinha imaginado, mais pessoas do que jamais pudera imaginar. Aquilo vinha acontecendo o tempo todo, e ela nem sabia. Não, reconheceu para si mesma: nunca escolhera saber.

Na sétima família, seu dinheiro já tinha acabado. Ela também precisava tomar cuidado: as pessoas na rua podiam não reconhecê-la de imediato, mas, se a polícia a parasse, mesmo que pelo menor dos motivos, pediria um documento, e tudo seria revelado. Ela andava com uma carteira de motorista falsa pouco convincente, comprada por cem dólares num beco: outro nome, a foto de outra mulher chinesa nada parecida com ela, a não ser pelos cabelos e pela expressão cabreira. Mas a polícia checaria o sistema e confirmaria na hora a fraude. Depois, tudo aconteceria depressa: eles a prenderiam por falsidade ideológica, investigariam mais a fundo, olhariam a lista de procurados, e seria só uma questão de tempo até descobrirem quem ela realmente era. Margaret Miu.

Dezenas de anotações por incitação ao crime na sua ficha, uma para cada cartaz anti-PACT e cada manifestante carregando as suas palavras. E agora passível de indiciamento também pela morte de Marie.

Então, ela procedia com cautela. Andava apenas em ruas tranquilas, tomava cuidado para não chamar atenção. Pensava nos pais e no mantra de toda a sua infância: *Passe despercebida*. Pouca coisa havia mudado em todo aquele tempo, só estava mais óbvio. Na cabeça, ela escutava a voz atônita da mãe naquele último telefonema, imaginava o rosto do pai um segundo antes de ser empurrado. Sem saber o que estava por vir. *Esconda-se*, teriam dito eles. *Baixe a cabeça, suma de vista*. Mas ela não queria se esconder. Entendia que existiam muito mais histórias do que imaginara. Cada pessoa com quem falava conhecia mais uma, às vezes duas, três. Ela foi fazendo as contas. Eram pessoas demais para serem ignoradas. Como ninguém sabia disso?

O ônibus a deixou em Chinatown, e ela foi subindo, subindo, subindo, seguindo a Terceira Avenida à medida que a numeração das ruas transversais aumentava. O mesmo caminho que seu filho percorreria anos depois. Enquanto caminhava, lembrou-se dos longos trajetos em direção ao norte da cidade após o toque de recolher; do apartamento apertado onde morava com Domi, o ex dela e a irmã deste; até da bolha de tranquilidade em que ela e Ethan viviam. Ainda lembrava como evitar as esquinas onde havia policiais, as áreas onde poderia chamar atenção, e não passou por elas, dando a volta pelo caminho mais longo, descendo ruas transversais e dobrando esquinas até ter certeza de estar segura. Ao chegar à Park Avenue, encontrou a *townhouse* de tijolinhos vermelhos com imensas portas verde-limão. A janela redonda encimada pelo arco branco, como o olho atento de um Ciclope.

Oi, chamou ela quando a porta se abriu. Um homem branco de meia-idade com um terno azul-marinho de bom gosto e uma expressão deferente. Aqui ainda é a casa da Duquesa?

Quando Margaret foi conduzida pelo hall de mármore e pela imensa escadaria até o andar de cima, lá estava ela. Um pouco mais cheia, um pouco mais velha. Com rugas novas vincando na pele do nariz até o queixo, deixando a boca entre parênteses. Os olhos cansados e com leves olheiras. Mas ainda a mesma.

Ora, ora, disse Domi. Olha só quem apareceu.

Ela nunca imaginara que fosse rever Domi. Depois da forma como elas se separaram, depois da última coisa que Domi lhe dissera: *Sua vendida. Sua puta. Vai se foder.* Tinha tirado Domi da cabeça, guardado seu tempo juntas na menor caixinha que conseguira encontrar e a lacrado bem com fita adesiva. Então, anos depois, quando deslizava a tela na página de notícias enquanto Bird tirava uma soneca, viu uma manchete: o maior presente jamais dado à Biblioteca Pública de Nova York. O nome logo abaixo havia pulado feito um fantasma do meio das sombras: *Herdeira de império eletrônico Dominique Duchess.* Duchess Technologies. *Duchess*, Duquesa. E uma fotografia. Na última vez em que a vira, Domi estava usando uma jaqueta de couro masculina e botas com solado grosso de borracha; Margaret lhe passara as duas peças. Os cabelos louros do rabo de cavalo exibiam riscas escuras de suor e sujeira. Ali na foto, ela estava impecável num terninho de alfaiataria Chanel. Os fios agora tinham um tom de louro bem claro e estavam cortados curtos, da forma como Domi sempre havia zombado: mulher de homem rico, era como chamava, em homenagem à madrasta.

Margaret tinha passado os olhos pela matéria. Nova presidente da Duchess Technologies. Fundada por seu finado pai e herdada após a morte deste. Componentes de áudio inovadores, menores e mais leves, que tinham revolucionado a tecnologia dos celulares. E a legenda: *A sra. Duchess em sua residência na Park Avenue.*

Lembrava-se daquela casa, daquela rara família de filho único; dos números dourados reluzindo em contraste com os tijolos; da luminária acima da porta, pintada de pátina verde e sustentada por dois arabescos de ferro idênticos. Cobras, dissera Domi, erguendo os olhos para eles. Quando eu era pequena, achava que fossem cobras. As duas estavam com fome naquele dia; Margaret se lembrava dos roncos da própria barriga. De seus pés latejando. Do barulho que seu cuspe fez ao bater na calçada. Vai se foder!, gritara Domi para as janelas lá em cima; então, quando o rosto do pai aparecera atrás do vidro, agarrara a mão de Margaret, e as duas montaram nas bicicletas e fugiram às gargalhadas, pedalando até as pernas doerem.

Quer dizer que Domi, no fim das contas, ligou para o papai. Margaret fechou a janela do navegador com um clique. Bom, Domi, vai *você* se foder, pensou.

Mas, nos anos seguintes, Domi tornara a aparecer várias vezes, em pequenos e nítidos clarões. Doações para abrigos de mulheres, para centros de distribuição de comida, para grupos sindicais. Doações para serviços de saúde gratuitos. Doações para bibliotecas, uma sequência, por toda Nova York e, às vezes, no restante do país. Margaret observava e comparava esse comportamento com o da Domi que conhecera, como quem suspende uma carta lacrada na contraluz. Na noite antes de sair de casa, havia anotado aquele endereço na Park Avenue — o endereço da única pessoa que poderia ajudar, a única pessoa viva exceto Ethan que algum dia tinha se importado com ela — e o escondido no lugar mais seguro em que conseguira pensar, porque era doloroso demais ir embora sem deixar nem que fosse uma migalha para trás.

E ali estava ela. A vida tinha uma estranha simetria, pensou: anos antes, ela havia abandonado Domi para se refugiar com Ethan; agora era o contrário. Domi tocou seu braço, e as mãos dela, antes vermelhas e rachadas por causa do frio quando ela segurava as de Margaret à noite, eram agora macias e brancas, como uma massa de pão que acabou de fermentar. Margaret lhe deu um beijo no rosto, e a pele da face também era macia, tão macia que pensou que fosse ver a marca dos próprios lábios na bochecha de Domi.

Que bom te ver, disse Domi.

No fim das contas, Domi também tinha decidido se esconder. No pior período da Crise, por volta da época em que Margaret fora embora de Nova York, Domi ligou para o pai. Me ajuda, pedira, e ele mandou um carro em menos de uma hora. Tirou a filha de Nova York e a levou para a segurança do campo — um lugar aonde ela não ia desde menina, um chalé de verão em Connecticut que o pai havia construído quando os terrenos eram baratos, antes de a sua empresa decolar e de eles ganharem dinheiro de verdade. Quando ainda era apenas Claude Duchess, um jovem empresário promissor; quando a mãe dela ainda estava viva. Ao longo dos anos, conforme a empresa fora crescendo, ele comprou os lotes de terreno em volta do chalé, abrindo um trecho de mata cada vez maior à sua volta; instalou um grande gerador e deu uma demão nova de tinta, mas a casa ainda conservava indícios do que era antes: uma casinha simples afastada de tudo, ao lado de uma pequena enseada rochosa. Assim, quando ele quisesse escapar das perturbações na cidade, que lugar melhor do que ali, no passado, numa época em que para ele tudo ainda estava no futuro, em que o mundo se resumia a possibilidades? De todas as suas casas, aquela era a única em que eles não ouviam os protestos na rua nem o silêncio sinistro que os separava; ali não havia nada senão o rumor constante das ondas do mar. Ali eles podiam fingir não comer brioches enquanto outras pessoas não tinham pão.

Domi havia entrado na casa, as botas de ponteira de aço estalando no piso de tábuas encerado, ainda com a sujeira da cidade entranhada nas palmas rugosas. Lá estava sua madrasta no sofá de couro lendo uma revista, mas seu quarto permanecera todo em cor-de-rosa, rendas e pérolas, do jeito que a mãe o tinha decorado quando ela era criança. Bem-vinda ao lar, disse o pai, sem jeito. A contragosto, Elsa a deixara em paz, e fora assim que os três atravessaram a Crise: cada um no seu canto, presos feito moscas no âmbar do passado. Sua imensa fortuna era como um gigantesco navio, imune às correntezas e ondas que fustigavam as embarcações menores e menos importantes. Eles podiam pedir o que quisessem, pagar a quantia que fosse, durante o tempo que fosse preciso. Bastava esperar.

Poucos meses depois de a PACT ser aprovada, o pai de Domi e Elsa estavam a caminho das Maldivas para um fim de semana de férias em celebração à volta ao *normal* quando seu avião particular caiu no Pacífico. Domi herdara tudo: as casas em Malibu e na Provença, o apartamento no décimo sexto *arrondissement* de Paris, a *townhouse* ali na Park e o império dos eletrônicos, menor do que antes da Crise, mas que ainda fabricava peças cruciais para celulares e *smartwatches*, ainda mais do que o suficiente para bancar tudo aquilo. Herdara todos os segredos também: acusações das fábricas do pai em Hanói e Shenzen, queixas sobre longas jornadas de trabalho, substâncias tóxicas e anos de denúncias ignoradas. As doações para senadores que haviam aprovado reduções e isenções fiscais para homens como ele e que posteriormente sancionaram a PACT e tudo o que viera em seguida. Tudo era dela agora, para calcular, reconhecer e restituir.

Estou descobrindo algumas das coisas que ele fez, contou Domi. Por mim... pelo menos ele pensava que era por mim.

Ela e Margaret estavam sentadas no pátio de telhado de vidro — o jardim de inverno, como dizia Domi —, segurando copos suados de chá gelado. Um bolsão quadrado de verde margeado por tuias em vasos, escavado no ventre daquela casa, que parecia um cofre--forte. Cômodos mobiliados com peças robustas e tijolos sólidos as protegiam pelos quatro lados, recheados com todos os badulaques caros adquiridos e colecionados pelo pai de Domi. No teto, um vidro grosso as abrigava de possíveis chuvas. Ninguém conseguia vê--las nem ouvi-las de fora; pela primeira vez em semanas, Margaret sentiu que podia recuperar o fôlego. Mesmo assim, sentiu-se um inseto preso dentro de um vidro.

Mas e agora?, perguntou Domi. O que você vai fazer? Ficar escondida aqui comigo para sempre? Arrumar um passaporte falso e fugir do país?

Sua voz tinha um levíssimo quê de zombaria, e Margaret não soube dizer se era direcionada a ela ou à própria Domi. É claro que havia lugares onde uma pessoa podia se esconder: Margaret poderia adotar um novo nome e levar uma vida discreta. Ficar na encolha, recomeçar. Pensou outra vez nos pais: eles passaram a vida inteira tentando evitar problemas e, no fim, os problemas os alcançaram. Às vezes, só o passarinho com a cabeça erguida consegue voar, pensou. Às vezes, só pisa no prego exposto quem bate o pé.

Me esconder não, falou. Outra coisa.

A ideia ainda não estava inteiramente formada na sua cabeça; era apenas uma necessidade de compensar os anos em que escolhera desviar os olhos, os anos em que se mantivera pouco curiosa de propósito. Compensar o fato de ter pensado que não importava, contanto que fosse o filho dos outros. Ela mal tinha começado a se dar conta, as sementes mal começaram a se enraizar. O que iria fazer com aquelas histórias, com as mensagens de esperança, amor, cuidado, saudade? Sairia por aí as coletando como grãos de arroz catados em campos debulhados. Encontraria a maior quantidade que conseguisse.

Para Domi, falou: Preciso da sua ajuda.

Pelo país inteiro, em zigue-zague, foi seguindo o fluxo de informações. E-mails podiam ser hackeados; telefonemas, interceptados. Mas bibliotecas compartilhavam livros o tempo inteiro — reunir informações fazia parte do trabalho. Caixotes de livros transportados entre uma e outra, abarrotados de butins emprestados: livros raros sobre pintores obscuros, guias de hobbies esotéricos. O trabalho de um bibliotecário era separar esses livros, etiquetar cada um deles com um papelzinho contendo o nome do solicitante, arrumá-los na prateleira atrás do balcão em fileiras certinhas, prontos para serem coletados.

De vez em quando, porém, um livro a mais acabava indo parar dentro de um caixote e chegava sem aviso a alguma cidade distante. Um erro administrativo; uma simples falha humana. Sem quem os recepcionasse nos portões, esses viajantes clandestinos eram deixados de lado para serem despachados de volta para casa no caixote seguinte. Ninguém repararia, é claro, se algum bibliotecário os folheasse sem interesse nem acharia estranho se encontrasse dentro dele um pedacinho de papel. Viviam esquecendo coisas dentro de livros, e a maioria das bibliotecas tinha um quadro de avisos onde se pregavam com tachinhas esses objetos perdidos: marcadores, claro, mas também recibos, folhetos de viagem, cartões de visita, listas de compras, cheques cancelados, palitos de dente, palitos de picolé, facas de plástico, certa vez até uma fatia de bacon envolta num saco plástico de sanduíche. Ninguém prestava muita atenção nessas coisas nem reparava se um bibliotecário, por acaso, retirasse um papelzinho de dentro de um livro clandestino ou do quadro de avisos e pusesse no bolso.

As mensagens eram curtas. Para um observador casual, pareciam uma lista de códigos, um emaranhado aleatório de letras, números inteiros e decimais. Mas, para quem sabia que era preciso separar o livro clandestino, para quem colecionava essas missivas enviadas por colegas distantes, elas diziam muito. Codificado nas mensagens, o nome das crianças que tinham sido levadas, uma breve descrição. O nome e a localização das famílias. Por todo o país, uma esparsa rede de bibliotecários anotava essas informações e as conferia com a lista que tinham na cabeça, cruzando-as com as crianças realocadas das quais ouviram falar. Alguns tinham uma lista por escrito, mas a maioria, cautelosa, confiava apenas na memória. Um sistema imperfeito, mas cabia muita coisa no cérebro de um bibliotecário. Cada uma dessas pessoas tinha os próprios motivos para correr esse risco, e, embora a maioria nunca fosse compartilhá-los com os outros nem encontrá-los pessoalmente, todos partilhavam da mesma esperança desesperada de encontrar uma correspondência, de mandar de volta um bilhete imprensado entre as páginas de um livro comunicando a nova localização de uma criança. Um recado para tranquilizar a família de que seu filho ainda estava vivo, mesmo que longe, para proporcionar um fundo ao abismo profundo da perda. Bibliotecários entendiam melhor do que qualquer um a importância dessa informação, mesmo que ela não pudesse ser usada ainda.

Recados desse tipo eram raros, mas umas poucas crianças tinham sido encontradas. Com mais frequência, os recados eram memorizados ou anotados, depois guardados dentro de um novo livro para serem encaminhados no caixote seguinte, para a cidade seguinte, e as listas dos desaparecidos e realocados iam crescendo como pinças gêmeas de um garfo comprido e afiado. Eram muitos nomes, e a rede era reduzida e esparsa, dependente da memória e da sorte, de dois pontos se alinharem tempo o bastante para alguém fazer a conexão e uni-los com um traço. Enquanto isso, tudo o que as famílias podiam fazer era lembrar e transmitir as informações — para o próximo bibliotecário, para a próxima cidade e, quando ela conseguia convencê-las, para Margaret.

Uma a uma, ela buscou as famílias cujas crianças foram levadas, as que esperavam em vão as feridas em sua vida cicatrizarem. Encontrava essas pessoas em intervalos de almoço, em bancos de parque, dava voltas e mais voltas no quarteirão junto com elas, segurava seus cigarros, esperava até que elas se sentissem prontas. Se quisessem, às vezes ela contava sobre Bird, contava sobre si mesma, sobre o que havia perdido, que era quase tudo. Outras vezes apenas aguardava com elas, o tempo que fosse preciso. Dias de visitas passados em silêncio; três horas sentados no parque sem dizer nada. Dez quarteirões, quinze, cinquenta. Até confiarem nela. Até quererem falar. Até quererem que suas histórias fossem contadas.

Me fala, pedia ela. O que você quer dizer para eles? O que você quer que eles escutem? O que ainda consegue lembrar? E anotava tudo à medida que as palavras saíam.

Margaret descobriu que não eram só famílias asiático-americanas. Jornalistas brancos haviam pesquisado sobre as realocações, ativistas latinas organizaram protestos. Nem todos querem ter contato com ela. Alguns não acreditam nela por causa de sua ancestralidade oriental: Foram vocês quem causaram a Crise e querem que tenhamos pena? Alguns asiático-americanos também não confiam nela, certos de que ela só está piorando a situação. Eles já viram o que aconteceu quando se manifestaram; agora, duplamente escaldados, deixam clara a sua desaprovação e fecham a porta na sua cara sem dizer nada.

Outras pessoas ficam com raiva: Se você não tivesse escrito aquele poema, insistem, isso nunca teria acontecido. Algumas acreditam que ela instigou os protestos de propósito, que está por trás de tudo aquilo. Ela não argumenta nem tenta explicar quando as vozes a enxotam pelo corredor e para a rua. Algumas têm medo, famílias sem documentação, que vivem com medo de batidas policiais ou coisa pior. E outras a repreendem por ter chegado tarde demais. Uma mulher mais velha, do povo *choctaw*, cuja neta fora levada, passou um longo tempo encarando Margaret com olhos cansados, então estalou a língua.

Você acha que isso é novidade? E balançou a cabeça em reprovação.

Margaret escutava. E começou a aprender: não havia nada de novo no front. Aprendeu sobre as escolas onde crianças indígenas tinham os cabelos cortados, as roupas tiradas, o nome trocado, eram reeducadas e voltavam para casa destruídas e traumatizadas, se é que voltavam. Sobre crianças transportadas para o outro lado de fronteiras no colo dos pais apenas para serem trancafiadas em armazéns, sozinhas e assustadas. Sobre filhos adotivos jogados de casa em casa como uma bolinha de gude, cujo rastro às vezes nem as próprias famílias conseguiam acompanhar. Coisas que ela não tinha noção até então. Havia um longo histórico de crianças levadas embora sob outros pretextos, mas pelos mesmos motivos. O mais precioso dos reféns, uma espada suspensa acima da cabeça dos pais. Aquilo era o que quer que fosse o contrário de uma âncora: uma tentativa de desenraizar algo diferente, algo odiado e temido. Algo estrangeiro visto como uma erva daninha invasora, algo a ser erradicado.

Mas a maioria das famílias se mostra disposta a falar, ávida de histórias. Ela anotava como os filhos daquelas famílias tinham sido levados, o que elas queriam dizer para as crianças, as coisas mais preciosas que não queriam esquecer, as coisas que precisavam que fossem ditas, mas que elas próprias não se atreviam a dizer. E tentava salvar todas elas, todas aquelas histórias cochichadas e escondidas, todos aqueles rostos e nomes preciosos demais para serem esquecidos. Anotava tudo num bloquinho que transportava no bojo esquerdo do sutiã, a letra tão pequena que quase era preciso uma lupa. Quando esse caderninho acabava, ela arrumava outro, depois outro, e ia guardando os antigos no bolso da calça jeans ou dentro da meia. Carregava-os junto ao próprio corpo. À noite, folheava as páginas, gravando no coração cada nome e cada história, com Bird e Ethan assombrando cada palavra.

No início, quem a acolhia eram os bibliotecários. Alguns tinham salas de descanso e sofás; uns poucos tinham até chuveiros para os funcionários que costumavam ir de bicicleta para o trabalho, mas que já tinham sumido havia tempos. Em outras vezes, depois que o responsável ia para casa, ela perambulava até encontrar um canto tranquilo afastado das janelas. Sob o abrigo de uma estante alta, estendia o saco de dormir e, enquanto tentava aquietar a mente para pegar no sono, se permitia a deliciosa dor de pensar em Ethan e Bird. Durante o dia, ela não os deixava entrar, mas ali, no meio da noite, os trapos com os quais vedara as brechas da própria mente se soltavam, e os dois escapavam como uma névoa.

Ansiava pelo reconforto largo e sólido de Ethan aninhado junto às suas costas, pela calma que a atingia toda vez que ele estava por perto. Queria lhe contar tanta coisa: as histórias que escutara, as famílias que encontrara, todas as coisas que seria mais fácil enfrentar juntos. Pequenas alegrias também: a libélula verde-prateada que havia pousado no seu antebraço, paralisado as asas, depois tornado a desaparecer; o vermelho improvável das folhas de bordo que começavam a cair — coisas que só pareciam reais pela metade quando ela não podia compartilhá-las com ele. E Bird, ele era o vão para onde sua mente inevitavelmente corria, feito água. Com que altura ele estaria agora? Será que até o nariz dela? Até as sobrancelhas? Será que ele conseguiria encará-la na altura dos olhos? Será que ainda usa os cabelos curtos ou os deixou crescer desgrenhados? Será que os fios caíam nos seus olhos? Será que ainda tinham o mesmo tom castanho dos de Ethan ou escureceram com a idade e ficaram da cor de café ou até pretos como os seus? Será que ele já tinha perdido os últimos dentes de leite e, se sim, será que Ethan os tinha catado debaixo do travesseiro e guardado? Será que Bird ainda os deixava debaixo do travesseiro ou não acreditava mais nessas coisas de criança? O que aconteceu na escola naquele dia? Será que ele tinha rido de uma piada interna com algum amigo? Será que alguém fora maldoso com ele? Estaria chovendo e, se sim, teria ele se lembrado de levar a capa de chuva ou estaria encharcado até os ossos? Com o que estaria sonhando lá longe? Será que ainda dormia com um dos braços por cima do rosto como se fosse uma venda? Seus sonhos eram alegres ou tristes? Será que ele sonhava com ela? Será que ele ao menos se lembrava dela e, se sim, seria com amor ou com ódio? Em momentos como aqueles, ela odiava a si mesma: quando tentava imaginar o rosto de Bird e sabia que o que estava recordando se distanciava cada vez mais da realidade, que ela perdera muita coisa que nunca poderia ser recuperada.

Na maioria das noites, ela se levantava e perambulava pela biblioteca, sem se atrever a acender as luzes, mas se guiando pelo labirinto de estantes, percorrendo com a ponta dos dedos a lombada dos livros. Depois de algum tempo, puxava um deles, algo na textura chamando sua atenção, o levava para o saco de dormir e se enterrava no que quer que o livro tivesse a dizer. Linguagens de programação; eletrônica básica; culinária francesa. A evolução das patas do panda. Numa noite, constatou ter escolhido a biografia de uma poeta: Anna Akhmátova. Segundo o livro, Akhmátova era amada na Rússia, onde era possível comprar uma estatueta dela usando um vestido cinza florido e um xale vermelho. Dizia-se que, em 1924, a maioria das casas tinha uma dessas, embora fosse impossível confirmar a informação, já que muitas estatuetas foram posteriormente destruídas durante o Grande Terror. Akhmátova fora proibida de escrever, leu Margaret, mas continuara mesmo assim. Escreveu sobre os amigos que morriam nos campos de prisioneiros. Escreveu sobre o ex-marido, fuzilado por alta traição. Escreveu principalmente sobre o filho, trancafiado numa prisão que ela visitava todo dia, mas onde nunca lhe permitiram entrar. Por fim, em agonia, escreveu sobre Stalin: elogios efusivos, floreados e robóticos, na esperança de, com eles, convencê-lo a perdoar seu filho, o que não aconteceu. Anos mais tarde, quando finalmente foi solto, ele pensou que a mãe não tinha tentado libertá-lo, que valorizava mais a própria poesia do que a ele, e a relação dos dois nunca mais foi a mesma.

Margaret contou essa história para si mesma incontáveis vezes, para não esquecê-la.

Antigamente, na Rússia, uma poeta foi proibida de escrever. Em vez do silêncio, ela escolheu o fogo. Todas as noites, escrevia seus versos em pedacinhos de papel, aprimorando-os repetidas vezes e aprendendo-os de cor. Quando o dia raiava, ela encostava um fósforo no papel e transformava as próprias palavras em cinzas. Ao longo dos anos, as palavras da poeta repetiram esse ciclo, ressuscitando no escuro e morrendo à primeira luz da aurora, até, por fim, a vida delas ficar gravada nas chamas. A poeta murmurava seus poemas

*no ouvido dos amigos, que os decoravam e os levavam embora escondidos sob
a língua. De boca em boca, eles eram transmitidos até os versos perdidos da
poeta serem sussurrados no mundo inteiro.*

Na manhã seguinte, a bibliotecária a encontrou com a cabeça
encostada na página, as letras espelhadas tatuadas na bochecha.

Conforme ela coletava mais histórias, algo curioso começou a
acontecer: algumas das famílias a convidaram para entrar em suas
casas, pedindo que se sentasse à mesa com elas, oferecendo-lhe
uma cama de hóspedes quando tinham, um sofá quando não, um
cobertor dobrado no chão quando era o melhor que podiam fazer.
Os leves barulhos noturnos de um lar a reconfortavam: as batidas
suaves de pés calçados com chinelos percorrendo arrastados a escuridão, do quarto até o banheiro, ida e volta; o murmúrio em-
baralhado de vozes adultas sussurrando, muito embora as crianças
não estivessem mais ali para serem acordadas; os rangidos e estalos
discretos de uma casa que se acomoda, como se, com os ocupantes
adormecidos, pudesse enfim soltar o espartilho e respirar. Mas
esses barulhos também a puniam: tarde da noite, quando somente
ela estava acordada, encolhida no meio da vida de outro alguém,
sentia mais falta de Bird e Ethan, a dor tão cruel que chegava a
embaçar sua vista.

Numa noite, encolhida dentro do seu saco de dormir na cozinha
de uma daquelas famílias, acordou com as mãos de um homem a
tocando. Sobressaltou-se, cada músculo do corpo duro como ferro,
preparada para lutar. Mas não, era o pai da família estendendo com
cuidado um cobertor por cima dela. Seu nome era Mohamad. Mais
cedo naquela noite, ela se juntara a ele e à mulher para comer
maqluba e ouvi-los contar a história do filho. Eu era criança quando
as Torres Gêmeas caíram, mencionara ele mais para o fim do relato.
Alguém pichou coisas imundas na porta da nossa garagem. Alguém

quebrou a vidraça da frente com um tijolo. Meu pai pendurou durante um bom tempo uma bandeira imensa dos Estados Unidos na nossa casa.

Ele havia se calado, e a esposa, segurado sua mão.

Nenhum dos nossos vizinhos fez nem disse nada para nos ajudar, contou ele.

Agora à noite havia esfriado, e ali estava ele, ajeitando um cobertor em volta dela com tanta delicadeza que ela poderia ter sido o filho perdido dele.

Depois de ele sair, Margaret tocou o cobertor e sentiu uma maciez inimaginável, felpuda e cálida, como a pelagem emaranhada de algum animal exuberante, e caiu num sono profundo. Pela manhã, claro, acordou e constatou que era apenas um cobertor — um cobertor grande, macio e felpudo, estampado com a cara listrada vistosa de um tigre. Passou as três noites seguintes dormindo debaixo da pele de tigre, que era como pensava naquilo, e, ao deixar o apartamento, abraçou o casal e levou consigo o calor daquele cobertor, como se fosse uma bênção.

Quilômetros e meses se passaram. Um ano, depois dois. Ela contava o tempo pela idade de Bird: ele agora tinha dez anos, agora onze, agora onze e meio. A lista de coisas que tinha perdido não parava de crescer. Aprender a nadar, aprender a dançar; novos interesses e obsessões que ela mal conseguia imaginar. Um aniversário, depois outro. Os dias eram um borrão de ônibus e trens, de travessias cansadas de cidades, e à noite ela sonhava que pairava bem alto no céu e se via lá de cima, um pontinho cruzando a paisagem. Uma mosca rastejando por um mapa sem fim.

O que a fazia continuar era o seguinte: a cada poucas semanas, uma notícia chamava sua atenção. Tinha largado o celular em casa, claro, mas ouvia trechos no rádio ao passar por alguma loja ou ao catar jornais descartados na calçada. Aquilo não parava de acontecer: suas próprias palavras voltando num eco, dessa vez não em cartazes ou protestos, mas envolvidas em estranhas intervenções, coisas tão bizarras, a meio caminho entre o protesto e a arte, que chamavam a atenção das pessoas e as forçavam a olhar; coisas que as desestabilizaram dias e semanas depois, emaranhando um nó dentro do seu peito. Estouros pontuando o ruído branco daqueles dias intermináveis, fazendo-a seguir em frente.

Em Nashville, estátuas apareceram em meio à névoa do início da manhã, uma centena de crianças fantasmagóricas esculpidas em gelo. "OS CORAÇÕES PERDIDOS", dizia uma placa pendurada no pescoço de uma delas. A polícia chegou com algemas a postos, mas quem quer que as tivesse instalado lá já tinha sumido. Foi só uma brincadeira, avisou pelo rádio um dos agentes à central, é só gelo, mas... ao redor das estátuas, pessoas se detinham, despertadas momentaneamente da rotina. Alguns tiravam fotos, mas a maioria só parava, fascinada, mesmo que só por um instante, e observava em silêncio enquanto os pequenos rostos derretiam bem devagar. Um deles estendeu a mão e tocou o que antes fora o rosto de uma mininha, deixando na bochecha o buraco de um polegar. A polícia os enxotou, isolou a área e delimitou um perímetro caso os responsáveis voltassem. As estátuas demoraram quase a manhã inteira para derreter, e os agentes locais passaram horas erguendo os olhos para os arranha-céus e vendo silhuetas de pessoas nas janelas lá em cima, encarando os blocos de gelo e, mais tarde, as manchas escuras e molhadas onde antes estavam as crianças.

Em Des Moines, certa manhã, a rua principal foi pintada de vermelho, quarteirões e mais quarteirões. Dos helicópteros que sobrevoavam o lugar, aquilo parecia um rio de sangue que cortava a cidade. Gravada com estêncil na calçada, onde ficaria a nascente do rio, estava a inscrição: "TRAGAM DE VOLTA OS NOSSOS CORAÇÕES PERDIDOS." Os primeiros a se deparar com o grafite constataram que a tinta ainda estava fresca e, ao se afastarem, deixaram rastros de pegadas que iam se apagando até desaparecer. Naquela noite, e nos dias e semanas subsequentes, as pessoas encontrariam manchas vermelhas na sola dos sapatos, na barra da calça e na manga da jaqueta, parariam e, pensando ser sangue, sentiriam o peito apertar e se apalpariam à procura do machucado.

Em Austin, em frente à mansão do governador, um gigantesco cubo de concreto com uma rachadura no meio e um pé de cabra abandonado ao lado. Gravadas no cubo, quatro letras: P, A, C e T. Gravado no pé de cabra: "OS CORAÇÕES PERDIDOS." Todos que passavam por ali pegavam a barra de ferro e a sopesavam, mas ninguém se atreveu a brandi-la, e, ao chegar, a polícia a confiscou como uma arma perigosa. Já o cubo foi jogado na caçamba de um caminhão e levado embora.

Na esperança de evitar publicidade, as autoridades não davam nenhuma declaração oficial, mas aquelas instalações eram tão bizarras e vistosas que atraíram a atenção. Nos dias posteriores, fotos postadas nas redes sociais sempre viralizavam; relatos em primeira mão e vídeos de testemunhas circulavam. Jornais que poderiam ter ignorado uma marcha ou um protesto mandavam fotógrafos e repórteres ao local. Brincadeiras, insistiam as autoridades, quando pressionadas. São só brincadeiras sem importância. Outros adotavam um tom mais duro: Vandalismo. Uma ameaça à sociedade civil. Des Moines gastara cem mil dólares para pintar as ruas de preto outra vez.

Mas continuou acontecendo, e Margaret observava durante suas viagens. Reparou que as pessoas reclamavam do fato de os protestos atrapalharem o trânsito, da sua futilidade e inconveniência, mas algo naquelas estranhas intervenções as atraía e prendia sua atenção. Viu pessoas pararem na calçada para dar zoom nas fotos com o celular ou se demorarem lendo matérias sobre o assunto antes de jogarem os jornais no lixo. Entreouviu conversas a respeito nas esquinas, nas plataformas de metrô ou em varandas. Não com irritação ou descrédito, mas com curiosidade, às vezes até com prazer diante da estranheza inesperada. *Você viu? Ficou sabendo? Não é uma loucura? O que você acha de...?*

Quando Bird completou onze anos, aquelas intervenções se tornaram quase mensais. Toda vez que via as próprias palavras numa delas, ela sentia um calor estranho e não de todo desagradável, mesmo sabendo que, a cada menção de *corações perdidos*, sua ficha na polícia ganhava mais uma linha. Mais uma coisa pela qual ela seria responsabilizada, embora soubesse tanto sobre aquilo quanto qualquer indivíduo. Era como se aquelas palavras fossem criaturas independentes, com vontade própria, e estivessem vivendo a própria vida, como de fato estavam. Como deveria chamar aquilo? Certamente não era orgulho, ela não poderia reivindicar o crédito por aquelas instalações, apenas se maravilhar como um desconhecido diante de tudo que aquele *ser* tinha feito sem você. Aquilo a fazia seguir em frente, a fazia pensar que outras pessoas também estavam preocupadas com as crianças que foram levadas embora. Cada intervenção da qual ouvia falar lhe dava uma nova injeção de ânimo nos momentos em que a viagem e o peso das histórias a deixavam praticamente esgotada. Nós não esquecemos, eles pareciam dizer, você esqueceu?

Quem está fazendo isso?, perguntou a uma das bibliotecárias. Quem está por trás disso?

Essas brincadeiras artísticas?, rebateu a bibliotecária com um muxoxo. Margaret tinha reparado naquilo, no desdém dos bibliotecários em relação aos protestos, e era compreensível: para quem estava reunindo meticulosamente migalhas de informação, listando-as, rastreando-as e tentando manter os registros atualizados, aqueles acontecimentos pareciam triviais, frívolos e exibicionistas.

O que te faz pensar que são as mesmas pessoas?, perguntou a bibliotecária enquanto deslizava por cima da bancada o nome de mais uma família, e Margaret agradeceu e foi embora.

Pois sempre havia outras crianças, outras histórias. Era como catar conchas na praia: mais uma, mais uma, mais outra. Cada onda depositava uma nova concha sobre a areia molhada e reluzente. Cada concha era uma relíquia de uma criatura que antes existia. Bird já estava com quase doze anos, e, mesmo assim, havia outras. Ela poderia fazer aquilo para sempre, viajar sem parar. Encontrar família após família, uma fila que não parava de crescer.

Um dia, não se conteve e mandou um cartão-postal: nada escrito, só um pequeno desenho. Um gato ao lado de uma portinha. Uma pista, se eles quisessem aceitar; um convite para encontrarem o bilhete que ela havia deixado. Para encontrá-la. Ao pôr o postal na caixa de correio, imaginou-o indo do caminhão até a bolsa do carteiro, depois até a porta da casa de Ethan e Bird. Esperou, esperou, mas nenhuma resposta veio.

De vez em quando, ela tentava novamente, e cada postal ganhava mais um gato, ou dois, ou cinco, cada vez menores, até o espaço inteiro ficar preenchido e o armário ficar do tamanho de um selo, depois de uma moedinha, depois de uma unha. Nunca houve resposta. No aniversário de doze anos de Bird, ela se arriscou: caçou um dos poucos telefones públicos que ainda restavam e discou seu número antigo. Desconectado. Bird àquela altura já tinha vivido um quarto da vida sem ela; talvez nem se lembrasse mais da sua existência. Talvez fosse melhor assim.

Foi então que ela marcou uma data: vinte e três de outubro. Três anos exatos desde que tinha ido embora. Seria nesse dia. Em setembro, mandou um bilhete para Domi. Está na hora, escreveu. Pode me arrumar um lugar para ficar? Domi, claro, tinha oferecido sua casa, mas Margaret recusara.

Algum lugar afastado, falou, um lugar onde ninguém vá procurar. Algum lugar em que, se eu for pega, você não acabe presa também. Uma semana depois, tinha chegado a Nova York, ido até o Brooklyn e a *brownstone* escurecida. No dia seguinte, saiu pela cidade em busca de tampinhas de garrafa PET, com o capuz bem enfiado na cabeça.

Encontrei uma pessoa, anunciou a bibliotecária.

Foi em Astoria, numa pequena biblioteca sucursal. Já fazia quinze dias que Margaret estava em Nova York, acampada na *brownstone* escurecida fazendo os preparativos finais, enchendo suas tampinhas de garrafa. Faltavam duas semanas ainda. Pararia de colecionar histórias; já tinha mais do que conseguiria usar. Só que ela não queria parar. O que queria era encontrar cada uma delas, embora soubesse ser impossível, porque sempre haveria outras.

A bibliotecária baixou a voz, embora não houvesse mais ninguém no recinto nem no prédio, nada em volta a não ser estantes parcialmente vazias. Não uma família, continuou ela. Uma criança.

Margaret se sentou mais ereta. Em todos aqueles anos, não havia falado com uma criança realocada sequer. Elas ficavam bem escondidas: nova cidade, nova família, novo nome. Tudo o que restava era o rastro de luto gerado pela sua ausência, os buracos que deixaram para trás ao serem arrancadas de suas famílias. As poucas que eles tinham conseguido rastrear estavam inacessíveis, cercadas pela fortaleza do novo lar e da nova vida. As que foram levadas quando ainda eram muito jovens às vezes nem se lembravam da vida ou da família anterior.

Ela entrou na matriz uns dois meses atrás, contou a bibliotecária. Fugida. Originalmente é de Baltimore. Uma coisinha valente, acrescentou a mulher com uma risadinha. Marchou biblioteca adentro como se fosse um policial. Falou: Preciso da sua ajuda para encontrar meus pais. Com as mãos no quadril, como se estivesse passando um sabão em alguém. Disse que tinha fugido de uma família de acolhimento em Cambridge, perto de Harvard.

Um formigamento fez a nuca de Margaret se retesar. Cambridge, repetiu ela. Quantos anos ela tem?

Treze. Estamos tentando descobrir mais. No começo, eles a transferiram bastante, e não tem mais ninguém no endereço de que ela se lembra.

Posso conversar com ela?, pediu Margaret, com a pulsação acelerada. Onde ela está?

A bibliotecária a estudou, cabreira. O instante que Margaret conhecia tão bem: quando as pessoas decidiam se ela merecia confiança e, se sim, quanta. Quanta corda lhe dariam, quanto a porta seria entreaberta.

A balança pendeu.

Ela está numa das sucursais, revelou a bibliotecária. Posso lhe passar o endereço. Trocamos a garota de lugar muitas vezes, tentando encontrar algum definitivo.

E ali estava ela: uma menina sentada de pernas cruzadas num palete improvisado. Grandes olhos castanhos que pareciam estrelas incandescentes.

Margaret, disse ela, quando Margaret se apresentou. Você é Margaret Miu?

No silêncio estarrecido que se seguiu, Sadie abriu um sorriso.

Eu conheço os seus poemas, contou ela. E então: Também conheço o Bird.

O governo havia encomendado um estudo: crianças abaixo dos doze anos, uma vez retiradas dos pais, não tinham condições de encontrar, sem ajuda, o caminho de volta para casa. As que tinham mais de doze em geral eram mandadas para um centro administrado pelo governo; as mais novas podiam ser realocadas em famílias de acolhimento. Sadie tinha onze anos quando fora levada.

Eles a haviam mudado de lugar várias vezes em pouco tempo: primeiro West Virginia, depois Erie, depois Boston — cada vez mais longe, como se estivessem tentando arrancá-la de uma órbita. Na sua primeira casa de acolhimento, ela havia ligado para o seu antigo telefone: desconectado. Na segunda, escreveu cartas e mais cartas, com o código postal bem marcado com canetinha, cheias de selos que havia roubado. Não recebeu resposta, mas não perdeu as esperanças — talvez, ao ser transferida, tivesse se desencontrado da carta; talvez atrás dela houvesse um rastro de cartas dos pais igual à rabiola de uma pipa, sempre um passo atrasadas. Então, em sua terceira casa de acolhimento em Cambridge, uma carta tinha chegado: DESTINATÁRIO DESCONHECIDO.

Vem comigo, tinha dito ela a Bird, mas, no fim das contas, fora sozinha.

Dois ônibus e uma viagem de trem para voltar a Baltimore, pagos com o dinheiro surrupiado da carteira de seu pai de acolhimento, o endereço ainda gravado na memória, embora o rosto da mãe tivesse começado a se apagar. Ela reconhecia tudo, como num sonho: as tulipas do vizinho, cor-de-rosa contra o gramado verde. O zumbido de um cortador de grama no ar de verão. A mesma imagem à qual ela tanto se agarrara naqueles dois últimos anos.

Mas, quando subiu correndo os degraus da frente, a porta estava trancada. A mulher que atendeu era branca, uma desconhecida. Um rosto bondoso, cabelos louro-acinzentados presos num coque. Ninguém assim mora aqui, meu bem.

Ela se mudara seis meses antes. Não, não sabia quem morava lá antes disso. Sadie estava precisando de ajuda? Ela poderia ligar para alguém?

Sadie saiu correndo.

Embarcou sem ser vista no primeiro trem que partia da estação, afundou num assento de canto e acordou no burburinho do terminal da Penn Station. Sozinha e arrasada. Com dificuldade, conseguiu escapar dos corredores da estação, de pé-direito baixo e cor indefinida, passou pelos pombos pernetas que zanzavam em busca de migalhas, pelos mendigos com cartazes de papelão e chacoalhando canecas, pelo lixo acumulado no meio-fio. Sobre sua cabeça se erguia um toldo de andaimes cuja rede de proteção quase escondia as palavras "RECONSTRUINDO A NOVA YORK QUE VOCÊ ♥", gravadas com estêncil. Acima dos andaimes, agulhas de vidro e concreto cutucavam as nuvens.

Então, no meio da penumbra, ela havia reparado nos grandes arcos cinzentos do outro lado de um trecho de vegetação.

Em Cambridge, costumava adorar a paz da biblioteca. Espreitar entre as prateleiras, abrindo e fechando os livros que tinham sobrado lá. Sabia que muitos haviam sumido, mas aqueles ali eram sobreviventes: ela os tirava das estantes e os folheava, inalando o cheiro. Imaginando quantos outros leram e manusearam aqueles livros antes dela.

Um dia, a bibliotecária a pegou de surpresa. Sadie ergueu os olhos, com o nariz colado na página, e deu com a mulher no fim do corredor, intrigada. As duas já tinham se visto, claro, na entrada e na saída toda vez que ela ia lá, mas nunca trocaram uma palavra. Sadie não tinha o cartão da biblioteca, nunca pedia ajuda, nunca causava problema algum. A bibliotecária não disse nada, e Sadie fechou o livro com força, tornou a guardá-lo na estante e saiu correndo. Alguns dias mais tarde, porém, quando havia se arriscado a entrar de fininho na biblioteca outra vez, a bibliotecária a chamara até o balcão com um aceno. Meu nome é Carina, apresentou-se ela, e o seu?

Sadie levou um tempo para notar: ela não era a única a entrar ali e não pegar nenhum livro emprestado. Uma ou duas vezes, pessoas chegaram junto ao balcão, tiveram conversas intensas e sussurradas com a bibliotecária, depois foram embora com um ar nervoso, angustiado ou esperançoso... ou as três coisas ao mesmo tempo. De vez em quando, livros perdidos apareciam na devolução dos empréstimos e eram retornados por mãos trêmulas à caixa: brochuras surradas, velhos manuais, às vezes uma simples revista. Como se alguém tivesse cometido um erro e jogado o exemplar errado na calha. Um dia, ela conseguira se espremer para pôr a mão lá dentro e pescar um. Entre as páginas, havia um bilhete com um nome, uma idade e uma descrição: uma criança levada embora, igual a ela. O apelo de uma família que a rede iria codificar, memorizar e passar adiante.

Estamos preenchendo as lacunas sempre que conseguimos, admitiu a bibliotecária.

Então, quando foi parar em Nova York, sem mais nenhuma pista do paradeiro dos pais, Sadie soube aonde ir. Ao ver a biblioteca, esta lhe pareceu saída de um conto de fadas: um palácio protegido por dois leões imponentes, cinza-claros, impávidos. Ela subiu os degraus e se esticou para pousar a mão numa das imensas patas, curvando os dedos entre as grandes garras, e a lembrança lhe voltou à mente como um cheiro que a brisa traz: uma história que a mãe lera para ela uma vez. Uma menininha perdida e sozinha ajudada por um leão, o rei daquelas terras. Olhou em volta. Ali estava o poste. E ali, na sua frente, a porta mágica que poderia levá-la para casa. A biblioteca estava quase vazia; estava quase na hora de fechar, e Sadie ficou vagando até encontrar um canto tranquilo, uma velha poltrona na seção infantil, onde ainda havia cartazes dizendo "LEIA" pendurados na frente de estantes parcialmente vazias. Ela se encolheu, pegou no sono e acordou com uma moça batendo de leve no seu ombro.

Ei, você, disse ela para Sadie. Pelo visto, está perdida.

Você é a mãe do Bird, não é?, perguntou Sadie.

Margaret tocou os quadris, o coração, procurando os cadernos que passara tanto tempo carregando a ponto de eles parecerem parte do seu corpo.

Eu fui, respondeu.

Ele me contou sobre você, disse Sadie, e, para Margaret, isso lhe parecera um sinal.

Sadie, tão nova, sem mãe e sem medo. Depois de três meses sozinha, metade adulta desconfiada e metade criança.

Eu sei de um lugar onde ela pode ficar, disse Margaret à bibliotecária.

Foi preciso algum tempo para convencer Domi.

Porra, M, você deve estar de brincadeira, protestara ela. Por acaso eu entendo de criança?

As duas conversavam em sussurros arrebatados enquanto Sadie esperava no outro extremo da sala, de braços cruzados e cética. Com o canto do olho, Domi a estudava, e Sadie, sem medo e sem vergonha, a estudava de volta.

Você sabe tão bem quanto eu que aquela *brownstone* não é lugar para criança. E, mesmo que fosse, eu não tenho como ficar de olho nela. Tenho coisas demais para fazer.

O que exatamente você quer que eu faça?, perguntou Domi.

Que a mantenha em segurança. Só enquanto eu dou os retoques finais. Quando estiver tudo pronto, a gente vai encontrar um lugar melhor. Quem sabe conseguimos encontrar os pais dela. Mas agora ela precisa de um lugar para ficar. Ela está sendo transferida de biblioteca em biblioteca há semanas, e eles não vão conseguir escondê-la para sempre. É um milagre terem conseguido durante esse tempo todo.

Ela fez uma pausa. Ou você, por acaso, está sem espaço aqui?, emendou, seca. Correu os olhos pela sala imensa e pelo teto — no andar de cima, havia meia dúzia de quartos vagos.

Domi expirou longa e lentamente pelo nariz. Ainda o mesmo sinal, tantos anos depois, de que Margaret tinha vencido.

Ok. Mas ela vai ter que se virar sozinha. Não tenho tempo para bancar a babá.

Só precisa trocar minha fralda duas vezes por dia, retrucou Sadie do outro lado da sala.

Domi riu. Hmm, pelo menos a menina tem senso de humor.

As duas ficaram se avaliando: a mulher alta e loura de terninho e salto alto; a menina de cabelo castanho e baixinha usando moletom de capuz e calça jeans desbotada. Margaret sentiu entre as duas o crepitar de almas irmãs, o encontro de duas iguais.

Foi Sadie que enfim disse a Margaret, alguns dias depois: Bird não mora mais naquela casa. Você não sabia? Eles agora moram num alojamento. Eu te digo onde fica.

Por que você não me contou?, pergunta Bird. Por que ela não veio enquanto eu estava aqui?

A gente pediu que ela ficasse escondida, responde Margaret. Para ninguém perceber e começar a fazer perguntas. Vocês vão se encontrar de novo em breve, prometo. Mas eu precisava desse tempo com você. Precisava...

Ela se detém, o alicate imóvel.

Tem alguém aqui, murmura.

Bird também ouve o barulho de alguém na porta dos fundos. Percebe que está chovendo. Embora não consiga ver a chuva através das janelas tapadas com tábuas, consegue escutar, no silêncio repentino, a água batendo no compensado, como pequenos dedos insistentes. Mais alto do que a chuva, ouve o chacoalhar da maçaneta sendo forçada. Então, os bipes débeis e graves do teclado. Um número. Outro. Mais um.

Bird se vira para a mãe, à espera de uma deixa. Enfrentar ou fugir. Se preparar ou se esconder. Margaret não se mexe. Mil possibilidades lhe passam pela cabeça, cada uma pior do que a outra. Para onde Bird será levado. Para onde eles a levarão. Fica calma, diz ela a si mesma. Pensa. Mas não há nenhum outro lugar para os dois se esconderem, e, mesmo que ela o pegue pela mão e saia correndo pela porta da frente em direção à rua, para onde eles iriam, debaixo da chuva, naquela cidade onde não conhecem ninguém? Nas mãos de quem cairiam?

Passos ecoam pelo hall de entrada escurecido. Alguém tentando avançar em silêncio, sem conseguir. Então, a porta da sala se abre com um rangido. É a Duquesa, usando uma capa de chuva preta. Sacudindo a água dos pés.

Porra, Domi, diz Margaret. Você me assustou.

Ela solta o ar, e Bird acha aquilo mais perturbador do que o palavrão, mais ainda do que a visita inesperada: o fato de a sua mãe também sentir medo.

Não é como se eu pudesse tocar a campainha, né?, diz a Duquesa. Nem ligar avisando.

Ela e Margaret dão de ombros uma para a outra, e Bird entende: celulares podiam ser rastreados, claro.

Que horas são?, pergunta Margaret.

Quase quatro.

Pensei que a gente tivesse combinado amanhã de manhã.

A Duquesa abre o zíper da capa e a descola primeiro de um braço, depois do outro. Com um único olhar, abarca a mesa, a profusão de pedacinhos de fio, tampinhas de garrafa espalhadas e as moedas brilhantes das baterias.

Então você ainda vai fazer, diz ela.

Margaret se retesa. É claro, responde.

O olhar da Duquesa passeia pela sala como uma lanterna, iluminando coisas nas quais o próprio Bird nem sequer reparou. A lata de lixo transbordando no canto. O copo de isopor do macarrão instantâneo da véspera, ainda engordurado, no chão junto aos pés de Bird. O próprio Bird, usando as mesmas roupas há três dias, os cabelos despenteados e sujos quase tapando os olhos.

Pensei que as coisas pudessem ter mudado, diz ela. Agora que... Seu olhar se detém em Bird.

Nada mudou, devolve Margaret, abrupta.

A Duquesa pendura a capa no encosto da poltrona. Como sempre, ela se move como um navio com todas as velas desfraldadas. Vai se acomodar no braço do sofá, ao lado de Margaret.

Você ainda pode mudar de ideia.

Margaret remexe na ponteira da solda, a retira do seu protetor de arame e encosta a ponta na esponja úmida. A solda solta um sibilo baixo e ressentido.

Não tem a ver só *comigo*, argumenta. Você sabe que não.

Sob a ponta da solda, uma gota de metal derretido brilha prateada, tornando-se opaca e cinzenta em seguida. Os olhos de sua mãe cintilam como pingos de luz do sol em água encrespada pelo vento. Eles se tensionam e se agitam, como se ela não conseguisse de todo ajustar o foco.

Eu preciso fazer isso, continua Margaret. Eu prometi a eles. Devo isso a... Ela hesita. Eu devo isso.

A Duquesa põe uma das mãos por cima da dela, e Bird vê a ternura ali. O afeto.

Margaret ergue os olhos para encarar a Duquesa, que suspira, não convencida, mas conformada. Volto amanhã de manhã para levar o Bird, avisa ela.

Bird ergue a cabeça com um tranco. Me levar? Me levar *para onde?*

Para encontrar Sadie, responde Margaret, animada. Domi vai levar vocês dois para fora da cidade. Só por um dia. Enquanto eu cuido desse... Ela indica a mesa com uma das mãos. Enquanto eu cuido desse projeto.

Vou te levar para um lugar legal, diz Domi. Acho que você vai gostar.

Por quê?, pergunta Bird. Desconfiado e nada convencido.

Sua mãe larga a solda, se inclina por cima da mesa e usa as duas mãos para segurar a do filho.

Tem umas coisas que eu preciso fazer, diz. Que não posso fazer com você aqui. Domi vai pegar você, levar até a Sadie e depois nós vamos voltar para buscar vocês. Confia em mim?

Bird hesita. Em cima da mesa, a solda solta uma fina espiral de fumaça. Um cheiro quente, de metal queimado e madeira. Ele olha para a mãe, para suas mãos calejadas e duras. Mesmo assim, ele as sente fortes e quentes por cima da sua. As mesmas mãos que ele se lembra de ter visto tirando uma muda de planta da terra, removendo uma lagarta da sua camiseta e a pousando na grama. Quase por instinto, eles alinham as mãos, dedo com dedo, palma com palma, do mesmo jeito que costumavam fazer quando estavam prometendo alguma coisa. As mãos dele agora têm quase o mesmo tamanho das dela. Ele olha para as fundas piscinas castanhas de seus olhos e finalmente a enxerga. Sua mãe. Ela ainda está ali.

Tudo bem, concorda, e sua mãe fecha os olhos e solta o ar.

Amanhã de manhã, diz ela para Domi. Às dez, mais ou menos. Vem buscar o Bird a essa hora.

Ela abre os olhos e retira a mão, então segura as pontas penduradas dos fios e os une ferozmente.

A gente não tem muito mais tempo, diz. Ainda tem muita coisa para fazer.

Quando a Duquesa vai embora, a chuva já se transformou em chuvisco. Enquanto a tarde cai, Margaret fecha a última tampinha. É quarta-feira. Amanhã fará três anos que ela saiu de casa.

Chega, sussurra ela, e, embora Bird não consiga escutar, fica claro que está falando sozinha. Como se tentasse se convencer a desistir. Permitindo a si mesma parar ou seguir em frente, mas nenhum dos dois sabe o que ela realmente queria dizer.

Com uma das mãos, ela despeja a pilha de tampinhas de garrafa de cima da mesa para dentro de uma sacola. Então hesita.

Quer vir comigo?, pergunta. Só essa última vez.

Há quase quatro semanas, ela as vem fabricando e escondendo, mais de cem por dia, bem à vista de todos. Ninguém prestava a menor atenção nas velhas que perambulavam pelas ruas catando garrafas e latas para vender; quando prestavam, as pessoas se esquivavam ou davam as costas, constrangidas, enojadas ou as duas coisas. Fazia anos que ela as via: muitas coisas permaneceram apesar da Crise ou sobreviveram a ela, e, de alguma forma, aquelas mulheres eram uma dessas coisas. Obstinadas, desprovidas de orgulho, revirando pacientemente o lixo em busca do que podia ser salvo, e muitas delas asiáticas, mesmo antes da Crise. Seus rostos lembravam o da avó, o da mãe e o seu próprio, e era nelas que pensava toda vez que enterrava mais um pouco o chapéu de palha na cabeça e descia a calçada arrastando os pés, curvando-se junto a latas de lixo ou à raiz das árvores. Vestida como uma delas, podia ir a qualquer lugar, contanto que tomasse cuidado.

Ainda assim, havia momentos arriscados. Às vezes, a polícia aparecia: ela nunca via quem ligava, apenas erguia os olhos e avistava a pessoa espiando por trás das cortinas enquanto a viatura parava ao seu lado. Quando o policial chegava perto, ela enfiava uma nota de vinte no bolso traseiro dele, mas uma vez isso não bastou. O homem agarrou seu cotovelo com dedos fortes, ela sentiu o hálito quente na lateral do seu pescoço, e então o seguiu até um beco, baixou seu zíper e pôs a mão por dentro do cós da calça dele. Enquanto ele se contorcia e gemia, ela manteve os olhos cravados no distintivo em seu peito até ele arquear as costas, segurar os cabelos dela e soltar um último ganido engasgado, e enfim ela ficou livre para seguir seu caminho. Quando voltou à rua, depois de se ajeitar, a viatura estava se afastando, e, nas janelas lá em cima, ela viu as luzes acesas, as pessoas atrás delas levando suas vidas delicadas, a mulher esfarrapada lá embaixo já esquecida.

Hoje, ela precisa tomar cuidado redobrado. Com Bird ao seu lado, não pode se dar ao luxo de cometer um erro. Eles serão rápidos. Os últimos poucos lugares aos quais ela ainda não foi.

Fica alguns passos atrás de mim e finge que não me conhece, orienta, puxando o próprio chapéu. E põe os óculos escuros.

Eles saem do metrô na rua Setenta e Dois Oeste: território de mulheres ricas, com capas de celular cravejadas ou cãezinhos brancos em guias esticadas. Por toda parte, as calçadas são de um cinza-prateado úmido, as janelas dos carros riscadas de chuva. Nas esquinas, as mercearias ainda têm guarda-chuvas pendurados nas maçanetas, prontos para serem comprados.

Margaret tira a primeira tampinha de garrafa da sacola pendurada no pulso e a esconde dentro do punho fechado. Depois de procurar por alguns minutos, eles encontram um lugar: uma lixeira quase transbordando. Latas de cerveja amassadas e invólucros plásticos se derramam na calçada molhada.

Fica aqui, murmura Margaret. Atrás de Bird, ela se curva como se fosse revirar o lixo e prende a tampinha debaixo da tampa da lata, numa bola de chiclete bem posicionada. Pronto, diz. Assim deve segurar.

Bird dá um passo para longe da lixeira e a encara, desconfiado. Para qualquer um, a lixeira continuaria parecendo inócua e comum; os olhos passariam direto por ela. Só mais uma das feiuras da cidade, que as pessoas faziam o possível para ignorar. Mas, para ele, o lugar agora está marcado — se com ameaça ou promessa ele não sabe ao certo —, e, por algum motivo, não consegue dar as costas.

O que ela vai fazer?, pergunta, embora Margaret perceba que ele já está imaginando: clarão, labaredas, cogumelo de fumaça. Ela não responde. Já tirou a tampinha seguinte do saco.

Vamos. Temos que nos apressar.

Margaret passou semanas fazendo aquilo todos os dias, e seus olhos miram direto nos pontos prováveis: na fresta de um bueiro de esgoto, enterrada numa rachadura da largura de um dedo na fundação de um prédio. Ela insere uma tampinha com todo o cuidado no ventre de um esquilo parcialmente atropelado por um caminhão.

Não sei, diz, limpando o sangue da ponta dos dedos ao se levantar do meio-fio. Pode ser que eles varram.

Examina a gosma arroxeada de pelos e carne crua, a nuvem de moscas que começa a se juntar.

Mas provavelmente não. Não acho que eles vão se dar ao trabalho. Pelo menos não amanhã.

Eles as enfiam por toda parte, aquelas cápsulas pequeninas. Bird logo começa a ajudar, e seu olhar se ajusta e começa a ver esconderijos por toda parte, do mesmo jeito que os olhos se adaptam à escuridão. Alguns dos pontos Margaret dispensa por serem óbvios demais, limpinhos demais. Algum lugar sujo, diz ela. Um lugar que ninguém vá querer tocar. Bird corre meio passo à frente, depois dois, depois três, e encontra lugares para todas. Dentro de caçambas de lixo que exalam o fedor azedo de frutas podres; nos cantos em que os mendigos urinaram de manhã. Ao pé das árvores, aninhadas entre os toletes de cocô de cachorro. Por alguns instantes, ele se esquece de perguntar para que servem. É uma caça ao tesouro ao contrário, um jogo que ele e a mãe estão jogando. Tampinha após tampinha, a sacola que Margaret carrega no braço vai ficando mais leve, e Bird sente um turbilhão de alegria ao pensar nos lugares legais que eles encontraram, uma sensação de poder e assombro ao pensar em quantas tampinhas estão escondidas pela cidade. Faz as contas: cem por dia durante um mês inteirinho.

Acabou?, pergunta ele depois de ela posicionar a última. Num buraco enferrujado de um poste de luz, bem na entrada do parque.

Acabou, responde Margaret, e dá um suspiro... Será de satisfação? Ou de tristeza? Não dá para saber.

Com a última tampinha de garrafa escondida, ela abandona o saco plástico que passou aquelas semanas todas carregando como disfarce, juntando-o a uma pilha próxima. É dia de coleta de lixo naquele bairro, e, por toda parte, pilhas se equilibram rente ao meio-fio, ameaçando tombar. Em determinados pontos, alguma coisa roeu o plástico e fez uma cascata de lixo se derramar na calçada. Ela esfrega as mãos nas coxas da calça e olha para ele. O seu Bird, de olhos arregalados e impressionável, confiante, ansioso, embora não faça ideia do que o futuro trará. Quase crescido, só quase.

O que ela pode lhe ensinar, o que pode fazer por ele, o que pode lhe dar que seja capaz de compensar tudo que eles não viveram juntos? Quer lhe comprar pretzels, sorvete e limonada de uma carrocinha, deixá-lo dançar pelo parque enquanto lambe dos dedos os grãos de sal e os respingos. Quer vê-lo brincar de coisas bobas, mudando as regras no meio: saltar por cima de pedras quebradas na calçada, pular bem alto e dar um tapa nas placas de parada obrigatória pelas quais eles passam. Não, o que ela quer é brincar de tudo aquilo com ele. Quer ser apenas sua mãe por um dia, como se fosse possível corrigir todos aqueles anos sem ela em uma tarde perfeita.

Uma viatura se aproxima devagar, à caça. As silhuetas dos policiais lá dentro são borrões enevoados por trás dos vidros escuros.

Num segundo, Margaret segura Bird pelo cotovelo e o puxa com força para trás dos degraus da entrada de um prédio próximo. Agachados atrás de uma pirâmide de sacos de lixo, ela o aperta forte com os dois braços, tão apertado que eles podem sentir o coração um do outro bater.

O carro se aproxima, desconfiado. Vasculha a área. Então segue seu caminho.

Algo espesso e amargo cobre o céu da boca de Margaret. Entre seus braços, os ombros de Bird ainda são os de um menino: sem músculos, ossudos, terrivelmente frágeis. Ela não pode lhe dar a linda tarde que ele merece, ainda não. Não é justo, pensa. O mau cheiro do lixo se ergue à sua volta como uma emanação azeda e pegajosa. A viatura já foi embora faz tempo, mas ela continua a abraçá-lo, com os olhos fechados e o rosto encostado no calor impossível dos cabelos do filho. Quando finalmente solta os braços e baixa os olhos para ele, a expressão que vê é de espanto, mas também de confiança. Ela procura no rosto dele alguma pista.

Está tudo bem, sussurra ela. Não precisa ficar com medo.

Eu não estou com medo, diz ele. Sabia que a gente ia ficar bem.

Com um sorriso trêmulo, Margaret lhe dá um último aperto e se põe de pé.

Vamos para casa, diz ela.

Eles pegam o metrô de volta até o Brooklyn, Bird num lado do vagão e Margaret no outro, para ninguém desconfiar que estão juntos. De longe, ela o estuda: uma pequena figura irrequieta de cabelos escuros, cruzando e descruzando as pernas, mexendo nos rasgos remendados com fita adesiva do assento. Não consegue ver muito bem seus olhos por trás dos óculos escuros, mas, quando observa com atenção, detecta os olhares furtivos que ele lhe lança, o relaxamento quase imperceptível de seus ombros toda vez que a encontra, apoiada numa barra vertical, vigiando-o discretamente de longe. São os três últimos anos condensados num instante, ela pensa, observar de longe, adivinhar sem nunca ter certeza do que ele está vendo, torcer para que pensar nela seja um conforto. Não, corrige-se. Os últimos três anos não. Isso é simplesmente ter um filho.

Plantar as tampinhas de garrafa e voltar para casa. Essa costuma ser uma dança bem ensaiada, que ela consegue fazer sem hesitar. Mas nesse dia é diferente. Hoje ela não consegue ficar quieta; toda vez que o trem para, ela se sobressalta e corre os olhos com desconfiança pelos outros passageiros cochilando ou olhando o celular. Seu olhar se volta sem parar para o menino na extremidade do vagão, agora acomodado e tranquilo, interrompendo os próprios devaneios apenas para cruzar seu olhar rapidamente e lhe abrir um sorriso muito tênue de cumplicidade. Ela tenta, mas não consegue sorrir de volta. Outro trem passa rumo a outro lugar e, nas formas borradas vistas através das janelas, ela se lembra da sombra dos policiais da viatura, do rosto de Bird encostado no seu ombro, do corpo magro, quente e vulnerável do filho, mesmo dentro da gaiola que são os braços dela. Sente ódio de si mesma por colocá-lo naquela situação. Ao prender a respiração, ainda consegue sentir o cheiro do lixo, azedo e sufocante, ao redor. O trem pulsa debaixo deles, palpita, as pancadas das rodas, o rugido do motor e o balanço do vagão se confundindo numa mesma palavra, que vai latejando dentro dela cada vez mais veloz. Quando eles chegam à *brownstone*, andando um pouco afastados e entrando um de cada vez pelo portão do jardim de trás, a palavra se revira na base da sua garganta e, assim que estão novamente dentro de casa, irrompe de dentro dela e a deixa sem ar.

Não, diz ela. Não. Eu não vou fazer isso.

Bird se vira de volta para encará-la, congelado junto com ela contra a porta, como para impedir a saída. Por um instante, ela parece mais velha, cansada; na entrada escurecida, iluminada apenas pela solitária lâmpada nua da sala, seus cabelos ficam grisalhos, e o rosto, cinza. Uma mulher petrificada.

Não vale o risco. Nos próprios ouvidos, sua voz soa dura, rouca e rascante.

Mas as tampinhas de garrafa, murmura Bird. Todas as que a gente acabou de esconder. E as que você já tinha escondido.

Não tem importância. Vamos deixar lá.

Mas é importante. Bird balança a cabeça, como se ela estivesse tentando enganá-lo. Não é? Isso que você está fazendo. Eu sei que vai ajudar.

Não tem importância, repete Margaret. Esquece isso. Esquece tudo.

Ela corre até ele e o puxa para junto de si, aninhando seu rosto na palma das mãos, porque a lembrança dele em perigo é insuportável, imaginar que o filho algum dia volte a passar por isso por culpa dela é pior ainda. Independentemente do que acontecesse, ela e Ethan tinham feito uma promessa um para o outro todos aqueles anos antes, e, para ela, a promessa ainda estava valendo. Ela vai fazer o que for preciso para manter seu filho em segurança.

Só que... Nos seus braços, Bird se retesa, então se desvencilha.

Mas..., diz ele.

A testa dele se franze, expressão que ela conhece por tê-la sentido no próprio rosto a vida inteira: tentando destrinchar o que as pessoas fazem, o que dizem e o que querem dizer. Herdara aquela expressão da mãe, que decerto a herdara da própria mãe, e ali estava ela no rosto do seu filho também, encarando-a de volta. Um legado involuntário.

Birdie, diz ela. Você é a única coisa que importa. Eu não quero mais fazer isso. Não quero correr nenhum risco, só isso.

Mas você falou..., começa ele, então para outra vez, e ela ouve tudo que ele não está dizendo em voz alta. Mas todas aquelas crianças. Como Sadie. E as suas famílias. Não foi por isso que você foi embora?

A gente arruma outro jeito de ajudar. Alguma outra coisa. Não sei o quê. Mas algo menos arriscado.

Sua mente está repleta de planos difusos, incoerentes.

A gente vai pensar em alguma coisa, garante ela. Algum jeito de ficar junto, algum lugar onde se esconder. Quem sabe o papai consegue arrumar um jeito de encontrar a gente? Domi pode ajudar. Não seria maravilhoso? Bird.

Ela agora não está falando coisa com coisa; está ciente disso. Segura as mãos dele nas suas, como se ele estivesse afundando, ou então ela, e aquilo pudesse mantê-los na superfície. Os dois ainda estão amontoados na entrada da casa, o espaço diminuto espesso e quente com a sua respiração, ainda sussurrando, mas, para ambos, é como se estivessem gritando. A única coisa que ela quer é não soltá-lo.

Nada disso tem mais importância, diz ela.

Mas, ao mesmo tempo que diz isso, ela vê o rosto dele endurecer, vê pequenas brasas no seu olhar. Como, lê no seu olhar, como você pode fingir que não viu agora que sabe?

Então não tem importância, reflete ele, contanto que esteja acontecendo com outra pessoa.

E ela entende. Agora é tarde para convencê-lo, porque ela já lhe contou a verdade.

Bird, começa ela, mas a decepção patente no rosto do filho faz sua voz se esfarelar e virar areia.

Você é uma hipócrita, dispara ele.

Hesita apenas por um instante, então segue em frente mesmo assim.

Você é uma mãe horrível.

Margaret se retrai, mas Bird também parece sentir o peso das palavras e se encolhe como se ela tivesse batido nele. No rosto dele, ela vê um reflexo do que deve estar acontecendo no seu: narinas tensas e trêmulas, o contorno dos olhos subitamente quente e vermelho. Com um tranco repentino, ele a empurra para longe. Então sobe correndo a escada, e ela não vai atrás. Sente-se exaurida e vazia, como se tivesse vomitado tanto a ponto de não sobrar mais nada lá dentro.

No escuro, Bird pega num sono turbulento.

Sonha com um emaranhado de coisas afiadas e serrilhadas. Máquinas quebradas cobertas de ferrugem, engrenagens totalmente enredadas. Frascos de tinta se espatifando em suas mãos e tingindo os dedos com um azul aguado. Alguém lhe deu um prédio para segurar, e, se ele se afastar, o prédio vai desabar. Ele capturou uma cobra dentro de uma fronha e fica parado com o saco se contorcendo na mão, sem nenhum lugar seguro para soltá-la. No último sonho, logo antes de acordar, ele está cercado por outras crianças, tão imprensado que pode ouvi-las respirar, sentir o calor delas, o cheiro do suor. Mas nenhuma das crianças fala com ele, nem sequer o olham. Cada vez que ele estende a mão, elas se afastam sem dizer nada, um mar silencioso se abrindo aos poucos. Desviando o olhar para todos os lugares em que ele não está: para as palmas sujas, por cima do próprio ombro, para o céu limpo e sem nuvens.

Ele acorda em pânico, afunda no saco de dormir e o puxa até o queixo. Então lembra: as tampinhas de garrafa, a viatura, a discussão. Tudo que sua mãe passou os últimos dois dias lhe contando, todos os motivos pelos quais ela teve que ir embora, e a rapidez com que abandonara a ideia. Pensa nos anos sem ela, pensa nele e no pai sozinhos, sentindo sua falta. Houve um tempo em que eles teriam dado qualquer coisa para tê-la de volta.

Não consegue ver nada, nem mesmo um ponto de luz vindo do hall. Apura os ouvidos para escutar a mãe, mas não ouve nada. Até os barulhos da rua, embora devesse haver alguns, estão abafados e baixos até virarem meros sussurros e leves zumbidos. Ela deve estar em algum lugar ali, mas ele não se lembra do caminho até o quarto dela e, na escuridão inclemente, nem tem certeza se vai conseguir encontrar a saída. É como se não houvesse ninguém ali.

O lamento de uma sirene corta o plástico da janela. O som se aproxima e depois vai embora. O único sinal de vida no mundo. Com o dedo, ele fura o canto do plástico e vai abrindo um buraco até o furo minúsculo se expandir. Abaixa-se e encosta o olho ali.

Lá fora, espera ver apenas mais escuridão, mas o que vê é uma profusão estonteante de luzes. A luz cintila de janela em janela, formando um mosaico resplandecente. Um mar de luzes. Um tsunami de luzes. Cobrindo-o de gotículas reluzentes. Cada uma daquelas luzes é uma pessoa lavando a louça, trabalhando ou lendo, totalmente alheia à existência dele. Pensar em tantas pessoas assim o deixa tonto e apavorado. Todas aquelas pessoas lá fora, milhões, bilhões, e nenhuma delas o conhece ou se importa com ele. Ele tapa o buraco com a mão espalmada, mas ainda pode sentir as luzes chiando contra sua pele como uma queimadura de sol. Nem mesmo se encolher dentro do saco de dormir com as cobertas esticadas por cima da cabeça traz alívio.

De dentro dele se derrama um grito enterrado há tanto tempo que o som parece um terremoto na sua garganta. Um nome que ele não pronuncia há anos.

Mamãe!, grita ele, levantando-se atabalhoadamente da cama, e a escuridão estende as mãos, se enrosca nos seus tornozelos e o puxa para o chão.

Quando ele torna a abrir os olhos, está encolhido em uma bola, e a mão de alguém está pousada, quente e pesada, no V delicado entre suas omoplatas. A sua mãe.

Shh, diz ela quando ele tenta se virar. Está tudo bem.

Ela está sentada no chão ao seu lado. Uma forma menos escura destacada na escuridão.

Eu senti o mesmo na primeira noite em que passei sozinha, sabe?

A mão dela reside morna e macia na sua nuca. Alisando os cabelos que se eriçam ali.

Por que você me fez vir até aqui?, pergunta ele, por fim.

Eu queria…, começa ela e para.

Como concluir? Queria ter certeza de que você estava bem. Queria ter certeza de que você ficaria bem. Queria ver quem você era. Queria ver quem você tinha se tornado. Queria ver se você ainda era você. Queria ver você.

Eu queria você, resume ela, e essa é a única explicação que consegue dar, mas é o que ele precisa ouvir. Ela o queria. Ainda o queria. Não tinha ido embora por não se importar.

A compreensão o invade como um sedativo. Afrouxando seus músculos, alisando as bordas afiadas de seus pensamentos. Ele se encosta nela, confiando que ela aguentaria seu peso. Deixa os braços da mãe o envolverem como uma trepadeira envolve uma árvore.

Pelo buraco que abriu no plástico da janela, um fino feixe de luz perfura a superfície escura e projeta na parede um único borrão estrelado.

Ela acaricia suas costas, sente os calombos da sua coluna sob a pele como se fossem uma fileira de pérolas. Com toda a delicadeza, posiciona suas mãos uma junto da outra, dedo com dedo, palma com palma. Quase tão grandes quanto as dela, os pés talvez maiores ainda. Como um filhote de cachorro, só as patas cresceram, o resto ainda era infantil, mas estava chegando lá.

Birdie, começa ela, é que eu tenho tanto medo de perder você outra vez.

Ele ergue os olhos para ela com a autoconfiança sem limites de uma criança sonolenta.

Mas você vai voltar.

Não é uma pergunta, e sim uma afirmação. Para tranquilizá-la.

Ela assente.

Eu vou voltar, concorda. Prometo que vou voltar.

E ela está dizendo a verdade.

Tá bem, murmura ele. Não tem certeza se está falando com ela ou consigo mesmo. Sobre o que vai acontecer ou sobre o que aconteceu tempos atrás. Tudo junto, decide. Tudo. Está tudo bem, torna a dizer, e sabe, pelo leve aperto dos braços dela, que sua mãe escutou.

Eu estou aqui, murmura ela, e Bird se deixa absorver pela escuridão.

Quando acorda, sua mãe se foi, e já é de manhã. Ele está encolhido dentro do berço, com as pernas dobradas quase até o peito, o saco de dormir abandonado em cima do banco da janela, retorcido como uma pele descartada. Lembra-se vagamente de querer ser pequeno, de encontrar aquele lugar seguro para se esconder. De querer se refugiar. Estendido por cima dele, há um cobertor que ele não reconhece, pesado, pequeno demais e com um formato estranho. Ele então percebe que não é um cobertor, e sim o casaco da sua mãe.

três

De manhã, às dez em ponto, a Duquesa chega com seu carro longo e lustroso, dessa vez ela própria ao volante. Antes de sair pela porta dos fundos, Margaret hesita. Bird não. Está ansioso para ir.

Boa sorte, deseja ele. Seus olhos irradiam confiança.

Obrigada, diz ela, por fim. A gente se vê em breve.

Ela o puxa para junto de si e lhe dá um beijo na têmpora, no ponto exato em que a veia pulsa sob a pele.

Com a mochila a tiracolo, Bird atravessa correndo o jardim de trás, sai pela cerca e entra no carro parado junto ao meio-fio. E ali, no outro extremo do banco, uma silhueta se destaca contra o fundo de uma vidraça escura e se vira quando ele entra. Mais alta, talvez meia cabeça mais alta do que ele agora, com os cabelos mais compridos, mas o mesmo olhar ágil, o mesmo sorriso cético.

Bird, diz Sadie. Meu Deus, Bird.

Ela o envolve com os dois braços. Sua pele tem cheiro de cedro e sabonete. Bird, continua ela, eu tenho *tanta coisa* para te contar…

Se você for fazer alguma fofoca sobre mim, espera a gente sair da cidade, por favor, pede a Duquesa com secura na voz. Não quero perder nada por estar concentrada no trânsito.

Sadie revira os olhos exageradamente em direção ao banco da frente.

Tá bom, diz ela.

No retrovisor, Bird vê os olhos da Duquesa cintilarem para ele, e isso o tranquiliza mais do que tudo. Sadie está à vontade ali, de um jeito que ele nunca viu. Quando o carro engata a marcha outra vez, ela se acomoda no banco, desvia o olhar para a janela e deixa escapar um suspiro suave. Faz meses que eles não se veem, mas, sabe-se lá como, Sadie parece mais jovem, mais atenta e menos desconfiada, como se finalmente conseguisse respirar depois de muito tempo sem ar. Como se não precisasse mais lutar para abrir caminho sozinha pelo mundo. Ele conhece essa sensação ou algo parecido com ela: foi o que sentiu na noite passada, quando chamou a mãe e ela apareceu; foi o que sentiu naquela manhã ao acordar sob o peso reconfortante do seu casaco. Ele também se acomoda no banco, feliz por ser, por enquanto, só uma criança, por não precisar ser responsável por nada, por ser apenas um passageiro. Tem muita coisa que deseja perguntar para Sadie; para começar, não consegue imaginar como deve ser morar com a Duquesa. Mas ele pode esperar.

Para onde a gente está indo?, pergunta ele, quando a Duquesa torna a entrar lentamente no tráfego.

Para o chalé, responde ela, e eles partem.

A Duquesa dirige depressa, e Bird e Sadie viajam com o cinto bem apertado no banco de trás, presos no assento pela inércia de uma aceleração constante. Quando saem do ninho cinza e emaranhado da cidade para a estrada aberta, é como se um foguete tivesse sido lançado rumo às estrelas.

Espero que nenhum de vocês dois enjoe no carro, comenta a Duquesa de repente, olhando pelo retrovisor.

Nenhum dos dois enjoa. Bird quase nunca anda de carro, e a velocidade por si só o deixa empolgado. As janelas recobertas com filme escurecem as cores do lado de fora, transformando o céu em turquesa e a grama em esmeralda. Até mesmo a estrada, que ele sabe ser de asfalto plano e comum, cintila com um brilho prateado. Perto da Duquesa, tudo parece mais rico e espaçoso, e isso faz tanto sentido para Bird que ele não questiona, apenas se recosta no couro macio e absorve a sensação. Ao seu lado, Sadie dá um arquejo quando um bando de aves levanta voo de uma árvore e se espalha feito um punhado de confete. Pela primeira vez, Bird entende por que os cachorros debruçam a cabeça na janela: depois de tanto tempo dentro de casa, também se sente ávido para absorver tudo o que puder, sente o ar em si formigando de vida.

Eles passam uma hora e meia viajando num silêncio agradável, e o único barulho é um deslocamento de ar ocasional quando cruzam rapidamente com outro carro ou caminhão. A Duquesa não usa setas, apenas enfia o pé no acelerador e ultrapassa depressa enquanto o motor emite um ronco grave. Bird se pergunta onde está a outra metade da rodovia, a pista de volta para a cidade; talvez do outro lado das árvores. Embora não consiga vê-la, deve estar ali. É um exercício de fé. Sua mãe prometeu que voltaria. Outro exercício de fé. Ele vai se lembrar de tudo e, quando voltar, vai contar a ela o que viu.

A Duquesa se referiu à casa como *chalé*, e, no sentido estrito, é isso mesmo: uma casinha quadrada rodeada por árvores. Para Bird e Sadie, *chalé* traz a lembrança de Abraham Lincoln, toras de madeira e lobos uivantes. O chalé da Duquesa é pequeno e simples, mas a semelhança para por aí. O piso de tábua corrida do cômodo principal reluz feito caramelo amanteigado. A grande lareira no centro é feita de pedras lisas de rio. Atrás dela há dois quartos pequenos e um banheiro. Numa das paredes, uma janela espia por uma clareira entre as árvores até o distante brilho prateado da água.

Vou confiar em vocês para não se afogarem, diz a Duquesa. A casa mais próxima fica a quilômetros daqui, então ninguém vai vir salvar vocês.

Ela ergue o pulso e confere as horas num fino relógio de ouro.

Então, as regras são as seguintes: vocês não podem sair do terreno, mas, como são quase vinte hectares, imagino que isso não vá ser uma limitação; podem nadar, se não se importarem com o frio; podem acender uma fogueira, desde que tomem cuidado, e só dentro da lareira. Deixei um saco de comida que deve durar até eu voltar, amanhã. Alguma dúvida?

Quem construiu a casa?, pergunta Sadie. Por algum motivo, eu não acho que foi você.

Ela abre um sorriso atrevido para a Duquesa, e a Duquesa sorri de volta com indulgência.

Foi o meu pai.

Ela faz uma pausa repentina e olha em volta, como se estivesse vendo o chalé pela primeira vez. Absorve as paredes de madeira, o telhado de tábuas, o piso lustroso.

Ou melhor, mandou construir, corrige ela. Era como ele fazia as coisas. Seu tom se abranda. Quando eu era criança, a gente costumava se sentar ali na margem para pescar. Ele, minha mãe e eu. Há muitos anos eu não venho aqui.

Ela balança a cabeça como se estivesse sacudindo poeira. Então não toquem fogo na casa, por favor, pede com frieza.

Você vai voltar para ajudar minha mãe?, pergunta Bird.

Pela primeira vez, a Duquesa parece não ter certeza.

Você conhece a sua mãe, diz ela, e Bird assente, mas ao mesmo tempo se pergunta se conhece mesmo. Quando ela cisma com alguma coisa, não tem como fazê-la parar. Mas ela vai me encontrar quando tiver terminado, e nós vamos voltar amanhã para buscar vocês.

E depois?, pensam tanto Bird quanto Sadie, mas nenhum dos dois se atreve a perguntar.

A Duquesa olha para o relógio.

Melhor eu ir andando. Saindo agora, devo chegar no meio da tarde; se estiver engarrafado, então...

Ela pega as chaves em cima da mesa, vira e olha de um para o outro.

Não se preocupem, diz, com uma voz inesperadamente doce. Bird, Sadie. Vai ficar tudo bem.

É claro que vai, concorda Sadie. *A gente* está aqui agora.

Depois de a Duquesa ir embora, Bird e Sadie, de repente conscientes de todos aqueles meses sem se ver, mergulham num silêncio constrangedor. Eles começam a examinar o chalé. No grande cômodo principal, há uma mesa e três cadeiras, uma cozinha americana; no banheiro, um chuveiro e um vaso, além de um pequeno basculante pelo qual não se vê nada exceto árvores. Dois quartos: um maior, em tons de creme e com uma cama de casal grande; o outro menor, cor-de-rosa e com uma cama de solteiro no canto.

Sem aviso, Sadie chuta os sapatos longe no quarto maior, mas Bird não se importa. Era óbvio que a casa fora construída para um casal e um filho, e ele fica feliz em deixar outra pessoa fazer o papel do adulto por mais um tempinho. Acomoda-se no sofá em frente à lareira, e debaixo dele o couro envelhecido range.

Como é?, pergunta ele. Morar com a Duquesa. Como é *isso*?

Sadie ri. Domi? Ela tem uma cara superassustadora, mas não é, não.

Como se um lacre tivesse sido rompido, ela desata a falar. No primeiro dia, ela conta que não tinha nem sequer visto Domi. Deram-lhe um quarto no último andar, cuja parede era coberta por um imenso e antigo mapa-múndi, e a deixaram sozinha, e ela passara o dia inteiro explorando aquela casa que parecia um museu, tentando entender em que tipo de lugar havia aterrissado, que tipo de mulher era Domi. Margaret disse que ela era confiável, mas Sadie não estava acostumada a se tranquilizar com palavras. Naquela noite, já tarde, encontrou o caminho até que o escritório de Domi e ficou ali atrás da mesa lendo os papéis espalhados, até que a dona da casa entrou.

O que é que você está fazendo?, quis saber Domi, e Sadie ergueu os olhos e a estudou com um novo olhar.

Quer dizer que esses cheques todos…, falou, descendo o dedo pelo talão de cheques de Domi. Para todas essas bibliotecas… Você sabe o que eles estão fazendo. Você está… ajudando.

Um longo silêncio pairou, e as duas se reavaliaram mutuamente.

Por quê?, perguntou Sadie, e Domi respondeu: É uma coisa pequena. Para começar a fazer justiça.

Sadie fechou o talão de cheques. Eu quero ajudar.

Imaginara que Domi fosse rir, mas não. O que Domi fez foi se sentar na cadeira do outro lado da mesa, como se Sadie estivesse no comando e ela é que fosse lhe pedir um favor.

Talvez você possa, falou.

Elas passaram dias conversando; Sadie contou a Domi tudo de que se lembrava em relação às autoridades, às suas famílias de acolhimento, ao sistema todo da PACT. Como eles a transferiram, quem a recebera, para onde ela fora mandada. O que vira nas bibliotecas durante aqueles meses em que ficara escondida. O que gostaria de ter feito, o que desejava que os outros tivessem feito. Domi escutava. Aprendia.

Eu não podia sair, conta Sadie para Bird. Alguém podia me ver. Mas Domi me arrumou coisas para fazer. E ela estava procurando meus pais. Tentando rastrear para onde eles foram.

Ela faz uma pausa e engole em seco, e Bird entende que é melhor não perguntar.

Ela falou para eu não perder a esperança *ainda*, diz Sadie. Falou... bom, ela falou que nunca se sabe.

Na véspera da chegada de Bird, a última pista de Domi não dera em nada, e ela comunicara a notícia a Sadie com delicadeza, do mesmo jeito que se avisava sobre a morte de alguém. Vamos continuar procurando, prometeu ela enquanto a abraçava apertado.

Se você pudesse ganhar qualquer outra coisa, perguntou Domi depois de um tempo, quebrando o silêncio. O que iria querer?

Sadie pensou.

Um dia inteiro em que eu pudesse fazer tudo que quisesse, respondeu. Sem ninguém olhando, julgando, perseguindo ou rastreando. Só um dia assim.

Hmm, fez Domi. Talvez seja complicado. Mas eu posso dar um jeito. Se você puder esperar um pouquinho, até chegar a hora certa.

E agora ali estavam os dois, ela e Bird. Um dia sem ninguém olhando nem julgando. Um dia para fazer o que quisessem.

Ela me contou, diz Sadie. Algumas das coisas que ela e sua mãe fizeram durante a Crise. As coisas que elas fizeram... e as que deixaram de fazer. Coisas que teriam feito diferente. Sabe aquele dia em que você apareceu?, indaga ela com um ar de entendida. Quem disse a ela o que perguntar fui eu. Ela subiu até o meu quarto e disse: O que você perguntaria para o Bird para descobrir se ele é mesmo o Bird? E eu disse para ela perguntar da bicicleta. Para perguntar do cereal. Para perguntar do refeitório.

Você sabe?, rebateu ele. O que minha mãe está fazendo?

Sadie demora para responder.

Domi não quis me contar, admite ela. Sua mãe apareceu algumas vezes, para planejar as coisas. Eu tentei escutar, continua Sadie com certo orgulho. Mas não deu para ouvir muita coisa.

Os dois juntam as respectivas anotações. Pelos seus cálculos, Margaret deve ter escondido milhares de tampinhas de garrafa pela cidade inteira. Na casa da Duquesa, Sadie folheou os jornais e passou os olhos pelo noticiário da TV e da internet: nenhum relato de pessoas encontrando artefatos suspeitos em tampinhas de garrafa. Nenhum relato de problemas, pelo menos não na cidade. O que quer que estivesse sendo armado ainda não tinha acontecido. Aquilo já durava semanas, como uma mola sendo inexoravelmente enrolada.

É alguma coisa grande, relata Sadie.

Claro que é, concorda Bird. A minha mãe não faz as coisas pela metade.

Também não acho que Domi faça.

Seus olhares se cruzam.

Bird, diz Sadie, eu aposto que isso vai mudar tudo. O que quer que elas estejam planejando.

Por alguns instantes, os dois não dizem nada, tentando imaginar um mundo depois. Por dentro, Bird borbulha de animação, então se levanta com um pulo. Precisa de um lugar para canalizar aquilo.

Vamos descer até a água, sugere ele.

Eles descem o caminho que atravessa a clareira entre as árvores, e ali está ela: cintilando sob o sol, uma pequena enseada que se estende rumo à imensidão azul mais além. Bird cata um seixo e o atira o mais longe que consegue. Com um *blup* gratificante, a água o engole de uma vez só, e as ondulações retornam até seus pés na praia. A Duquesa tem razão: até onde o olho alcança, não há nenhuma casa, nenhuma outra pessoa, apenas as copas densas das árvores amontoadas ao redor daquela angra reluzente. De cima, deve parecer que um gigante pressionou o polegar na floresta, escavando aquele espaço oco perfeito para o chalé bem na beira d'água.

Ele nunca esteve tão longe das outras pessoas. Durante toda a sua vida, sempre houve mais gente por perto, observando, escutando. Mesmo que não estivessem à vista, elas estavam lá: bem do outro lado da janela, bem do outro lado da parede, logo depois do seu campo de visão, virando uma esquina. Ali não há ninguém, e ele sente que está expandindo até um tamanho descomunal. Ao seu lado, Sadie de repente dá um pulo e um gritinho, e ele faz o mesmo, e das árvores próximas um bando de pardais levanta voo. Os dois então começam a correr, aos gritos, revirando a praia de seixos com suas pegadas, perseguindo os esquilos que escapam por entre as raízes e os esquilos que correm para fora do seu alcance. Quando desabam, animados e exaustos, o silêncio que se cai novamente entre eles parece mais ruidoso do que seus gritos. Nessa hora, nenhum dos dois está pensando nos pais. São apenas crianças brincando.

Vamos entrar, sugere Sadie. Só até o tornozelo.

Eles tiram tênis e meias e arregaçam as calças jeans até os joelhos, e, quando entram no mar, pequenos anéis lamacentos ecoam para longe dos seus pés. A água está um gelo, mas eles não percebem nem se importam. Ali, há árvores que podem escalar, não são como as árvores magras e delgadas que cercam o parquinho e deformam o asfalto com a raiz, são árvores altas, que se esticam mais alto ainda do que Sadie ousa se aventurar.

Eles passam a tarde reparando nos detalhes: nos traços delicados de cada folha de trevo, como se tivessem sido pintados por um pincel de cerdas finas. Na cabeça cor de salmão dos cogumelos saindo da terra; nos graciosos liquens agarrados ao tronco das árvores como escamas de peixe cor de jade. Uma bétula jovem e esguia, alta demais para sua circunferência de fino chicote, curvada quase a ponto de formar um arco, mas crescendo, mesmo assim crescendo, lançando em direção ao céu suas folhas verdes de borda serrilhada.

Outubro está quase no fim, o inverno está chegando, mas as coisas continuam crescendo, continuam vivas.

Quando começa a escurecer, Sadie solta um gritinho, e Bird chega bem a tempo de ver um pequeno caranguejo do tamanho de uma moeda se afastar depressa pela areia. Agora que está prestando atenção, ele os vê por toda parte, escondidos bem diante dos seus olhos. Sempre estiveram ali; ele só não tinha percebido. Os dois tentam capturá-los, perseguindo-os pela praia, tentando segurá--los. Sadie quase consegue e é beliscada por minúsculas pinças, mas os caranguejos sempre dão um jeito de fugir, desaparecendo em buracos na areia, entre as pedras, para dentro do imenso borrão azul da água.

A gente precisa de um pé de galinha, diz Sadie com autoridade. Ela se agacha na areia. É isso que se usa. Para pegar caranguejos grandes, bem maiores do que esses.

Ela faz uma pausa.

Minha mãe me levou num verão, conta. Você amarra um pé de galinha num barbante e joga no mar. Quando o caranguejo agarrar, você puxa bem, bem devagarinho, que ele vem seguindo o pé de galinha, e aí você pega o caranguejo numa rede.

Bird imagina os próprios pais lhe ensinando aquilo: enlameados, chapinhando no mar. Rindo juntos, do jeito que ele se lembra. Puxando uma linha carregada de pescados. Pergunta-se de repente que horas devem ser, o que sua mãe está fazendo naquele instante, se o que ela estava planejando já começou. Acima deles, o céu se estende imenso, plano e azul, mas ele mesmo assim o vasculha com os olhos, como se fosse possível detectar colunas de fumaça a flutuar desde a cidade.

Caranguejo come galinha?, pergunta, empurrando o pensamento para longe, e Sadie assente. Eles comem de tudo, diz ela.

Minha mãe uma vez me contou, continua ela, balançando-se para trás sobre os calcanhares, uma coisa que acontecia quando ela era pequena. Às vezes, tipo uma noite por ano, os caranguejos se confundem e sobem correndo pela praia. Tem a ver com a maré e com a fase da lua, algo assim. O nome é jubileu. Se você acordar no meio da noite e descer até a praia, o mar vai estar tomado por eles. Eles praticamente *rastejam* para fora da água — dá para estender a mão e pegar, aos baldes. Ela, primos, primas, tias e tios faziam isso. As pessoas enchiam caminhões. Aí acendiam uma grande fogueira, assavam os caranguejos e faziam um banquete à meia-noite lá na praia mesmo.

Uau, diz Bird.

Ela contou que, quando era menina, toda noite de verão eles iam dormir de roupa de banho e ficavam acordados no escuro rezando por um jubileu.

Sadie está perdida nos pensamentos, os olhos fixos em algo muito distante.

Ela sempre dizia que algum verão a gente ia descer e visitar essa parte da família para eu poder conhecer todos os meus primos, mas a gente nunca foi.

Lá no alto, um gavião voa em círculos, preguiçoso.

A gente vai encontrá-la, diz Bird. Minha mãe, a Domi... tenho certeza de que elas vão conseguir.

Elas têm procurado, responde Sadie. Não sei se ela ainda está por aí.

Ele nunca a ouviu falar com tanta incerteza, e isso o deixa desorientado.

Se ela estiver por aí, elas vão encontrar, assegura ele. Pensa que a mãe sempre cumpre o que promete.

Essa coisa que a sua mãe está planejando, diz Sadie, é *pra valer*, Bird, vai mudar tudo.

Uma rápida pausa antes de ela prosseguir:

Quero dizer, tem que mudar. Né?

A pequena falha em sua voz, como uma farpa, chama a atenção de Bird. Os olhos de Sadie parecem fixos no horizonte, mas, à luz morna da tarde, brilham como vidro, cobertos por um filme de lágrimas. Os olhos do próprio Bird esquentam e começam a lacrimejar. Ele pensa em tudo que a mãe lhe disse, em todos os anos que o pai passou tentando protegê-lo. Ele se lembra do homem na pizzaria, do homem no parque da universidade. Da mulher com o cachorro. Dos pais de Sadie, dos pais da sua mãe. Dos pais do seu pai desaparecendo de suas vidas, da sra. Pollard agachada nervosa ao lado do seu computador, do cuspe de D. J. Pierce a centímetros do seu sapato. Tudo que precisa ser mudado parece imenso e incomensurável.

A gente podia acender uma fogueira, sugere ele. Que tal?

Dá certo: os olhos dela voltam do reino do *se* para o reino do *é*. Aqui mesmo?

Na lareira, diz Bird. Não vamos ter caranguejo, mas dá para ter uma fogueira.

Juntos, eles arrumam a lenha. Uma coisa pequena e concreta. Meu pai me ensinou, conta Sadie, ele foi escoteiro quando criança. Sabia fazer várias coisas úteis, como atar nós e encontrar o Norte pelas estrelas. É para empilhar como se fosse um chalé de toras de madeira, assim. Mato seco, depois gravetos, depois lenha.

Bird fica vermelho. Seu pai nunca lhe ensinou nada útil como aquilo. Parece os três porquinhos, brinca. Sadie ri, e ele sente uma onda esquisita de orgulho. É bom fazer outra pessoa rir.

Lá vai, diz Sadie, e acende um fósforo com um riscar rápido.

O capim seco pega fogo na hora, seguido pelos gravetos, uma explosão gratificante de laranja. Então, a coisa inteira desaba e fica preta. Putz, reclama Sadie. Com um graveto, ela varre os restos do fogo. Vamos tentar de novo.

Eles formam um quadrado de madeira; Bird procura algo para ajudar o fogo a engatar mais depressa e vê a pilha de jornais pousada junto à lareira. Estende a mão para pegar um, começa a amassá-lo, então para.

Olha, diz ele.

A data do jornal é de quase quinze anos atrás. No auge da Crise, percebem os dois. "SEIS DIAS SEGUIDOS DE TUMULTOS SACODEM A CAPITAL; QUATROCENTOS PRESOS; DOZE MANIFESTANTES E SEIS POLICIAIS MORTOS."

Uma imagem ocupa toda a primeira página: Washington, D.C., em chamas, com uma multidão correndo. Estavam atacando? Ou fugindo? Eles não sabem dizer, mas, pelo ângulo acentuado dos corpos — braços e pernas bem abertos —, estão todos se movendo depressa, com ímpeto, instintivamente. Estão todos de preto, desde os gorros cobrindo a testa até as máscaras e os lenços que escondem o rosto, as botas de solado grosso nos pés. Poderiam ser manifestantes ou policiais, impossível ter certeza. Na calçada, quase escondido, jaz o corpo de uma mulher, o rosto virado de lado e os cabelos empapados de sangue. Ao fundo, o Monumento a Washington se ergue feito um dedo em riste, escuro contra um céu laranja fumegante.

Com as duas mãos, Bird amassa o jornal e o aperta bem, escondendo a foto lá dentro.

Vamos tentar outra vez, diz ele.

Põe o papel amassado no meio do chalé em miniatura que eles construíram e estende a mão para os fósforos.

Dessa vez, as chamas devoram o jornal e aumentam à medida que as palavras impressas se dissolvem e viram cinzas. Pequenas labaredas lambem hesitantes os gravetos e começam a se apagar, e agora Bird recorda algo de muito tempo atrás, algo que o pai um dia lhe falou. Uma palavra e sua história. Ele apoia as mãos e os joelhos no chão e posiciona o rosto diante do fogo. Com a maior delicadeza de que é capaz, franze os lábios e assopra, como se estivesse soprando um beijo ou aliviando um machucado, e as chamas aumentam de tamanho, os gravetos desabam, ressecam e reluzem com o laranja mais intenso que ele já viu; então, quando seu fôlego termina, tornam a se apagar até ficarem cinzentos. Sadie se abaixa ao seu lado e assopra também, e o brilho volta devagar, depois começa a crescer. É como ver o rosto de alguém recuperar a cor, como ver a aurora se espalhar por um céu escuro.

Em silêncio, eles se revezam para atiçar o fogo: primeiro Bird, depois Sadie, depois os dois juntos, soprando para lhe dar vida até fazê-lo pegar nos gravetos maiores, então na lenha, e as chamas se firmarem, quentes e tranquilas.

Spirare, Bird escuta a voz de seu pai. *Respirar. Con: juntos. Então conspirar significa literalmente respirar juntos.*

Eles fazem isso parecer tão sinistro, comenta Sadie, e só então Bird percebe que falou em voz alta. Mas respirar juntos, respirar o mesmo ar... é bem bonito, na verdade.

Eles ficam algum tempo sentados, em silêncio, e Bird pensa nos dias que passou com a mãe em volta da mesa de centro. Costurando juntos sua história sussurrada, ambos respirando o mesmo ar espesso. Sadie põe um pedaço de lenha no fogo, que aproxima da pequena chama até começar a enegrecer e se abrasar. Lá fora o sol está se pondo, mas a noite continua amena e, pela janela, eles veem o ar se incendiar. Vaga-lumes. Na animação, deixaram a porta aberta, e um vaga-lume entra no chalé, depois outro, faíscas verdes reluzindo em meio ao brilho alaranjado da lareira.

Eu a odiava antes, revela Bird de repente.

Mas não odeia mais.

Um longo silêncio. À sua volta, pontinhos brilhantes rodopiam e mergulham.

Não, diz ele, e se dá conta de que é verdade. Não odeio mais.

Eles pegam comida do saco de papel que a Duquesa deixou. Bird esquenta água, despeja lá dentro um pacote de macarrão fidelinho. Está bom, elogia Sadie. Sabia que meus pais de acolhimento não me deixavam usar o fogão? Achavam que eu era um risco. Como se eu fosse tocar fogo na casa inteira.

Eles raspam os últimos vestígios de molho das tigelas.

O que você acha que ela está fazendo agora?, pergunta Bird.

Sadie enruga a testa. Deve estar se preparando, diz. Para disparar todas elas.

Com *todas elas*, está se referindo às centenas de tampinhas de garrafa espalhadas pela cidade.

Você acha que... Bird hesita. Acha que ela é perigosa? Quer dizer, ela não seria capaz de fazer mal a ninguém. Seria?

Uma longa pausa enquanto ambos reviram o pensamento na cabeça.

Eu acho, responde Sadie, por fim, que uma pessoa poderia fazer mal a outra se houvesse um motivo muito bom.

Bird pensa na mãe o empurrando para as sombras quando a viatura se aproximou, no animal de presas afiadas que de repente surgiu no olhar dela. Pensa no pai naquele dia no parque da universidade, em pé ao lado do homem que o havia empurrado. No sangue em seu punho fechado. Eles tinham sido perigosos, pensou; tinham-no amado tanto que esse amor os tornara perigosos.

Eles se deitam cedo, revezando-se para usar o banheiro, e deixam a fogueira obtida a duras penas morrer até virar carvão. Estão ansiosos pelo dia seguinte. Têm muitos planos, cada um incrementando os do outro até formar uma torre de dominós. Amanhã,

Domi e Margaret os levarão de volta para a cidade. Onde tudo vai estar diferente, eles têm certeza, por causa do que Margaret está tramando.

Está acontecendo bem agora, diz Sadie exultante. Bird, pensa só, está acontecendo. Bird fica sem resposta.

Quando o sol está se pondo, ela começa.

Abre o notebook velho, aquele que montou com peças encontradas na rua — todos aqueles livros que perdeu horas de sono estudando, todas as noites até tarde em tantas bibliotecas, finalmente rendem frutos. Pela primeira vez, ela aciona o wi-fi. É um risco: sinais emitidos podem ser rastreados. Passou tanto tempo abafando os próprios passos, amordaçando-se. Agora chegou a hora de falar.

Digita no teclado e lança o programa que preparou. Envia o sinal e aguarda, observando elas se conectarem. Apurarem os ouvidos à escuta das suas ordens. As tampinhas de garrafa que ela vem fabricando e escondendo, quatro semanas de tampinhas. Tudo que ela planejou com tanto cuidado antes de Bird chegar.

Ela fez as contas: uma a cada dois quarteirões, até o Financial District na direção sul e para o norte quase até o Harlem. À prova d'água graças às pequenas conchas plásticas, pequenas o bastante para serem escondidas onde passarão semanas sem serem incomodadas. Mesmo que uma fosse encontrada, ninguém prestaria atenção, era só uma sucata inútil, um pedaço de lixo a ser varrido. Ninguém examinava as sarjetas, as pás, as lixeiras dos garis, aquelas eram coisas que as pessoas tentavam ignorar. Pelas suas contas, ela escondeu duas mil e onze tampinhas: quantas terão sobrevivido e ainda estarão funcionando, quantas se conectarão e atenderão ao seu chamado?

No começo dez, agora quinze. Vinte e cinco.

No início, ela não soube o que fazer com as histórias que havia juntado. O primeiro fio de uma ideia tinha se formado quando uma das mães tinha segurado sua mão e dito, com a voz trêmula: *Conte para todo mundo o que aconteceu com a minha menina. Conte para o mundo inteiro. Grite lá do céu, se conseguir.* Mais tarde, a ideia tinha se cristalizado quando, numa manhã de sol em Los Angeles, ela olhou para cima e viu uma torre telefônica maldisfarçada de árvore. Envolta em lonas verdes estampadas com folhas, os braços em ângulo reto rígidos como os de um manequim. O tipo errado de árvore para aquele clima, uma árvore perene muito maior do que as palmeiras, a cabeça e os ombros mais altos do que as árvores de verdade, emitindo um leve zumbido. Que tipo de mensagem estaria transmitindo? Por um instante, ela havia fechado os olhos e imaginado todas aquelas palavras invisíveis se tornando audíveis, uma cacofonia de vozes cruzando a cidade como a trama de uma rede.

Ela volta a pensar nisso enquanto observa o monitor mostrando as tampinhas que estavam atendendo ao seu chamado. Setenta, cem, duzentas.

Dentro de cada uma, um diminuto receptor sintonizado na frequência exata que o seu computador agora emite. E um pequeno alto-falante. Domi tinha lhe prometido: com um raio de recepção de dezesseis quilômetros e som cristalino, vai dar para ouvir, no mínimo, a um quarteirão de distância. Seu pai fizera fortuna com aquela tecnologia, embora certamente nunca a imaginara sendo usada para esse fim. Uma atrás da outra, elas vão despertando, a contagem subindo. Duzentas e cinquenta. Trezentas. Cada uma era um pontinho aceso no mapa, subindo rumo ao norte desde Battery, pintando sardas em Chinatown, Koreatown e Hell's Kitchen, salpicando

Midtown até o Upper West Side e além. Mais de quinhentas agora, e a contagem continua subindo. Quando chega a mil e novecentas, a contagem para, e Margaret faz uma conta rápida. Quase noventa e cinco por cento, nota dez com louvor. Seus pais ficariam orgulhosos.

Ela ergue o microfone, pigarreia, e, do outro lado da cidade, quarteirão por quarteirão, alto-falantes em forma de tampinhas ganham vida com um chiado. Captando o sinal que ela está transmitindo. Uma voz que surge do tronco das árvores, de baixo de latas de lixo, de frestas nos degraus da frente das lojas e de trás dos postes da rua: por toda parte e em todos os lugares onde ela conseguiu inserir uma tampinha no último mês. Escondidas sem ninguém notar até aquele instante, quando daquela tampinha redonda sua voz iria sair, surpreendentemente alta, dando um susto em quem estivesse por perto. Em uníssono, a voz falaria pela cidade inteira, levemente arranhada, como gasta depois de tanto uso. Uma voz apenas, mas as palavras de muitas.

Não precisa ser ao vivo, disse Domi. Uma gravação, talvez. É mais seguro. Você não precisa estar lá. Ela disse isso com delicadeza, como quem tenta convencer uma criança teimosa.

Margaret balançou a cabeça. Eu não preciso estar, respondeu, mas quero.

Não sabia explicar por quê, mas sentia aquilo nos ossos: certas coisas precisam ser feitas pessoalmente. Prestar depoimento na justiça. Despedir-se dos mortos. Recordar os que se foram. Algumas coisas deveriam ser testemunhadas. Mas havia outro motivo que ela própria não conseguia entender muito bem, mas conseguia sentir, como quem sente um fantasma. Não estivera lá quando seus pais faleceram; eles morreram sozinhos, sem a sua presença, e ela devia ter estado com eles, para ver o homem que empurrara seu pai e gravar na memória aquele rosto; devia ter estado junto ao leito do pai no hospital, em meio às máquinas apitando e piscando, para lhe dar um beijo de despedida. Devia ter estado lá na manhã seguinte para amparar a mãe quando ela caiu, talvez salvá-la, mas, no pior dos casos, lhe proporcionar um rosto amoroso no qual se concentrar enquanto a luz em seus olhos se apagava. Não teria conseguido elaborar isso, mas sentia que esse erro tomava forma dentro de si, assim como sentia o próprio coração batendo forte no peito. Eles mereciam esse tipo de cuidado, e ninguém pôde lhes dar. Ela iria fazer isso com esse pequeno gesto, iria prestar aquele testemunho solene e segurar a mão de cada história que estava prestes a contar.

Sozinha na *brownstone* escurecida, ela abre o primeiro dos cadernos, uma biblioteca de histórias que passou os últimos três anos reunindo e carregando junto ao corpo. As palavras daqueles com quem conversou, fielmente reproduzidas numa letra microscópica, confiadas a ela para conservar, proteger e compartilhar. Começa a ler as palavras que essas famílias sussurraram, dando-lhes voz pela sua boca. Uma por uma, criança por criança, vai contando cada história.

Ela começou explicando em linhas gerais. Só um primeiro nome, nada capaz de dedurar ninguém: *Emmanuel. Jackie. Tien. Parker.* A cidade em que moravam: *Berkeley. Decatur. Eugene. Detroit.* Sua idade quando tinham sido levados: *Nove. Seis. Sete e meio. Dois.*

Então, para reforçar essas linhas, os contornos e as texturas de certa vida vivida, os detalhes que tornavam cada criança ela mesma. Os menores momentos e os mais humanos, que explicavam quem elas eram. *Ater-se aos detalhes.*

Ele sorria do nada... Num segundo estava rindo, feliz. No outro, imediatamente sério. Até quando estava brincando de esconde-esconde ele levava tudo muito a sério. Como se já soubesse que poderia sumir; com o movimento de um pano, desaparecer.

*Ela não comia nada que tivesse cantos. Eu tinha que cortar os san-
duíches em círculos. Passei meses me alimentando só dos cantos cortados que ela não comia.*

No início, as pessoas se detêm, sem entender. De onde está
vindo essa voz? Olham por cima do ombro à procura da fonte.
Alguém atrás delas? Atrás daquela árvore? Mas não, não há ninguém ali. Elas estão sozinhas. Então começam a ouvir, é inevitável. Uma história, depois outra. Depois mais outra. Elas param e,
de repente, não estão mais sozinhas: são grupos, depois dezenas,
muitas pessoas aglomeradas em silêncio, escutando. Aqueles nova-
-iorquinos duros, gente capaz de ignorar um grupo de dançarinos
de *break* rodopiando em volta das barras do metrô, capaz de se
desviar de um enxame de turistas com câmeras penduradas no
pescoço ou de um homem vestido de cachorro-quente sem diminuir o passo ou o foco, sem sequer olhar para o lado. Essas pessoas
param para escutar, e as ruas abarrotadas da cidade se adensam e
se congestionam. A voz vinha de todas as direções, era como se
estivesse no ar. Mais tarde, alguns relataram que parecia uma voz
divina, mas a maioria sentiu que era o exato oposto: parecia uma
voz interior, falando ao mesmo tempo para eles e de dentro deles,
e, embora estivesse contando histórias de estranhos — de pessoas
que eles nunca tinham encontrado, de filhos que não eram seus,
de uma dor que eles não tinham vivido —, falava não só para eles,
mas junto com eles, sobre eles, explicando que as histórias que
contava, uma depois da outra num sonho aparentemente sem fim,
não eram as de outra pessoa, e sim uma única história maior da
qual eles também faziam parte.

*Na noite em que você foi levado embora, eu estava chateada, porque
você tinha rabiscado a parede com caneta permanente, rabiscado as*

próprias mãos, o rosto e também uma parte do tapete, rabiscos pretos raivosos. Eu tinha lhe dado uma palmada, e você foi para a cama chorando, e eu estava esfregando a parede com uma esponja quando bateram à porta.

Ela quer que as pessoas recordem mais do que os nomes. Mais do que os rostos. Mais do que o que aconteceu com aquelas crianças, mais do que o simples fato de elas terem sido levadas. Cada uma delas precisa ser lembrada como uma pessoa diferente de qualquer outra, não um nome numa lista, mas *alguém*, alguém diferente de todos os outros.

Lembra aquele dia em que a gente foi até o píer? Naquele dia, o mundo estava cheio de coisas para ver, os leões-marinhos deslizando pelo porto, a roda-gigante girando no meio do céu azul, as gaivotas descendo lá de cima. Quando começou a escurecer, eu disse: Vamos jantar sorvete, e você olhou para mim como se asas tivessem brotado das minhas costas. Pediu um de manteiga de amendoim com chantili, e eu, um de chocolate. No caminho de casa, o ônibus estava lotado, então você foi no meu colo, dormiu e babou manteiga de amendoim no meu pescoço. Espero que você se lembre desse dia. Espero que se lembre do jantar de sorvete.

Ela não vai conseguir continuar para sempre, está ciente disso. Em algum lugar, eles já a estão rastreando. Estão caçando os alto-falantes, esmigalhando-os um a um. Ela os fabricou o mais resistentes possível. Eles terão que seguir o som, abrir caminho às cotoveladas pela multidão de ouvintes, remontar o fio de sua voz até a fonte. Precisarão de lanternas; só terão essas finas agulhas de luz para examinar cada nicho e cada fresta. Terão que tatear, tocar o fundo sujo de chiclete das lixeiras da cidade, enfiar a mão em sarjetas cheias de limo, dentro de grades fedidas e debaixo de pilhas de cocô de cachorro, esforçando-se para extrair as tampinhas que ela com tanto cuidado escondera. Os alto-falantes não podem ser desligados, apenas destruídos, e aqueles que a estão rastreando os esmagarão com o calcanhar das botas, mas o som continuará sendo emitido de outros alto-falantes a um ou dois quarteirões de distância. A cada um que encontrarem, perceberão que há centenas de outros, que eles podem procurar o mais longe possível, mas essas histórias chegarão a lugares ainda mais distantes. É um jogo de esconde-esconde, e ela o fará durar o máximo que puder. Eles nunca vão encontrar todos os alto-falantes, no entanto, mais cedo ou mais tarde, vão rastrear seu sinal, pois o wi-fi que a conecta a eles deixa um rastro de minúsculas pegadas digitais; e eles seguirão essas pegadas até aquela casa, onde ela está sentada com um microfone e uma pilha de cadernos de capa mole e curvada por terem sido carregados tanto tempo junto ao corpo. Quando chegarem, ela já terá ido embora.

Vai contar o máximo de histórias que puder. Ainda tem tempo. A história de uma família. Depois de outra. O que você quer lembrar?, perguntou ela aos que haviam ficado. O que gostaria de dizer ao seu filho? Havia registrado as palavras, e agora, como prometido, está falando por eles, falando as palavras que eles são incapazes de dizer em voz alta.

Quando não consigo dormir, eu conto mentalmente as suas sardas. Na têmpora, onde o crânio é mais fino. Na bochecha direita logo ao lado da orelha. Na parte interna do cotovelo, na lateral do joelho, duas no ossinho do pulso. Essas marcas que você carrega desde que estava dentro de mim. Fico pensando se ainda existem ou se se apagaram com o tempo. Se você agora tem na pele outras marcas que eu nunca vou ver.

Na hora de dormir, você sempre me pedia alguma coisa para sonhar. Hoje você vai sonhar que é uma sereia, eu dizia, e está explorando uma imensa cidade submersa. Ou: Hoje você vai voar num foguete e passar por estrelas cintilantes. Uma noite eu estava cansada. Não consegui pensar em nada. A verdade é que você tinha se comportado mal o dia inteiro e eu só queria que você dormisse. Falei: hoje você vai sonhar que está deitada quentinha e segura, dormindo na sua cama. Que sonho mais chato, mãe, você respondeu, esse é o sonho mais chato que eu já escutei. E era mesmo, mas agora é o melhor sonho em que eu consigo pensar, o único que consigo sonhar.

Quando eles começarem a chegar perto, ela vai fugir. Acompanha os alto-falantes se apagando um depois do outro no mapa, sinalizando o quão perto eles estão. Domi está esperando na Park Avenue. Depois de transmitir o que conseguir, o plano é Margaret destruir o notebook, pegar seus cadernos e fugir.

Haverá alguém lá fora escutando? Estarão as pessoas andando apressadas? E quanta diferença aquilo pode fazer de fato, uma única história, mesmo todas aquelas histórias somadas e despejadas com a ajuda de um funil dentro do ouvido de um mundo atarefado, um mundo tão apressado que faz as vozes e os sons se confundirem até virarem um apito cada vez mais alto, tão distraído que, até quando você presta atenção em algo fora do comum, você é arrastado para longe antes de conseguir vê-lo, e o arranca como o ferrão de uma abelha. É difícil qualquer coisa ser ouvida, e, mesmo se alguém ouvir, que diferença pode realmente fazer, que mudança podem causar aquelas simples palavras, aquela única coisa que aconteceu uma vez com alguém que os ouvintes não conhecem nem nunca vão conhecer. É só uma história. São só palavras.

Ela não sabe se vai fazer alguma diferença. Não sabe se alguém está escutando. Ela está ali, trancada dentro do armário, desenhando gatos e mais gatos e passando-os pelas frestas. Sem saber se eles conseguirão cravar uma garra na fera que está lá fora.

Mesmo assim, vira outra página e continua:

Eu guardei todos os dentes que você deixou debaixo do travesseiro numa latinha que antes era de balas de hortelã. Às vezes a pego, despejo os dentes na palma da mão e os faço tilintar como se fossem contas. Guardo a latinha dentro do meu porta-joias. Parece o lugar certo para esses fragmentos de você, o lugar certo para pequenas preciosidades.

Espero que você esteja feliz.

Espero que saiba quanto

Espero

Até o fim, ela acredita ainda ter tempo. Acredita que vai poder contar cada uma das histórias que reuniu, gravou e prometeu passar adiante e ainda voltar para Bird. Mas ela está errada. A fase mais escura da noite passou, e lá longe, bem no ponto em que o céu toca o oceano, o sol começa a nascer. Então ela ouve: um carro, depois outro e um terceiro. E outro ainda. Os pneus cantando, o silêncio repentino e ameaçador quando cada motor é desligado.

Ela ainda tem cadernos cheios de histórias que não terá tempo de contar. Errou nos cálculos. Ficou por tempo demais.

Eles então se abatem sobre ela com suas asas negras e quase a sufocam: todos os seus muitos erros como mãe. Todas as vezes que causou dor àquele que mais queria proteger. Uma vez, quis pôr Bird em cima dos ombros, e ele bateu a cabeça no batente da porta; um hematoma da cor de uma ameixa havia desabrochado em sua testa.

Passou-lhe um copo, e o vidro, trincado com uma rachadura invisível, se estilhaçou na sua boca. O catálogo de fracassos em sua mente é interminável, indelével, e cada lembrança crava nela seus esporões e seu peso, impedindo-a de se mexer. Ela o furou com uma agulha ao tentar desalojar uma farpa e, com isso, fez uma gota de sangue brotar do seu polegar. Gritou com ele no meio de um chilique e o deixou chorando sozinho. Colocou-o em perigo com o verso de um poema e, depois disso, o abandonou por muito tempo, e em breve teria que abandoná-lo outra vez. Será que ele algum dia iria entender? Através da leve escuridão, ela baixa os olhos para os cadernos espalhados em cima da mesa. Uma pilha inteira de cadernos preenchidos com histórias alheias, cada qual com as próprias lembranças e arrependimentos, com todas as suas falhas e todo o seu amor, com todas as coisas que essas pessoas gostariam de dizer para filhos que talvez nunca mais voltem a ver. Quem sabe isso é apenas o que significa viver: uma lista sem fim de transgressões que não se comparam às alegrias, mas que se sobrepõem a elas, e as duas listas se misturam e se fundem, todos os pequenos instantes que formam o mosaico de uma pessoa, de uma relação, de uma vida. Bird vai aprender, então, que sua mãe está sujeita a falhas. Que ela também é apenas um ser humano.

Ela fecha a capa do caderno que está na sua frente e o põe por cima dos outros. Vai levar aquelas histórias consigo do único jeito possível: risca um fósforo e queima a pilha inteira.

Então, como tem só mais um segundo, como eles estão chegando, mas não chegaram ainda, começa a contar uma última história. Um pedido de desculpas, uma carta de amor. Uma história que nunca escreveu, porque a conhece de cor. Fecha os olhos e começa a falar:

Bird. Por que eu lhe contava tantas histórias? Porque eu queria que o mundo fizesse sentido para você. Queria dar sentido ao mundo, por você. Queria que o mundo tivesse sentido.

Quando você nasceu, seu pai quis pôr o meu sobrenome em você. Miu: um broto. Ele gostava dessa ideia, você como o broto de nós dois. Mas eu preferi o sobrenome dele: Gardner. Um jardineiro, aquele que faz as coisas crescerem. Queria que você fosse não só alguém que cresce, mas que também cultiva. Que tivesse poder em relação à própria vida, que canalizasse sua energia para o que está por vir, que caminhasse na direção da luz.

Só que outras pessoas têm uma história diferente para o seu sobrenome. Gar: arma. Dyn: alarme. Gardner, aquele que escuta o grito de alerta e que chega portando armas. Um guerreiro defendendo o que está atrás, guardando o que é precioso. Eu não sabia disso na época. Mas hoje fico feliz por você ter as duas coisas dentro de si. O que cuida para preservar o futuro e o que luta para defender o que já existe.

Tem muitas outras histórias que eu gostaria de lhe contar. Você vai ter que perguntar para os outros, para o seu pai, para os seus amigos. Para desconhecidos gentis que um dia vai encontrar. Para todo mundo de quem se lembrar.

Mas, no fim, todas as histórias que eu quero lhe contar são a mesma história. Era uma vez um menino. Era uma vez uma mãe. Era uma vez um menino, e a mãe dele o amava muito.

Quando ela para de falar? Quando se para de contar a história de alguém que se ama? Você vira e revira as lembranças mais preciosas até as deixar com as bordas lisas, aquecendo-as com seu calor. Toca

as curvas e as reentrâncias de cada detalhe conhecido, decorando-
-os, recitando-os mais uma vez, mesmo eles estando gravados nos
seus ossos. Quem é que pensa, ao recordar o rosto de alguém que
ama e já partiu: sim, eu já olhei para você o suficiente, já amei você
o suficiente, nós tivemos tempo suficiente, alguma coisa nisso tudo
foi suficiente?

Ela ergue o notebook acima da cabeça e o esmigalha no chão, e
atrás de si ouve a porta se abrir.

Quando Bird e Sadie acordam, o sol está nascendo. No início, nenhum dos dois se lembra de onde está, e então recordam de tudo ao mesmo tempo: o chalé. O projeto. Lá fora, as árvores parecem setas retas e compridas apontando para o céu. Eles têm certeza de que o plano de Margaret foi um sucesso, certeza de que ela mudou tudo, certeza de que, quando ela e a Duquesa chegarem, eles voltarão para uma cidade inteiramente transformada, para um mundo recolocado no eixo.

Só que ninguém vem. Eles terminam de comer o cereal e ficam sentados lado a lado nos degraus da frente do chalé, esperando. O dia está nublado, e o ar pesa, abafando o som ao redor como uma colcha grossa. De vez em quando, eles juram ter escutado alguma coisa: o estalo de pneus no cascalho, o ronco de um motor se aproximando. Mesmo assim, ninguém chega.

Elas vão aparecer daqui a pouco, diz Sadie, confiante. Aposto que é só o trânsito. Elas estão vindo.

O chalé não tem telefone, não tem computador nem internet. Nada que os vincule ao mundo lá fora. É aí que Bird e Sadie se dão conta de que têm apenas uma vaga noção de onde estão — durante a viagem, pararam de prestar atenção nas placas da estrada quanto mais se afastavam da cidade. Isso não teve importância na ocasião, mas eles pensam nos quase vinte hectares que os separam do vizinho mais próximo. Como encontrar outra pessoa num espaço assim? Lá no alto, acima das árvores, as nuvens ficam cinza e escurecem.

E se ninguém nunca mais voltar?, pergunta Bird. No silêncio, os dois refletem sobre isso. Poderiam viver ali por algum tempo: é quente e protegido; o saco de comida que a Duquesa deixou poderia durar alguns dias, talvez mais. E depois?

E se a gente for atrás de um vizinho para usar o telefone?, sugere Sadie.

Mas ambos sabem que isso é impossível. Que direção pegariam, como encontrariam outra casa e, uma vez lá, para quem ligariam, afinal? Tentam imaginar: poderiam seguir o longo acesso para carros que sai da casa até chegarem outra vez à estrada, depois seguir por ela. Deve dar em algum lugar de volta à cidade ou para mais longe dela, mas os levaria até pessoas. E depois? Eles se detêm, paralisados, sem saber ao certo o que vem depois. Quem quer que os encontrasse certamente ligaria para as autoridades e eles seriam levados embora, e separados. Ouve-se um farfalhar e um chacoalhar repentino, e ambos se retesam, na expectativa, mas não há ninguém ali, nenhum movimento: é só o vento que aumentou e sacudiu as árvores. Galhos zunem e chicoteiam o ar. Ele nunca pensou que a floresta pudesse ser tão barulhenta, tão selvagem.

Vai ver alguma coisa aconteceu, sugere Bird.

Ele não diz, mas ambos pensam: talvez elas tenham sido pegas, Margaret ou a Duquesa, ou as duas, talvez tenham sido capturadas, talvez ninguém nunca mais fosse buscá-los. Ou um pensamento bem pior, que ocorre aos dois quase ao mesmo tempo, embora nem um nem outro se atreva a lhe dar voz: talvez as autoridades estejam vindo pegá-los agora, estejam no seu rastro e a caminho. O ar esfria de repente e faz a pele deles se arrepiar.

Sadie balança a cabeça em negação. Como se recusar-se a acreditar pudesse obrigar o universo a acatar.

Impossível, responde ela. Elas tomaram muito cuidado, planejaram tudo. Não *deixariam* isso acontecer.

Vamos entrar, diz Bird, pondo-se de pé, mas Sadie não sai do lugar. Vem, chama ele, olha, vai chover mesmo. Ele tem razão: o ar ficou úmido e elétrico, parado na beira de um temporal. Mas Sadie planta os pés no degrau com mais firmeza e abraça os joelhos.

Vai você se quiser. Eu vou ficar aqui. Elas vão chegar logo, eu sei que vão.

Bird hesita na porta, não quer deixar Sadie sozinha nem ficar sozinho. Nem do lado de fora nem do de dentro, corre os olhos pelo acesso de cascalho que surge pelo meio das árvores, faz a curva e desaparece. Nada ainda, e gotas grandes começam a cair, pintando manchas escuras nos degraus de madeira.

Sadie, torna a chamar. Vem, Sadie.

A chuva cai sibilando como mil cobras pequeninas, e o chão se contorce nos pontos em que ela bate. Os pingos espetam a terra, cavando buracos que vão aumentando até virarem crateras, que se enchem de água e incham até virarem poças. Ricocheteiam no acesso de terra batida e nos degraus, pulando até a altura dos tornozelos. Ricocheteiam em Sadie, que continua sentada, fiel e obstinada, com os olhos fixos no acesso que dá na estrada, até ficar ensopada e finalmente entrar em casa.

Bird fecha a porta, e o silêncio que se faz depois do redemoinho e do estrondo da chuva é ensurdecedor. A água escorre das roupas de Sadie e empoça a seus pés. Ela nem sequer enxuga o rosto, apenas deixa os cabelos pingarem direto nas bochechas, e Bird não sabe dizer se ela está chorando. Estende uma das mãos para tocar seu ombro, mas ela o afasta com um gesto.

Está tudo bem, diz ela.

Ela entra no quarto para pegar roupas secas e, quando volta, tem uma coisa nas mãos.

Olha isso. Olha o que eu achei na mesa de cabeceira.

Um pequeno frasco laranja de tampa branca. Ela o sacode, e lá dentro comprimidos chacoalham feito granizo.

Juntos, eles leem o rótulo desbotado: Duchess, Claude. Em caso de crise de pânico, tomar um comprimido. O prazo de validade bem no meio da Crise. Sadie desenrosca a tampa.

Só sobraram dois, diz ela. De…, ela consulta o rótulo, de cento e cinquenta.

Metodicamente, enquanto a chuva batuca no telhado, eles reviram os bolsos ocultos da casa. Dentro da cômoda: óleo de lavanda, um manual de meditação, três tipos de remédio para dormir. Cartas num idioma que eles não sabem ler, com selos estrangeiros. Na outra mesinha de cabeceira: um lápis quebrado, um livreto de palavras-cruzadas — *Superfácil!* —, uma garrafa de uísque vazia, uma caixa de balas de revólver também vazia. Então reparam nas cavidades gêmeas de ambos os lados do colchão, nos pontos gastos do tapete que alguém deve ter pisado em sucessivas manhãs, reunindo a energia e a força de vontade necessárias para começar um novo dia. Notam a rachadura no abajur da cabeceira, onde este quebrou e foi consertado. Marcas de queimadura espalhadas pelo piso de tábuas onde caíram cinzas quentes de cigarro.

Eles não têm nada além de tempo. De vez em quando, acham que ouviram algum som, alguém se aproximando, mas, quando correm até a pequena janela da frente e olham para fora, é sempre o vento, a chuva tamborilando na lateral do chalé, as árvores rangendo e gemendo na tempestade. Na cozinha, nos fundos do último armário de cima, encontram pacotes de macarrão e latas de feijão cuja validade antecede o nascimento deles.

Pela primeira vez, conseguem imaginar os longos meses de espera ali na floresta, no meio do nada. Pensando no que teria acontecido com o mundo lá fora, com medo de quando este os alcançasse. Apreendendo que tipo de mundo os estaria aguardando quando ressurgissem. Eles tiveram o luxo de um refúgio, abrigados naquela casa aconchegante com comida de sobra, água corrente e calor. Puderam se isolar e esperar o pior da Crise passar. Agora ali estão os dois, encolhidos juntos, e finalmente entendem: o chalé parece o único lugar seguro, um refúgio ao qual eles se agarram com mãos desesperadas. Estaria alguém vindo? Quem seria, que notícia traria do mundo exterior, seria amigo ou inimigo, e quando chegaria? Será que eles morreriam ali, sozinhos atrás de barricadas, separados e isolados do restante do mundo? E seria isso melhor ou pior do que sabe-se lá o que poderia ter lhes acontecido se tivessem ficado e corrido o risco? Ou será que isso sequer tinha importância?

No meio da tarde cinzenta, eles acendem outra fogueira, sentindo necessidade de calor, de algo dançando, aceso e vivo. É mais fácil dessa segunda vez, agora eles sabem o que fazer e ficam olhando as manchetes dos jornais amassados se extinguirem no meio das chamas.

"DOW JONES DESPENCA PELO QUARTO MÊS SEGUIDO; RESERVA FEDERAL COGITA PLANO DE AUXÍLIO".

"MANIPULAÇÃO DO MERCADO PELA CHINA É FATOR PROVÁVEL DA RECESSÃO, DIZEM AUTORIDADES".

Mesmo depois de o fogo se acender, eles seguem folheando a pilha de jornais, lendo as manchetes e observando as fotos da primeira página. Voltando no tempo aos poucos. "AGLOMERAÇÕES PROIBIDAS ATÉ AGOSTO. CONGRESSO DEBATE MEDIDAS PARA IDENTIFICAR SUBVERSIVOS PRÓ-CHINA. PESQUISAS MOSTRAM APOIO ESMAGADOR AO PROJETO DE LEI DA PACT."

Chega, diz Sadie, largando os jornais na pilha. Não quero ler mais nada disso.

Em silêncio, eles alimentam o fogo, inserindo um graveto aqui e ali, oferecendo um pedaço de lenha, aninhando-o entre as chamas, observando ansiosos até ele se abrasar. Gotinhas de chuva caem pela chaminé causando estalos e sibilos de vapor. Os dois sentem, sem mencionar um ao outro, que precisam manter aquele fogo aceso, pois, se o fogo se apagar, algo terrível vai acontecer, algo precioso e irrecuperável será perdido. Sentem que manter o fogo aceso é sua única opção, que, sabe-se lá por quê, não só o seu destino, mas o destino do mundo inteiro depende daquele fogo. Se conseguirem mantê-lo assim, têm certeza, Margaret e a Duquesa voltarão para buscá-los, e a mãe de Bird não só estará bem, como trará a notícia de que o plano foi bem-sucedido, de que tudo de repente mudou, de que tudo que precisava ser corrigido foi restaurado. Eles terão merecido esse milagre. Mas se deixarem o fogo se apagar...

Não pensam nisso nem se atrevem a traduzir esses temores em palavras. Nessa noite, não se dão ao trabalho de cozinhar; em vez disso, alimentam-se dos lanches prontos que havia no saco de comida, consumidos aos poucos toda vez que um deles sente fome. Cranberries secos, biscoitos de água e sal, amêndoas tostadas; eles passam o dia beliscando. Quando escurece, não se refugiam outra vez nos respectivos quartos. Eles se sentam juntos em frente à lareira e observam as chamas devorarem os pedaços de lenha um a um.

Quando espiam lá fora, tudo parece borrado, todas as coisas incertas e obscurecidas. Não são mais árvores, e sim algo parecido com árvores, manchas verdes riscadas por linhas escuras e molhadas. Não mais a água calma da véspera, mas um borrão cinza-ardósia, algo que infla e se sacode bem no limite do seu campo de visão. Não conseguem enxergar muito longe, uma névoa paira no ar, como a água salgada borrifada pelo mar, então eles fecham as cortinas para não precisar ver qualquer que seja a terrível luta em curso do lado de fora. O vento faz ranger o telhado, a vidraça das janelas, o piso, é tanta chuva que é impossível distingui-la do rugido de um oceano. Eles são um barquinho solto no meio de um temporal, e tudo está de cabeça para baixo. Onde fica o lado de cima? Não sabem mais ao certo. Talvez o piso de tábuas seja o convés, virado de ponta-cabeça; a chuva que fustiga o telhado talvez sejam as ondas, chicoteando e mordendo a quilha sob seus pés.

Estou com medo, confessa Bird.

A mão de Sadie se esgueira para junto da sua, morna e reconfortantemente úmida e viva.

Eu também.

Até tarde da noite, eles alimentam o fogo faminto, nenhum dos dois pronto para desistir, e resistem ao sono até bem depois da meia-noite, acordando quando o fogo perde força e a sala esfria, pondo mais um pedaço de lenha e chamando-o de volta à vida, fazendo-o despertar das cinzas repetidamente. Até que, logo antes de a aurora deixar o céu em um tom cinza-dourado, ambos pegam no sono lado a lado sob o cobertor de lã áspero, e o fogo por fim se apaga.

Eles acordam com o pescoço dolorido e com frio, e olham primeiro para a lareira escurecida, depois um para o outro.

Não faz mal, diz Sadie depressa. Não conta. Agora já está quase de dia.

Ela fala isso com toda a sua segurança atrevida de antigamente, mas Bird sabe que ela precisa que ele concorde.

Ele aquiesce. Está tudo bem.

Lá fora, o rugido da tempestade aquietou. O silêncio infla e ecoa, e seus ouvidos se ajustam aos poucos à ausência de som. As batidas da chuva cada vez mais fraca agora são discretas, como dedos tamborilando. Em vez de um borrão indistinto, eles conseguem distinguir sons individuais. Um único gotejar de chuva batuca na janela. O pingo de uma gota retine na calha como se fosse um sino. Então, de repente, um passarinho solitário testa o ar anterior à alvorada, depois outro atende ao seu chamado.

Apesar de ainda estar escuro, eles comem o que sobrou do cereal no café da manhã, porque pensam que, mesmo no fim do mundo, essas coisas os fazem se sentir mais preparados para o que quer que esteja por vir. Então, sem dizer nada, vão assumir seus postos nos degraus da frente do chalé, mesmo sem ter certeza ainda do que estão esperando. O céu está começando a clarear. Depois do temporal de ontem, o ar está limpo e definido, e as aves gritam das árvores umas para as outras. O mundo molhado pela chuva parece estar dois tons mais escuro — as pedras não mais marrom-claro, e sim dourado-escuro; o chão marrom-acinzentado agora quase preto —, mas tudo continua ali. Um esquilo com os olhos bolorentos de sono sai da toca, se senta nas patas traseiras e se espreguiça, lânguido, primeiro de um lado, depois do outro. Aos pés de Bird, uma dupla operosa de formigas ergue uma migalha de cereal e inicia a longa e desajeitada viagem de volta ao formigueiro.

Talvez seja possível. Talvez tudo esteja bem e tenha sido só um atraso, talvez Magaret e Domi estejam a caminho, sãs e salvas e vitoriosas.

Estou ouvindo, anuncia Sadie, levantando-se num pulo.

Ela tem razão, ambos ouvem o carro que sobe estalando o acesso de cascalho no meio da mata. Dos degraus da frente, observam enquanto ele se aproxima. É o carro da Duquesa, muito urbano e estranhamente deslocado ali, uma bala fina e brilhante varando a floresta em câmera lenta. O carro chega devagar, quase relutante. Sadie segura a mão de Bird, e Bird segura a mão de Sadie, eles não sabem muito bem quem deu a mão primeiro, e ficam olhando o carro avançar em direção ao chalé com uma lentidão insuportável. Quando chega mais perto, veem duas silhuetas na frente, mas não conseguem distinguir os rostos através dos vidros escuros, apenas o formato de uma sombra no banco do passageiro e outra ao volante. Então, o carro para, o motor desliga, e a porta do carona se abre, mas não é ela, é um homem, um corpo alto que se desdobra e se vira para eles. Bird emite um som engasgado de reconhecimento. É o seu pai e, atrás do volante, a Duquesa com o semblante fechado, e eles entendem que algo deu muito errado.

Pai, grita Bird. Pai. Mas sua voz não sai. Ao seu lado, Sadie começa a chorar.

E, como se o tivesse escutado mesmo assim, seu pai corre até ele, até eles, e toma ambos nos braços.

Ela esperou, a Duquesa, esperou em sua *townhouse* dourada desde o início da noite até bem tarde, esperou Margaret chegar. Assim que você achar que eles te localizaram, disse ela, não espera, M. Sai de lá e pronto, antes de eles terem tempo de te alcançar. Não abusa... você sempre se empolga. E Margaret concordou.

Mas ela continuou a narrar as histórias, seguiu em frente, passando do ponto em que Domi imaginava que fosse parar, depois do ponto que parecia prudente, depois do ponto que parecia seguro, depois do ponto que parecia possível. Quando ficou claro que Margaret não ia chegar, que algo tinha dado errado, o céu já havia passado de claro a escuro e estava clareando de novo, e ela entrou no carro e seguiu para o Brooklyn. A voz de Margaret tinha quase se apagado conforme as autoridades iam encontrando e destruindo os alto-falantes em sua lenta busca por ela, mas, quando Domi atravessou a ponte, poucos minutos depois das três, lá estava ela outra vez: sua velha amiga, agora mais alta, mais nítida, através dos alto-falantes que eles tinham esquecido ou que não tinham encontrado, como se, agora que Domi estava mais perto, as palavras dela chegassem com mais clareza. Contando as histórias que aqueles que precisavam contar não conseguiam pôr para fora, ora tristes, ora zangadas, ora ternas, mil pessoas gritando pela boca dela.

Mas a quarteirões de distância ela soube que as coisas tinham dado errado. De repente se fez um silêncio sinistro. As ruas estavam interditadas desde a Flushing Avenue; ela nem sequer conseguiu chegar à altura em que dava para ver o Fort Green Park. Um cordão de viaturas, sirenes desligadas, mas com as luzes piscando, cercava o perímetro, e ela dobrou numa rua lateral e tomou o caminho de casa. Já sabia o que eles estavam procurando ali, e sabia que tinham encontrado. Mesmo assim, esperou, olhando para o celular, ainda na esperança de a tela se acender e ser Margaret ligando para dizer que estava bem e segura em algum lugar, em qualquer lugar.

Quando o telefone finalmente tocou, a manhã já tinha avançado. Era a ligação que ela esperava, e ela estava pronta. Sim, ela era a dona do imóvel em questão... Tinham encontrado *o que* lá dentro? Não, aquilo era um choque total, um absurdo mesmo, como eles provavelmente podiam imaginar. Não, ela não fazia *nenhuma* ideia de como... Bom, esperem um instante: nos fundos, havia um painel com senha; quem quer que fosse, a tal mulher devia ter dado um jeito de abrir a porta e entrar. Ela estava fazendo *o quê*? Pavoroso. Não, ela mesma nunca ia lá; seu pai tinha comprado a casa durante a Crise com a intenção de reformá-la, mas isso nunca aconteceu, e a casa ficou vazia desde que ele faleceu. Na verdade, era justamente por isso um lugar bastante perturbador; ela gostava de ir lá, mas ainda não estava preparada para vendê-la. Claude Duchess, era esse o nome dele... sim, igual ao da empresa de tecnologia; era da sua família. Ora, lógico, ela dali em diante aumentaria a segurança, mandaria instalar um sistema de alarme, contrataria seguranças para monitorarem o lugar. Com tudo que andava acontecendo nos últimos tempos, nenhum cuidado era demais mesmo. Se as autoridades pudessem lhe avisar quando tivessem terminado o trabalho...? Era muita bondade; ela valorizava demais o serviço prestado por eles de proteger a comunidade... e, a propósito, ela estava pretendendo fazer uma doação para apoiar o trabalho da polícia. Imagine... era *ela* quem agradecia.

Enquanto isso, ela procurava. Margaret não tinha lhe contado muita coisa, mas o pouco que a Duquesa já sabia era suficiente. Espantoso quanto se podia rastrear com um simples nome; bastava perguntar para as pessoas certas. *Ethan Gardner* a levou até Harvard, então até a folha de pagamento dos funcionários da biblioteca e, por fim, até a informação de que ela precisava: um endereço em Cambridge, num dos alojamentos. Sem número de telefone, mas é claro que, de todo modo, ela não poderia arriscar uma ligação. Levou quase cinco horas para chegar a Boston — o tráfego piorou à medida que a tarde ia se tornando noite — e parou na entrada de Stanford, depois na de New Haven, depois na de Providence. Quando chegou a Cambridge, já eram quatro horas, então ela estacionou em frente ao alojamento e ficou esperando. Talvez já tivesse desencontrado dele, talvez ele não trabalhasse às sextas, talvez já tivesse chegado em casa do trabalho, ou nem tivesse saído, ou ela estivesse no lugar errado e tivesse feito aquela viagem toda à toa. Quase desistiu. Mas, enfim, logo depois das nove horas, ali estava ele: um pouco mais velho, um pouco mais grisalho, mas o mesmo rosto que ela recordava de tantos anos antes. Até mesmo se vestia igual: camisa social azul--clara para dentro da calça, blazer de veludo cotelê. Naquela época, ela não conseguira entender o que havia deixado Margaret tão fascinada, mas achava que agora tinha sacado: a suavidade que ele tinha, a promessa de que algo naquele mundo podia ser gentil.

Quando ele estava passando, ela saltou do carro.

Ethan?, chamou, e ele se virou, espantado. Hesitante. Vasculhando o rosto dela em busca de alguma familiaridade.

Sou eu, Domi, disse ela, e viu o reconhecimento inundar os olhos dele. Estou aqui por causa da Margaret, revelou, e então, antes de ele conseguir responder, emendou: e do Bird.

Ele havia encontrado o apartamento vazio ao chegar em casa naquela segunda-feira e sentido o peito apertar. Então aconteceu, pensara, em pânico: apesar de tudo, eles enfim o levaram embora. Noah, chamou, enquanto acendia as luzes da sala, depois do quarto, e dava outra volta no apartamento, como se Bird fosse uma chave perdida que ele simplesmente não conseguia encontrar. Só então encontrou o bilhete em cima da mesa, o desenho, o pedacinho de papel escrito *Nova York, NY*. Depois daqueles anos todos, ainda reconhecia a letra dela, rápida, pontuda e segura, e entendeu.

Não podia avisar a polícia; assim que eles começassem a investigar, veriam a ligação com Margaret, mergulhariam contentíssimos na ficha dela e abririam outra no nome de Bird. Ele poderia ir a Nova York, mas e depois? Só lhe restava esperar. Se Bird encontrasse Margaret, tranquilizou-se ele, os dois entrariam em contato. Não se permitiu pensar *mas e se não*.

Na terça de manhã, ligou para a escola e avisou que Bird estava doente; ligou para o trabalho e avisou que ele próprio estava doente. Se Bird voltasse, ele estaria em casa. Passou o dia andando de um lado para o outro no apartamento, pegando seus dicionários e tornando a largá-los. Olhou diversas vezes para o desenho que Margaret mandara: os gatos, o armário. O que aquilo teria representado para Bird? Na hora do jantar, se esqueceu de comer. Onde estava Bird? Será que tinha encontrado a mãe? E se não tivesse...? Naquela noite, meio tonto, sonhou que estava de volta ao seu antigo apartamento com Margaret, ainda rodeados pelo turbilhão da Crise. De manhã, grogue e exausto, acordou sozinho no andar de baixo do beliche de Bird, e avisou novamente que os dois estavam doentes. Meio que pegou no sono várias vezes; em cada uma delas, acordava certo de ter escutado a voz do filho, mas não havia ninguém no apartamento.

Na sexta de manhã, voltou ao trabalho, não podia mais tirar folgas. Na biblioteca, ficou empurrando seu carrinho por entre as estantes, demorando-se mais que de costume para alinhar cuidadosamente os livros, para recolocar tudo no lugar exato. Quando seu turno acabou, trabalhou até mais tarde, temendo o apartamento vazio. Em vez disso, foi até o canto sudoeste do nível D e passou o pente fino nas estantes até encontrar o fino livrinho com um gato na capa e um menino que se parecia um pouco com Bird.

Descobriu que aquela versão era diferente da de Margaret. Naquela, os pais tinham filhos demais, o menino era despachado para estudar com os padres, a construção não era uma casa, e sim um templo. Talvez sua lembrança estivesse equivocada ou talvez ela tivesse mudado a história para a versão que ela queria. Ou talvez, pensou ele, houvesse simplesmente várias versões daquele conto em particular. O que a história dizia a Margaret e Bird que não dizia a ele? Releu-a uma segunda e uma terceira vez, até a biblioteca fechar, em busca da mensagem, da pista que revelaria tudo e lhe diria onde sua família estava. Mas o livro nada revelou.

Ainda estava pensando nisso quando voltou para casa no escuro. Fosse qual fosse o significado, não estava nas palavras em si, mas em outro lugar, e foi naquela hora que Domi saltou do carro e o chamou.

Eles pegaram a estrada de volta para Connecticut de madrugada; o tráfego tinha evaporado, e todos estavam em casa com as persianas abaixadas. Em alguns lugares, os postes de rua já estavam se apagando, mas, no carro de Domi, eles seguiam pela rodovia em alta velocidade. Por longos trechos, seu carro era o único à vista, e eles deslizavam pela escuridão dentro da pequena bolha de luz lançada pelos faróis. Como se não existisse mais nada nem ninguém no mundo. Durante muito tempo, Ethan não disse nada, e Domi, para preencher o silêncio, tagarelou sem parar. Já tinha lhe contado, claro, as coisas mais urgentes: o que acontecera com Bird, sobre a *townhouse* e o plano. Disse para onde eles estavam indo. Uma vez abordadas essas questões, porém, pegou-se voltando aos mais diminutos detalhes.

Como Margaret estava na primeira vez em que as duas tinham se reencontrado. Deu para ver, disse Domi, deu para ver que ela foi feliz com você. Na vida que tinha antes. Porque ela estava triste por tê-la perdido. Dava para ver nos olhos dela.

Descreveu tudo para Ethan do melhor jeito que foi capaz: os cadernos de Margaret, suas viagens de família em família, até ele quase conseguir visualizar aquilo, seus rastros como finas linhas costuradas no mapa em zigue-zague, tentando remendar algo que fora rasgado.

Você devia ter escutado, relatou Domi, devia ter visto, a voz dela estava tão...

Ela abanou uma das mãos, e o carro se desviou por cima da linha amarela e voltou.

Simplesmente saindo do ar. Por toda parte. E as pessoas paradas escutando. Olhei pela janela e as vi paradas. Feito estátuas. Era como se ela tivesse transformado todo mundo em pedra.

Com a diferença, pensou — e isso não conseguiu se forçar a dizer em voz alta, nem nunca conseguiria —, com a diferença de que algumas daquelas pessoas estavam chorando. Agarrou-se àquele fato mesmo quando as autoridades começaram a procurar os alto-falantes e os esmigalharam com o calcanhar das botas, mesmo quando mandaram as pessoas se dispersarem, mesmo quando não restava mais nada para ver da janela exceto uma calçada vazia e uns poucos pedaços de fio e cacos de plástico no chão de concreto. As pessoas tinham secado as lágrimas e voltado para a própria vida, mas aquelas lágrimas ainda assim existiram, mesmo que por um instante apenas, e ela disse a si própria que isso significava alguma coisa, que tinha importância.

Ele é um bom menino, comentou ela, em vez disso. Bird. Um doce de menino.

Depois de uma pausa, acrescentou: É muito parecido com ela. Com vocês dois.

É mesmo, disse Ethan, e os dois voltaram a ficar em silêncio. Lá fora, a estrada seguiu passando, luminosa no facho de seus faróis.

Era como Pompeia, diria alguém depois. Todo mundo congelado no lugar exato em que havia parado. Ficaram ali parados, se deixando engolfar. Destruíram-se e se preservaram ao mesmo tempo.

Outra pessoa carregaria aquele instante vida afora e anos depois; passeando no Museu de História Natural com a filha, olharia os dioramas, os animais tão reais que era possível imaginá-los paralisados, como ladrões flagrados pela luz de uma lanterna, prontos para se reanimar e seguir depressa o próprio caminho assim que você desse as costas. Ela olharia para aquele diorama — um leão agachado junto a um rebanho de antílopes pastando, o ar da savana tremeluzindo atrás dos animais com um brilho cor de mel, chacais à espreita nas sombras, todos, predadores e presas, mesmerizados por uma força invisível — e de repente se lembraria daquele início de noite com a luz caindo, da voz falando com todos eles, da sensação de estar cercada por desconhecidos que, de alguma forma, estavam passando pela mesma experiência. Ela se lembraria do homem no banco do parque em frente ao seu, desgrenhado e retesado, usando uma calça cargo que não era do seu tamanho, com pedaços de meia cinza aparecendo nas brechas entre o sapato e a sola, e do modo como os olhos dele e os seus tinham se cruzado, da afirmação muda transmitida de um para outro: *Sim, eu também estou escutando*. Ela nunca mais veria aquele homem, mas ali, em pé no museu, iria se lembrar dele, da sensação de que ele, por algum motivo, era importante para ela, de que os dois estavam conectados e se encontraram, da sensação de estarem unidos por aquele momento surreal no tempo, e ficaria congelada outra vez, fascinada, olhando para além do leão e dos antílopes na direção do passado enquanto a filha puxava sua mão e perguntava por que ela estava chorando.

Eu não entendo, não entendo mesmo, Domi não para de dizer. Enxugando os olhos com a base da mão, o rímel da véspera borrando e desenhando fortes olheiras escuras. Com a cabeça de Sadie aninhada no ombro. Por que ela se arriscou tanto? A gente conversou sobre isso. Ela prometeu. Pensei que estivesse falando sério.

Você conhece a Margaret, retruca Ethan. De vez em quando, ela se empolgava. Ela era indomável.

Ele e Domi compartilham uma risada dolorida, e tudo que achavam irritante nela se torna precioso.

Estão falando dela no passado, pensa Bird, e quase sorri de tão infantil e limitado que é esse pensamento. Os dois têm tanta certeza de que ela se foi, mas ele não. Eu prometo que vou voltar, disse ela, mas agora ele percebe: ela não disse quando. Apenas que iria voltar. E nisso ele ainda acredita. Ela vai voltar. Algum dia, de algum modo. Em algum formato. Ele vai encontrá-la se procurar o suficiente. Coisas estranhas acontecem. Pode ser que ela esteja por aí, em algum lugar, em algum outro formato, como acontecia nas histórias: disfarçada de pássaro, de flor, de árvore. Se eles observassem o bastante, iriam encontrá-la. E, quando pensa nisso, pensa que talvez a esteja vendo na bétula cujas folhas chovem sobre eles com tanta delicadeza, no gavião que navega pelo céu enquanto solta seu grito penetrante, belo e melancólico. No sol que começou a penetrar feito uma agulha no meio das árvores, a tudo tingindo com um tênue brilho dourado.

E agora?, pergunta. Mas ele já sabe a resposta.

O que vai acontecer agora é uma escolha: eles podem voltar, todos os quatro, para a vida que tinham antes. Bird e o pai podem voltar para Cambridge, para a escola, voltar a repor livros em suas prateleiras inacessíveis. Podem fingir que aquilo nunca aconteceu; ainda podem dizer não, não a conhecemos, há anos não temos notícias dela. Não temos nada a ver com ela nem tivemos nada a ver com isso, é claro que não pensamos assim. Quanto a Sadie, a Duquesa garante que vai conseguir encontrar um lugar seguro para ela, mas, pela expressão da amiga, Bird sabe o que vai acontecer: ela vai fugir outra vez, vai continuar fugindo como fazia antes de encontrar Margaret, vai continuar procurando os próprios pais, uma saída para tudo aquilo, e vai desaparecer. Então, todos eles vão voltar à estaca zero, como se nada daquilo tivesse acontecido, como se não tivesse mudado nada, não tivesse significado algum.

Ou eles podem dar andamento. Podem continuar procurando os pais de Sadie, as famílias que perderam crianças, as próprias crianças. Procurar Margaret, que talvez ainda esteja por aí, em algum lugar, embora nenhum deles se atreva a pensar nisso. Podem seguir juntando histórias, encontrando jeitos de compartilhá-las. Jeitos de passá-las adiante e de lembrá-las. Terão que se esconder como Margaret se escondeu durante todos aqueles anos, esgueirando-se por sombras, passando de gentileza em gentileza. Escutando e reunindo. Recusando-se a deixar as coisas morrerem. Podem permitir o que Margaret fez mudá-los, fazer com que mude as coisas. Podem continuar rolando aquela pedra morro acima.

Em algum lugar, alguém talvez esteja dizendo: *Escuta, na outra noite aconteceu uma coisa doida, e eu não consigo parar de pensar nisso.* Dias depois, semanas até, com a voz de Margaret ainda alojada nas frestas do cérebro, as histórias que escutaram como pinos completando um circuito, acendendo sentimentos havia muito apagados. Iluminando cantos deles próprios que eles não conheciam. *Escutem, eu andei pensando.* Oito milhões de pessoas, todas aquelas histórias transmitidas de boca em boca. Será que uma daquelas pessoas se sentiria tocada? Uma em oito milhões, uma fração ínfima. Mas não é nada. Essa pessoa absorveria aquela história e a passaria adiante. *Escutem*. Em algum lugar lá fora, ela diria enfim às outras: Escutem, isso não está certo.

Nenhum deles tem certeza de como aquilo vai funcionar, para onde irão, como encontrarão seu caminho, mas não é impossível, e, nesse momento, isso parece bastar.

Antes de eles irem embora, Domi segura Bird pela mão.

Eu queria que você tivesse escutado, diz. Com o rosto congestionado e rosado, inchado com o peso do que ela carrega. Queria que tivesse ouvido o que ela disse.

Ele vai ouvir. Um dia, vai conhecer alguém que, ao escutar sua história, dirá devagar: Eu me lembro disso, eu estava lá, nunca vou me esquecer... Alguém que vai recitar para ele até o último pedacinho da transmissão da mãe, a única história que ela não leu, e sim falou, falou abertamente, com as próprias palavras; vai recitá-la palavra por palavra, porque a história ficou enraizada dentro da pessoa desde que ela a ouviu, tantos anos antes, naquela noite em que, do nada, vinda de toda parte, uma voz começou a falar na escuridão, levando mensagens de amor.

Então Domi diz: Os poemas dela.

Naquela época, tantos anos atrás, eu fui à livraria, e lá estava o livro da sua mãe em cima da mesa. Sabia que ela um dia iria escrever um. Comprei na mesma hora e li de uma vez só. Tinha anos que a gente não se falava. Durante um tempo, eu a detestei, sabe, detestei mesmo. Achei que nunca mais ia vê-la até ela aparecer na minha porta. Mas eles mexeram comigo, aqueles poemas; eu ouvia a voz dela quando lia. Não parava de pensar em tudo que tínhamos passado. Eles me fizeram lembrar quem éramos naquela época.

Bird prende a respiração. Será possível, pensa, que ela ainda tenha o livro? Que o tire da bolsa e o empurre para as suas mãos, surrado e gasto?

Mas Domi balança a cabeça.

Eu queimei, conta. Quando ela começou a ser perseguida. Ninguém sabia que eu tinha e ninguém talvez fosse saber, mas eu queimei mesmo assim. Fui covarde. É isso que estou tentando lhe dizer, Bird: Sinto muito. O livro já era.

Lágrimas se juntavam na garganta de Bird. Ele assente e começa a se virar. Mas Domi ainda está falando.

Tinha um, diz ela falando baixinho, quase para si mesma, como se estivesse tentando recordar um sonho quase apagado. Tinha um poema que olha...

Ela esfrega o ponto entre as duas clavículas, como se o soco do poema ainda pudesse ser sentido ali.

Eu li várias vezes, sabe? Porque ele não parava de dizer algo que eu sentia, mas que não conseguia identificar, e as palavras dele tornavam esse sentimento palpável por um segundinho, enquanto durasse a minha leitura. Você entende o que eu quero dizer?

Bird assente, embora não tenha certeza se realmente entendeu.

Eu acho, diz ela, acho que conseguiria escrevê-lo para você. O poema, digo. Pode ser que erre uma palavra ou duas. Mas eu acho... eu *acho*... que ainda sei a maior parte. Você gostaria?

E ele entende como aquilo vai funcionar. Como ele vai encontrá-la de novo. O que vai fazer em seguida, além de todo o resto que a sua vida vai trazer. Em algum lugar por aí, ainda existem pessoas que conhecem os poemas dela, que esconderam trechos dos poemas nas dobras da mente antes de encostar o fósforo nos papéis que seguravam. Ele vai encontrá-las, vai perguntar do que elas se lembram, vai juntar suas lembranças, por mais fragmenta-

das e incompletas que sejam, unindo os buracos de uma aos pedaços sólidos de outra, e assim, pedacinho por pedacinho, tornar a
gravá-la outra vez no papel.

Sim, por favor, diz ele. Eu gostaria muito, sim.

Nota da autora

O mundo de Margaret e Bird não é exatamente o nosso, mas tampouco *não* o é. A maioria dos acontecimentos deste livro não tem analogias diretas, mas eu me inspirei em muitos eventos reais, tanto passados quanto atuais, e, em alguns casos, coisas que eu tinha imaginado já haviam se tornado realidade quando o romance foi concluído. Margaret Atwood certa vez escreveu, falando sobre *O conto da aia*: "Se eu fosse criar um jardim imaginário, iria querer que os sapos nele fossem reais." Então o que se segue é uma lista de apenas alguns dos sapos reais — e inversamente dos fachos de esperança — que moldaram meu pensamento enquanto eu escrevia.

Tanto nos Estados Unidos quanto em outros lugares, existe uma longa história de remoção de crianças como forma de controle político. Se isso tocar você, como espero que aconteça, por favor, informe-se mais sobre as muitas ocasiões, tanto passadas quanto atuais, em que crianças foram separadas de suas famílias: a separação de famílias escravizadas, os colégios internos do governo para crianças indígenas (como o de Carlisle, na Pensilvânia), as desigualdades do sistema de acolhimento, as separações de famílias de migrantes que ainda ocorrem na fronteira sul dos Estados Unidos, entre outras.

É preciso chamar muito mais atenção para esse tema, mas o livro *Taking Children: A History of American Terror* (Levando crianças: uma história do terror norte-americano) proporciona um inestimável panorama.

A pandemia iniciada em 2020 causou um forte aumento na discriminação contra asiáticos, mas esse tampouco é um fenômeno novo: essa discriminação tem raízes antigas e profundas na história dos Estados Unidos. Enquanto eu escrevia este romance, os exemplos da vida real nunca estiveram longe do meu pensamento, incluindo os nipo-americanos encarcerados durante a Segunda Guerra Mundial, o assassinato de Vincent Chin em 1982 e a duradoura "Iniciativa China" do Ministério da Justiça norte-americano, entre muitos outros. Se você estiver interessado nesse tema e quiser saber mais, espero que confira *The Making of Asian America: A History* (A construção da América asiática: uma história), de Erika Lee; *Yellow Peril!: An Archive of Anti-Asian Fear* (Perigo amarelo: um arquivo do temor antiasiático), organizado por John Kuo Wei Tchen e Dylan Yeats; *Infamy: The Shocking Story of the Japanese American Internment in World War II* (Infâmia: a história chocante da prisão de nipo-americanos na Segunda Guerra Mundial), de Richard Reeves; e *From a Whisper to a Rallying Cry: The Killing of Vincent Chin and the Trial that Galvanized the Asian American Movement* (Grito de união: o assassinato de Vincent Chin e o julgamento que consolidou o movimento asiático-americano), de Paula Yoo, para servir como alguns pontos de partida. A cada ano, escrevem-se novos livros sobre a experiência asiático-americana, e sou grata àqueles que ajudam a revelar as muitas facetas desse tema complexo e em constante expansão.

Tenho fascínio pelo modo como as histórias folclóricas e o idioma são ao mesmo tempo lembrados e lentamente alterados conforme são transmitidos de geração em geração e pelo modo como encontramos neles significados distintos a depender das circunstâncias em que nos encontramos. A versão de *A Bela Adormecida* que Bird recorda é a da *The Illustrated Junior Library's Grimm's Fairy Tales* (Contos dos irmãos Grimm da coleção Illustrated Junior Library), livro que eu tinha quando era criança, e, ao longo do romance, Margaret conta para Bird uma mistura de histórias ocidentais e orientais que recordo da minha própria infância. A história do folclore japonês no cerne deste romance foi popularizada em inglês por Lafcadio Hearn em 1898 e recontada muitas vezes ao longo dos anos; a versão aqui reproduzida, com todas as suas variações, é a minha própria. Com relação à linguagem: o dicionário Online Etymology Dictionary, diversos fóruns de linguística e a pesquisa do meu pai sobre a história dos ideogramas chineses tiveram um valor incalculável para inspirar as etimologias de Ethan, embora quaisquer erros que ele cometa sejam, claro, exclusivamente meus.

Inspirações para alguns dos protestos no romance vieram de fontes diversas. De modo geral, o conceito de arte de guerrilha serviu de luz condutora, bem como os escritos de Gene Sharp sobre protestos não violentos. A teia tricotada no parque da universidade se baseia em diversos bombardeios pacifistas com linha nos Estados Unidos e no Reino Unido, enquanto as crianças de gelo de Nashville têm suas sementes nas instalações de estátuas da noite para o dia, como as de Donald Trump nu criadas pela INDECLINE em protesto contra suas políticas e as imagens aterradoras de crianças engaioladas plantadas pelo RAICES (Refugee and Immigrant Center for Education and Legal Services, ou Centro de Educação e Serviços Jurídicos para Refugiados e Imigrantes) para dar visibilidade às separações de famílias migrantes na fronteira com o México. Em especial, os protestos não violentos do movimento sérvio Otpor!, os manifestantes sírios anti-Assad e outros grupos, em especial conforme descritos de modo muito vívido em *Blueprint for Revolution*

(Plano para uma revolução), de Srdja Popović, deram origem às ideias do bloco de cimento com o pé de cabra em Austin, das bolas de pingue-pongue em Memphis e das tampinhas de garrafa de Margaret, além de influenciarem, no geral, todos os protestos artísticos. As lutas dos habitantes pró-democracia de Hong Kong, sobretudo contra as leis de "segurança nacional" recentemente impostas pela China, também nunca me saíram da cabeça. Tenho gratidão profunda por Anna Deavere Smith, cujo trabalho só descobri após concluir este livro, mas que, mesmo assim, é claramente uma das precursoras do projeto de Margaret.

Várias pessoas reais aparecem neste romance: Anna Akhmátova apareceu em minha vida, fazendo se encaixarem várias partes desta história, do modo fortuito e oportuno que nos faz acreditar no destino. *Poems of Akhmatova* (Poemas de Akhmátova), selecionado e traduzido por Stanley Kunitz e Max Hayward, é uma introdução maravilhosa à sua obra e história de vida. Tive a honra de batizar uma personagem que fala corajosamente sobre injustiça em homenagem a Sonia Lee Chun, em agradecimento pelo generoso apoio de sua família ao Immigrant Families Together (Famílias Imigrantes Unidas). Margaret pensa no legado de Latasha Harlins e Akai Gurley; que possamos recordar seus nomes e suas vidas. Por último, mas nem por isso menos importante, depois de terminar o romance, descobri que existe um grupo no Facebook com a hashtag #ourmissinghearts, dedicado a aumentar a conscientização sobre pessoas desaparecidas. Sou grata ao trabalho que essas pessoas fazem para levar paz a famílias que esperam encontrar respostas.

Por fim, foi extremamente fácil imaginar a PACT, as justificativas para ela e os impactos que essa lei poderia ter na sociedade: os casos de liberdade de expressão sufocada e de discriminação racionalizada sob o disfarce da "proteção" e da "segurança" são por demais numerosos. Ao longo do processo de escrita, o noticiário proporcionou uma série de exemplos contemporâneos, tanto nos Estados Unidos quanto no exterior, e, entre o momento em que digitei a história e a sua leitura, sem dúvida haverá outros. É difícil analisar a própria época, mas olhar para o passado me ajudou, ao proporcionar algum recuo histórico. Escritos sobre o macartismo, entre eles *Naming Names* (Citando nomes), de Victor S. Navasky, e *The Age of McCarthyism: A Brief History with Documents* (A era do macartismo: breve história documentada), de Ellen Schrecker e Phillip Deery, proporcionaram uma visão aterrorizante de como o medo pode se generalizar; *Perilous Times: Free Speech in Wartime* (Tempos perigosos: liberdade de expressão na guerra), de Geoffrey R. Stone, catalogou dezenas de exemplos históricos que lembram de modo sinistro nossa época atual; e livros como *When Paris Went Dark: The City of Light Under German Occupation, 1940-1944* (Quando Paris escureceu: a Cidade-Luz sob a ocupação alemã, 1940-1944), de Ronald C. Rosbottom, me ajudaram a refletir sobre como resistir, permitir e colaborar se confundem. De um ponto de vista mais geral, *On Tiranny* (Sobre a tirania), de Timothy Snyder, foi um lembrete poderoso da rapidez com que o autoritarismo pode surgir (bem como do que se pode fazer a respeito), e o ensaio clássico de 1978 de Václav Havel, "The Power of the Powerless" (A força dos impotentes), mudou minha forma de pensar sobre o impacto que um único indivíduo poderia ter para desmantelar um sistema já estabelecido. Espero que ele tenha razão.

Agradecimentos

Ninguém faz nada sozinho, e devo mais agradecimentos do que sou capaz de fazer às muitas, muitas pessoas que me ajudaram pelo caminho.

Ainda não sei bem o que fiz para merecer minha agente Julie Barer, mas certamente agradeço. Minha gratidão eterna a você, a Nicole Cunningham Nolan, e a todos na The Book Group. Ponto, parágrafo.

Obrigada, como sempre, à minha editora Virginia Smith Younce, por sua calma inabalável e sua orientação segura (e por providenciar sorvete exatamente quando eu mais precisei), e a Caroline Sydney, por ter mantido tudo nos trilhos. Mais uma vez, Juliana Kiyan, Matthew Boyd, Danielle Plafsky, Sarah Hutson, Ann Godoff, Scott Moyers e toda a equipe da Penguin Press conduziram este livro ao mundo com muita sensibilidade e amor; não consigo imaginar mãos melhores nas quais meu trabalho pudesse estar. Jane Cavolina, minha copidesque, segue tendo paciência de santa e olhos de águia.

No Reino Unido, obrigada a Caspian Dennis e Clare Smith, por sempre defenderem meu trabalho, e a Grace Vincent, Celeste Ward-Best, Hayley Camis, Kimberley Nyamhondera e a todos da Little,

Brown UK; e a Nicole Winstanley e Deborah Sun de la Cruz, da Penguin Random House Canada. Obrigada a Jenny Meyer e Heidi Gall, por ajudarem meus livros a encontrarem lares tão bons no exterior, e a todos os meus editores e tradutores internacionais, por compartilhem minhas palavras com os leitores.

Obrigada a Ayelet Amittay, Tasneem Husain, Sonya Larson, Anthony Marra, Whitney Scharer e Anne Stameshkin, por suas leituras e opiniões de valor incalculável ao longo do caminho, e a meu grupo de leitura, firmes luzes condutoras e sólidos apoios. Conversas com Jenn Fang e Dolen Perkins-Valdez moldaram meu pensamento e tornaram este livro incomensuravelmente mais forte (e Jenn, obrigada pela genealogia de Marie).

Obrigada a Jenni Ferrari-Adler, Marissa Perry Stuparyk, Ariel Djanikian e Anne Stameshkin (de novo) por aquele fim de semana no mato, no sofá em frente à lareira, e quase duas décadas de conversas sensíveis; a Catherine Nichols, por me deliciar com almoços de *lámen* e por me emprestar graciosamente o nome Bird; e a Jermaine Brown, por seus conselhos sobre realocação de crianças e pelo aterrorizante comentário: "Com apoio do judiciário, qualquer coisa é possível." Um imenso agradecimento a Peter Ho Davies pela sabedoria e mentoria, e imensa gratidão por ter compartilhado aquela história sobre o seu pai; espero que esta revisão lhe faça jus.

A Guggenheim Foundation apoiou este projeto e, mais importante, deu um voto de confiança inicial sem o qual eu provavelmente nem sequer teria tentado este livro. A Cambridge Public Library me forneceu não só espaço para escrever, mas também uma inspiração infinita com seus livros, clientes e bibliotecários; obrigada por tudo que vocês fazem, e obrigada a Kate Flaim, por ter organizado aquele tour dos bastidores que despertou minha imaginação.

Mais importante: obrigada à minha família. Minha mãe e irmã continuam a me apoiar nessa História de Escrever Ficção quarenta anos depois de eu começar. Não é fácil ter uma escritora na família, então obrigada por me deixarem ser uma e por compartilharem comigo suas histórias. Espero que estejam orgulhosas de mim. Obrigada ao meu marido, por trazer almoço quando me esqueço de comer, pela paciência ao me ouvir divagar sobre pontos de virada e pesquisas, por assumir mais tarefas domésticas enquanto escrevo e por ter fé no meu trabalho mesmo quando eu mesma perco a minha. Tenho muita sorte, e gratidão, por estar nesta jornada com você. Por último, obrigada ao meu filho: você continua a ser a melhor coisa que eu já criei.

1ª edição	FEVEREIRO DE 2023
impressão	IMPRENSA DA FÉ
papel de miolo	PÓLEN NATURAL 70 G/M²
papel de capa	CARTÃO SUPREMO ALTA ALVURA 250 G/M²
tipografia	PERPETUA